À mots découverts

2e édition

Français de base

Louise Archambault
Laurent Duval
Lyane Henrichon
Maria Popica

LES ÉDITIONS CEC

9001, boul. Louis-H.-La Fontaine, Anjou (Québec) Canada H1J 2C5
Téléphone : 514-351-6010 • Télécopieur : 514-351-3534

Direction de l'édition
Janik Trépanier, 2e édition
Katie Moquin, 1re édition

Direction de la production
Danielle Latendresse

Direction de la coordination
Rodolphe Courcy

Charge de projet
Lina Binet, 2e édition
Suzanne Bélanger, 1re édition

Révision linguistique
Marie Auclair, 2e édition
Nicole Lapierre-Vincent, 1re édition

Correction d'épreuves
Michèle Levert, 2e édition
Katie Delisle, 1re édition
Marie Théorêt, 1re édition

Conception et réalisation graphique
Les Studios Artifisme

Remerciements

Les auteurs tiennent à remercier l'équipe qui les a épaulés au cours de cette aventure : Janik Trépanier, Lina Binet, Marie Auclair et Michèle Levert qui ont procédé à une révision avisée de l'ouvrage.

Des remerciements bien spéciaux vont aux gens qui nous ont soutenus tout au long de ce projet. Maria souhaite particulièrement exprimer sa gratitude à Andreea et à Dan pour leur présence à ses côtés, ainsi qu'à ses collègues de travail pour leur générosité dans le partage des idées. Lyane et Laurent tiennent à remercier leurs collègues pour leur appui et leurs bons mots. De manière particulière, Lyane désire remercier Yann Brouillette pour sa générosité et sa patience. Louise veut témoigner sa reconnaissance à son conjoint Frédéric pour sa patience, sa disponibilité et son soutien indéfectible.

L'Éditeur souhaite remercier les personnes suivantes, qui ont participé à titre de consultantes scientifiques et pédagogiques :

1re édition

Annie Desnoyers, linguiste-conseil
Catherine Duranleau, enseignante, Collège Vanier
Chantale Giguère, enseignante, Collège Dawson
Hélène Mathieu, enseignante, Collège Champlain
Isabelle Ste-Marie, enseignante, Collège John-Abbott

2e édition

Geneviève Caron, enseignante, Collège John-Abbott
Adeline Caute, enseignante, Collège Dawson
Isabelle Geoffrion, enseignante, Collège Dawson
Catherine Kozminski-Martin, enseignante, Collège Champlain
Laure Niculae, enseignante, Collège Dawson
Catherine Soleil, enseignante, Collège Dawson

Au moment de l'impression de cet ouvrage, tous les sites Internet suggérés dans ce manuel avaient été soigneusement examinés. Il se peut toutefois que les propriétaires d'un site Internet, ou encore des tierces personnes, aient modifié l'adresse ou le contenu d'un site de telle sorte qu'il ne corresponde plus à sa vocation initiale. Il est donc recommandé de vérifier attentivement tous les sites Internet avant d'en proposer la consultation.

À mots découverts, français de base, 2e édition

© 2016, Les Éditions CEC inc.
9001, boul. Louis-H.-La Fontaine
Anjou (Québec) H1J 2C5

Dépôt légal : 2016
Bibliothèque et Archives nationales du Québec
Bibliothèque et Archives Canada

ISBN 978-2-7617-8862-5

Imprimé au Canada
2   3   4   5   6   22   21   20   19   18

MIXTE
Papier issu de sources responsables
FSC® C103567

Avant-propos

Objectifs

À mots découverts s'adresse aux étudiants de français langue seconde de niveau 100 au collégial ou de niveau intermédiaire I. Cet ouvrage encourage la communication en français tout en mettant l'accent sur les compétences en lecture et en écriture. Conçu pour servir de ressource à la formation en français langue seconde, **À mots découverts** propose une formule flexible, où l'enseignant et l'étudiant sont invités à exploiter selon leurs besoins les différentes boites à outils. Au fil de l'ouvrage, les étudiants seront amenés à développer différentes stratégies, notamment sur les plans de la lecture, de l'écriture, de la révision et de l'autocorrection, mais aussi sur ceux de la recherche dans Internet et de la planification d'une présentation orale. Les étudiants y trouveront aussi une section grammaticale facile à consulter grâce à des tableaux clairs, conçus dans l'esprit de la nouvelle grammaire et suivis d'exercices variés qui leur permettront de mettre leurs connaissances en pratique. Enfin, **À mots découverts** offre aux étudiants des textes qui témoignent de la richesse de notre culture et du plaisir de lire et d'écrire en français.

Caractéristiques

À mots découverts est divisé en trois grandes parties : *Textes*, *Théorie et stratégies* et *Grammaire*.

La première partie est composée de treize textes informatifs, narratifs et divers (une autobiographie et une bande dessinée) suivis d'exercices variés ayant comme objectifs d'amener l'étudiant à améliorer ses compétences en lecture, d'enrichir son vocabulaire et de perfectionner son expression orale et écrite.

Chacun des textes à l'étude est accompagné :

de questions d'introduction

de quelques mots extraits du texte (liés au sujet) explicités par une courte définition accompagnée d'un exemple d'utilisation

Le pictogramme dirige l'étudiant vers MaZoneCEC où sont disponibles plus de 350 exercices interactifs de grammaire, des activités de compréhension orale, des textes supplémentaires accompagnés d'exercices, des fiches reproductibles et des liens vers des sites Internet.

de pistes d'exploration en lien avec les thèmes abordés

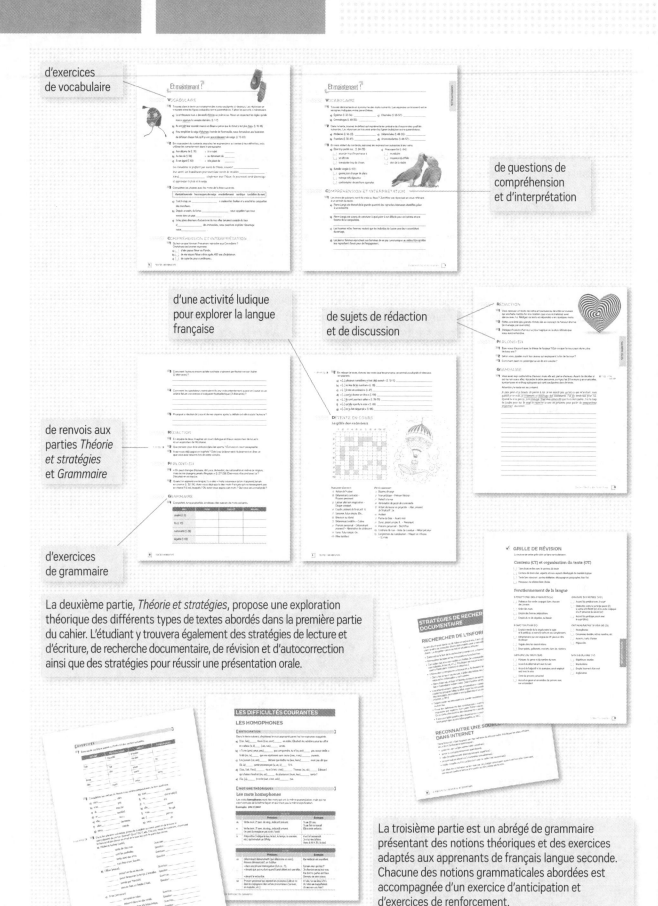

d'exercices
de vocabulaire

de questions de
compréhension
et d'interprétation

d'une activité ludique
pour explorer la langue
française

de sujets de rédaction
et de discussion

de renvois aux
parties *Théorie
et stratégies*
et *Grammaire*

d'exercices
de grammaire

La deuxième partie, *Théorie et stratégies*, propose une exploration
théorique des différents types de textes abordés dans la première partie
du cahier. L'étudiant y trouvera également des stratégies de lecture et
d'écriture, de recherche documentaire, de révision et d'autocorrection
ainsi que des stratégies pour réussir une présentation orale.

La troisième partie est un abrégé de grammaire
présentant des notions théoriques et des exercices
adaptés aux apprenants de français langue seconde.
Chacune des notions grammaticales abordées est
accompagnée d'un exercice d'anticipation et
d'exercices de renforcement.

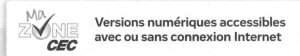

PARCOURS SUGGÉRÉS

Parcours thématiques

- Les relations amoureuses : *Reproches intersexes* et *Date limite de fraicheur*.
- L'identité nationale : *Apprends-moi l'hiver* ; *Un match de foot à Rome* et *Tourisme extrême*.
- L'autre : *Une longue séparation* ; *Granby, terre d'accueil* et *L'étranger*.
- Le paranormal : *Que nous révèlent nos rêves ?* et *Industrie de l'ésotérisme : cultiver le scepticisme*.
- La science et la technologie : *Les téléphones peuvent être nocifs pour la santé (mais pas pour les raisons que l'on croit)* ; *La chimie a modelé notre monde* et *Mafiaboy*.

Parcours selon la difficulté

- Niveau facile : *Que nous révèlent nos rêves ?* ; *Reproches intersexes* ; *Les téléphones peuvent être nocifs pour la santé (mais pas pour les raisons que l'on croit)* et *Tourisme extrême*.
- Niveau moyen : *Apprends-moi l'hiver* ; *Industrie de l'ésotérisme : cultiver le scepticisme* ; *Date limite de fraicheur* ; *Une longue séparation* ; *Granby, terre d'accueil* et *Mafiaboy*.
- Niveau difficile : *La chimie a modelé notre monde* ; *Un match de foot à Rome* et *L'étranger*.

Parcours grammaticaux

- Les classes de mots : *Reproches intersexes* ; *Les téléphones peuvent être nocifs pour la santé (mais pas pour les raisons que l'on croit)* et *Un match de foot à Rome*.
- Le genre du nom : *Reproches intersexes*.
- Les déterminants : *Industrie de l'ésotérisme : cultiver le scepticisme* ; *Un match de foot à Rome* et *Une longue séparation*.
- Les adjectifs : *Que nous révèlent nos rêves ?* ; *Un match de foot à Rome* et *L'étranger*.
- Les pronoms personnels : *Que nous révèlent nos rêves ?* ; *La chimie a modelé notre monde* et *Date limite de fraicheur*.
- Le présent de l'indicatif : *Industrie de l'ésotérisme : cultiver le scepticisme* ; *Une longue séparation* et *Tourisme extrême*.
- L'imparfait et le passé composé : *Une longue séparation* ; *Granby, terre d'accueil* ; *L'étranger* et *Tourisme extrême*.
- Le futur proche : *Mafiaboy*.
- Les prépositions : *Mafiaboy* et *Tourisme extrême*.
- Les marqueurs de négation : *Les téléphones peuvent être nocifs pour la santé (mais pas pour les raisons que l'on croit)*.
- Les homophones et la graphie du son « é » : *Apprends-moi l'hiver* et *Granby, terre d'accueil*.
- Les anglicismes et la correction des phrases : *La chimie a modelé notre monde* et *Date limite de fraicheur*.
- La ponctuation : *Granby, terre d'accueil*.

Table
des matières

PARTIE 1
TEXTES

Textes informatifs

Textes narratifs

Textes divers

TEXTES

INFORMATIFS   NARRATIFS   DIVERS

Le lecteur idéal ne reconstruit pas une histoire ; il la recrée.
Le lecteur idéal ne suit pas une histoire : il y participe.

– Alberto MANGUEL, *Pinocchio et Robinson. Pour une éthique de la lecture*,
Éditions L'Escampette, 2005

Textes
INFORMATIFS

Avant tout

En vous éveillant, est-ce que vous vous rappelez vos rêves ?
Toujours ? Parfois ? Jamais ?

Y a-t-il un rêve qui revient régulièrement hanter vos nuits ?
Si oui, lequel ?

VOCABULAIRE THÉMATIQUE

Songe (l. 2) : (n. m.) rêve.
Ex. : Maya lisait le récit des songes du poète.

Sommeil paradoxal (l. 26) : phase du sommeil pendant laquelle
se déroulent les rêves.
Ex. : Le cerveau est très actif pendant la phase du sommeil
paradoxal alors que le corps est apathique.

État d'éveil (l. 93) : état d'une personne qui ne dort pas.
Ex. : Nous rêvons aussi en état d'éveil ; il suffit d'écouter
un enfant dire : « Quand je serai grand, je voudrais faire… »

Cauchemar (l. 98) : (n. m.) rêve qui nous plonge dans la peur
et l'angoisse.
Ex. : William s'est réveillé en hurlant, il avait fait un cauchemar
terrifiant.

Que nous révèlent nos rêves ?

Une consultante en gestion du sommeil s'intéresse à nos songes depuis plus de 30 ans. Avec son ouvrage *Les rêves, messagers de la nuit*, Nicole Gratton nous apprend à mieux
5 les décoder. Entrevue éclairante.

POURQUOI RÊVE-T-ON ?
De la naissance à la mort, les rêves sont essentiels à notre survie et à notre équilibre psychique. Ils nous permettent notamment d'évacuer le stress accumulé pendant la
10 journée. Par exemple, plusieurs comédiens m'ont déjà avoué qu'à la veille d'un spectacle, ils rêvent qu'ils n'ont plus de voix ou qu'ils se retrouvent devant une salle vide ! En fait, c'est la façon qu'a trouvée l'inconscient
15 de « laisser sortir la vapeur ».

Rêver nous libère également des émotions et des frustrations refoulées en les revivant pendant le sommeil, on s'en dégage au lieu de les ruminer. Ça nous permet donc
20 de fonctionner plus sereinement dans la vie et d'être moins déstabilisés quand survient un changement.

[…]

RÊVE-T-ON TOUTE LA NUIT OU SEULEMENT PENDANT CERTAINES PÉRIODES ?
On fait en moyenne de quatre à six rêves par nuit. Les études cliniques démontrent qu'à
25 chaque intervalle d'environ 90 minutes on entre dans une phase de sommeil paradoxal pendant que le corps est inerte, le cerveau, lui, est complètement éveillé. Si la première de ces phases ne dure que cinq minutes, les
30 suivantes s'allongent à mesure que la nuit avance. Notre dernier rêve peut durer de 30 à 45 minutes et, comme c'est le plus long, on se souvient généralement de celui-là plus facilement.

POURQUOI NOS RÊVES SONT-ILS SI SOUVENT ABSURDES OU FARFELUS ?
35 Parce que c'est l'hémisphère droit du cerveau qui est alors en activité. Contrairement à la partie gauche, qui est le siège du langage et de la pensée rationnelle, l'hémisphère

Refoulées Gardées en soi,
étouffées, impossibles à
exprimer.

Farfelus Bizarres, étranges,
un peu fous. Cette
expression est familière.

droit est visuel, intuitif et irrationnel. Donc, au
lieu de nous envoyer un message clair et
bien structuré, il crée un scénario beaucoup
plus complexe sous forme de métaphores, à
partir du bagage d'images et de perceptions
qu'il a récemment emmagasinées.

Toutefois, si notre rêve nous semble fantai-
siste, les informations qu'il recèle ne le sont
pas. Et lorsqu'on se dit qu'il n'a pas de sens
et qu'on ne fait pas l'effort d'essayer de le
comprendre, on passe à côté du message
qu'il veut nous transmettre.

[...]

EST-IL POSSIBLE DE DÉCODER SOI-MÊME SES RÊVES ?

Bien sûr. Étant donné que chaque rêve nous
concerne, une partie de nous le comprend
forcément ! Intuitivement, on devrait donc
pouvoir faire un lien direct avec ce qu'on vit.
Et ceux qui pensent que les dictionnaires de
symboles peuvent les aider à les interpréter
se trompent !

[...] Comme on est le seul à connaître le
contexte dans lequel le rêve s'inscrit, on est
bien mieux placé que n'importe quel dictionnaire pour le décoder.

QUE FAUT-IL FAIRE POUR S'EN SOUVENIR ?

Le meilleur moyen, c'est de prendre l'habitude
de les écrire dans un carnet chaque matin au
réveil. Le soir, juste avant d'aller au lit, on prépare le terrain en y notant la date ainsi que
deux évènements importants de la journée.

Le lendemain, on essaie de rattraper son
rêve. On commence par lui donner un titre (« la
route bloquée », par exemple), puis on le
raconte : « Je conduis à toute vitesse sur une
belle route de campagne, etc. » Enfin, on met
en mots les sentiments qu'il a suscités : frustration, acceptation, colère, surprise... Viennent
ensuite les questions : « Dans quelle sphère de
ma vie dois-je faire demi-tour ? Est-ce que ça
concerne mes placements financiers, mon
engagement amoureux, ma carrière ? »

[...]

PARLEZ-NOUS UN PEU DES CAUCHEMARS.

Affreux, terrifiants ou inquiétants, ils sont
pourtant utiles, et ce, pour trois raisons.
D'abord, ils peuvent refléter un état intérieur
(situation conflictuelle non réglée, début de
burnout ou de dépression, etc.) et nous
inciter à prendre certaines mesures afin de
ne pas sombrer davantage.

Ensuite, ils nous aident à évacuer le stress
de la journée : on fabrique des scénarios
catastrophes pour se désensibiliser, car on a
les nerfs à fleur de peau (comme la comé-
dienne qui rêve qu'elle a perdu la voix).

Enfin, ils nous permettent de développer
audace et courage. Comme ce sont souvent
des rêves non terminés, on doit visualiser
une fin positive en état d'éveil. Si on tombait
dans le vide, on imagine qu'on se met à
voler ; si on était attaqué par une créature
monstrueuse, on la fait déguerpir avec une
arme antimonstre !

[...] Par contre, dans le cas d'un cauchemar
récurrent, il est préférable de faire appel à un
psychologue ou à un thérapeute. En effet, si
la cause est très profonde, on ne sera pas en
mesure de résoudre soi-même le problème.
(780 mots)

© Karine VILDER, « Que nous révèlent nos rêves ? »,
Vita Magazine, avril 2011.

Emmagasinées Gardées
à l'esprit, en mémoire.

Burnout Anglicisme.
Surmenage, épuisement
professionnel.

Déguerpir Fuir, partir
rapidement, quitter un
lieu à toute vitesse.

Antimonstre Qui lutte
contre les monstres.

POUR tout Savoir

À LIRE
- Le portail Wikipédia sur le rêve et la perception du rêve au cours de l'histoire de l'humanité, http://fr.wikipedia.org/wiki/Reve#Perception_du_r.C3.AAve_au_cours_de_l.27histoire_de_l.27humanit.C3.A9.
- La conférence de Michel Jouvet, *Le rêve dans le cycle veille-sommeil*, http://sommeil.univ-lyon1.fr/articles/jouvet/histoire_naturelle/p5.php.

À VOIR
- Le documentaire de Jeanne Burgermister, *Le mystère des rêves lucides*, 2014, www.dailymotion.com/video/x19886r_le-mystere-des-reves-lucides-arte-02-01-2014_news.
- Le film de Christopher Nolan, *Origine* (*Inception*), 2010. Film de science-fiction dans lequel le personnage principal réussit à extraire des secrets importants dans les profondeurs du subconscient pendant la phase du rêve, au moment où l'esprit est le plus vulnérable.

Et maintenant !

VOCABULAIRE

1 Dans le texte, que veulent dire les expressions suivantes ?

a) « laisser sortir la vapeur » (l. 15) :

1 laisser sortir la vapeur de la casserole ;

2 évacuer le stress accumulé pendant la journée ;

3 ouvrir une fenêtre pour laisser sortir la buée ;

4 utiliser au maximum son énergie.

b) « on prépare le terrain » (l. 64-65) :

1 on retourne la terre avant de semer ;

2 on aménage les pistes de motoneige avant l'hiver ;

3 on prépare tout ce qu'il faut avant de se mettre au lit ;

4 on prépare quelqu'un à recevoir une mauvaise nouvelle.

c) « on a les nerfs à fleur de peau » (l. 87-88) :

1 on voit les veines bleues à travers la peau ;

2 on est très fatigué et on agit comme un robot ;

3 on a des nerfs en forme de fleurs dans un pot ;

4 on est sur le point de perdre le contrôle et d'exploser.

2 Complétez la phrase suivante à l'aide des mots du vocabulaire thématique.

Quand elle n'est pas _____ , Coralie plonge dans un étrange

_____ où se mélangent _____ et _____ .

3 Qui suis-je ? Pour chaque définition ci-dessous, trouvez la réponse dans le texte entre les lignes indiquées entre parenthèses.

a) Le fait de continuer à vivre après un évènement ou une situation terrible :

(l. 6-8) _____

b) Des recherches scientifiques dont les résultats sont obtenus par l'observation directe des sujets :

(l. 24-28) _____

c) Un petit cahier dans lequel on écrit des notes, des informations :

(l. 62-64) _____

COMPRÉHENSION ET INTERPRÉTATION

1 Vrai (V) ou faux (F) ?

a) Rêver est d'une importance capitale pour l'être humain. [V] [F]

b) Rêver ne nous permet pas de nous débarrasser de notre stress quotidien. [V] [F]

c) Rêver nous permet de ne plus ruminer nos émotions et nos frustrations. [V] [F]

d) Rêver nous déstabilise et nous fait craindre le changement. [V] [F]

2 Quelle est la différence entre l'hémisphère gauche et l'hémisphère droit du cerveau ?

_____

_____

3 Pourquoi les dictionnaires de symboles ne peuvent-ils pas, selon Nicole Gratton, nous aider à interpréter nos rêves ?

_____

_____

4 Que veut dire Nicole Gratton lorsqu'elle pose la question : « Dans quelle sphère de ma vie dois-je faire demi-tour » ?

_____

5 Selon Nicole Gratton, comment les rêves peuvent-ils être des systèmes d'alarme ?

_____

_____

RÉDACTION

1 Racontez un rêve comme Nicole Gratton vous le suggère dans la partie du texte intitulée _Que faut-il faire pour s'en souvenir ?_ (l. 62-77).

  a) Donnez un titre à votre rêve ;

  b) racontez-le ;

  c) décrivez les sentiments suscités par le rêve : frustration, acceptation, colère, surprise, etc. ;

  d) reliez le rêve à un évènement ou une situation de votre vie.

2 Racontez un cauchemar qui vous a permis de développer votre audace et votre courage.

PARLONS-EN

1 Nous rêvons pendant notre sommeil, mais il nous arrive de rêver en état d'éveil. Y a-t-il un rêve que vous souhaitez réaliser un jour ? Quelle est l'importance de ce rêve pour vous ? Est-il réaliste ? Racontez-le et discutez-en en petits groupes.

2 Dans Internet, il suffit de taper « interprétation des rêves » pour obtenir des centaines de sites qui offrent des dictionnaires ou les services de personnes qui interprètent les rêves : ce sont des voyants(es), des hypnotiseurs, etc. Avez-vous confiance en ces personnes ? Utiliseriez-vous leurs services ? Pourquoi ? Formez des groupes « pour » et des groupes « contre », discutez-en, puis mettez en commun vos idées.

GRAMMAIRE

1 Accordez les adjectifs suivants. 《 G P. 133-135

  a) Des idées (essentiel) _____

  b) Des émotions (refoulé) _____

  c) Les (Premier) _____ Nations

  d) Ces (long) _____ études

  e) Son attitude (intuitif) _____

  f) Des esprits (paradoxal) _____

  g) Des coups (direct) _____

  h) Les (meilleur) _____ techniques

  i) Sa vie (amoureux) _____

  j) Les (dernier) _____ entrevues

2 En relisant le texte, donnez les mots que les pronoms personnels soulignés ci-dessous remplacent.

a) « [...] plusieurs comédiens <u>m</u>'ont déjà avoué » (l. 10-11) _____

b) « [...] au lieu de <u>les</u> ruminer » (l. 19) _____

c) « [...] <u>il</u> crée un scénario » (l. 41) _____

d) « [...] par <u>lui</u> donner un titre » (l. 68) _____

e) « [...] <u>ils</u> sont pourtant utiles » (l. 78-79) _____

f) « [...] qu'<u>elle</u> a perdu la voix » (l. 89) _____

g) « [...] on <u>la</u> fait déguerpir » (l. 96) _____

DÉTENTE EN COURS

La grille des audacieux

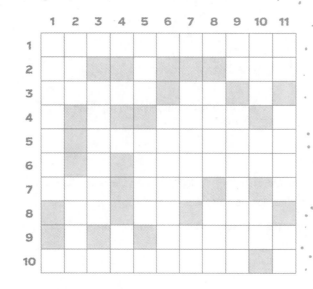

Horizontalement

1 Action de frustrer

2 Déterminant contracté – Pronom personnel

3 Laisser aller son imagination – Disque compact

4 Coudre, présent de l'indicatif. Il...

5 Savourer, futur simple. Elle...

6 Bravoure au pluriel

7 Déterminant indéfini – Colère

8 Pronom personnel – Déterminant possessif – Abréviation de *adolescent*

9 Garer, futur simple. On...

10 Rêve terrifiant

Verticalement

1 Bizarre, étrange

2 Voie publique – Prénom féminin

3 Relatif à la vue

4 Abréviation de poste de commande

5 Action de lancer un projectile – Aller, présent de l'indicatif. Je...

6 Audace

7 Partie du bras – Avant-midi

8 Durer, passé simple. Il... – Perroquet

9 Pronom personnel – Déchiffrer

10 Contraire de non – Note de musique – Métal précieux

11 Conjonction de coordination – Maison en Afrique – 12 mois

Avant tout

Croyez-vous que les hommes et les femmes sont faits pour bien s'entendre ?

Selon vous, qu'est-ce qu'on peut reprocher aux personnes de votre sexe ?

Qu'est-ce que vous pouvez reprocher à celles du sexe opposé ?

VOCABULAIRE THÉMATIQUE

Commérage (l. 13) : (n. m.) bavardage.
Ex. : Les commérages de ma voisine sont insupportables : elle parle toujours en mal de ses enfants.

Orgueilleux (l. 21) : (adj.) présomptueux, démesurément satisfait de soi.
Ex. : Cet homme orgueilleux croit qu'il est parfait.

Bataille rangée (l. 60) : les deux parties se battent à partir de positions qui les opposent.
Ex. : Les hommes et les femmes se font des reproches qui s'apparentent à une bataille rangée.

Mauvaise foi (l. 64) : refus irrationnel de reconnaitre une évidence.
Ex. : C'est sa mauvaise foi qui l'empêche de reconnaitre que tu as raison.

Reproches intersexes

Le professeur de psychologie au cégep de Drummondville, Pierre Langis, a effectué une excellente étude auprès de ses étudiants sur les reproches que les hommes adressent aux
5 femmes et les femmes, aux hommes. Il se dit étonné, non pas par l'ampleur des reproches, mais plutôt par leur potentiel d'incompréhension intersexe.

La première chose à noter dans la liste de
10 reproches ci-dessous est leur complémentarité : les femmes reprochent aux hommes de ne pas communiquer alors que ceux-ci reprochent aux femmes de faire du commérage.

La deuxième est leur **sexocentrisme** : chacun
15 présente sa perception comme étant la norme à suivre. Les vingt reproches sont présentés par ordre d'importance.

REPROCHES AUX HOMMES

Les jeunes femmes reprochent principalement aux hommes de ne pas communi-
20 quer, d'être différents lorsqu'ils sont en gang, d'être orgueilleux, d'être trop portés sur l'apparence des filles, d'avoir peur de l'engagement et de se sentir supérieurs (machos).

Elles leur reprochent évidemment d'être
25 trop portés sur le sexe, d'être axés sur la performance, d'être trop compétitifs, d'être **homophobes**, de ne pas accorder assez d'importance à la relation et de séparer trop facilement le sexe de l'amour.

30 Elles les qualifient d'influençables et d'immatures et leur reprochent d'avoir besoin d'être maternés. Elles les accusent de minimiser les problèmes et les trouvent indépendants, égocentriques et matérialistes. Finalement,
35 elles disent qu'ils ont une mémoire sélective.

Intersexes Est ici pris dans le sens de : entre les personnes de sexe masculin et féminin.

Sexocentrisme Qui tend à faire de la sexualité (surtout féminine) un objet de curiosité scientifique et sociale.

Homophobes Qui éprouvent de l'aversion pour les homosexuels.

(indécises), qu'elles sont manipulatrices, qu'elles ont des secrets entre elles, qu'elles **s'apitoient** pour se faire plaindre et qu'elles
55 sont susceptibles. Finalement, ils leur reprochent d'être attirées par les gars qui ont du prestige, et par les *badboys*.
[…]

QUE FAIRE ?

On a vraiment l'impression, à la lecture de tous ces reproches, d'assister à une véritable
60 bataille rangée où chacun essaie de démontrer à l'autre qu'il ou elle a raison d'être comme il ou elle est, que l'autre doit changer et que, s'il ne le fait pas, c'est qu'il ou elle est de mauvaise foi ou qu'il ou elle n'a pas autant
65 d'amour qu'il ou elle le dit.

Les deux croient que tout est question d'amour et de bonne volonté, refusant trop souvent l'existence de différences de nature pouvant expliquer ces disparités compor-
70 tementales et les difficultés de communication et de compréhension qui **s'ensuivent**.
(470 mots)

Yvon DALLAIRE, « Reproches intersexes », *Art de vivre*, Canoe.ca, http://fr.canoe.ca/artdevivre/ellelui/nouvelles/archives/2011/03/20110321-084503.html. © *Le Journal de Montréal*.

S'apitoient Se plaignent, exagèrent leurs malheurs pour se faire prendre en pitié.

S'ensuivent Découlent, résultent.

REPROCHES AUX FEMMES

À leur tour, les jeunes hommes reprochent principalement aux femmes de se montrer compétitives entre elles (*bitchage*), d'être complexées, de se comporter en dépendantes
40 affectives, de compliquer et d'interpréter les choses, de dramatiser et d'être hypocrites.

Ils leur reprochent évidemment de trop critiquer et de se plaindre (de chialer), d'avoir besoin de tout analyser, d'être idéalistes en
45 amour, de souffrir d'insécurité, d'être jalouses et d'avoir besoin de se faire dire à répétition qu'on les aime.

Ils disent des filles qu'elles s'intéressent trop aux potins et aux bavardages, qu'elles
50 expriment leur désir sexuel indirectement, qu'elles ne savent pas ce qu'elles veulent

POUR tout Savoir

Et maintenant !

VOCABULAIRE

1 Trouvez dans le texte un synonyme des mots suivants. Les réponses se trouvent entre les lignes indiquées entre parenthèses.

a) Égoïstes (l. 32-34) : _____   **c)** Charmées (l. 55-57) : _____

b) Commérages (l. 48-55) : _____

2 Dans le texte, trouvez le défaut qui représente le contraire de chacune des qualités suivantes. Les réponses se trouvent entre les lignes indiquées entre parenthèses.

a) Modestes (l. 18-23) : _____   **c)** Déterminées (l. 48-55) : _____

b) Franches (l. 36-41) : _____   **d)** Accommodantes (l. 48-57) : _____

3 En vous aidant du contexte, associez les expressions suivantes à leur sens.

a) Être trop portés sur… (l. 24-25) :

☐ accorder trop d'importance à

☐ se vêtir de

☐ transporter trop de choses

c) Mauvaise foi (l. 64) :

☐ incrédulité

☐ croyance injustifiée

☐ déni de la réalité

b) Bataille rangée (l. 60) :

☐ guerre pour changer de place

☐ ménage très vigoureux

☐ confrontation de positions opposées

COMPRÉHENSION ET INTERPRÉTATION

1 Les énoncés suivants sont-ils vrais ou faux ? Justifiez vos réponses en vous référant à un extrait du texte.

a) Pierre Langis est étonné de la grande quantité des reproches intersexes identifiés grâce à sa recherche.

_____

b) Pierre Langis est surpris de constater à quel point il est difficile pour un homme et une femme de se comprendre.

_____

c) Les hommes et les femmes veulent que les individus de l'autre sexe leur ressemblent davantage.

_____

d) Les jeunes femmes reprochent aux hommes de ne pas communiquer au même titre qu'elles leur reprochent d'avoir peur de l'engagement.

_____

2 Selon les informations présentées dans le texte et parmi les reproches suivants, quels sont ceux que les femmes adressent aux hommes ?

☐ Ils communiquent trop.   ☐ Ils accordent trop d'importance à leurs biens matériels.

☐ Ils hésitent à s'engager.   ☐ Ils ont trop d'orgueil.

☐ Leurs amis les influencent trop.   ☐ Ils aiment trop le sexe.

☐ Ils sont trop directs.   ☐ Ils aiment trop la compétition.

☐ Ils sont trop impulsifs.   ☐ Ils grossissent les problèmes.

3 Selon les informations présentées dans le texte et parmi les reproches suivants, quels sont ceux que les hommes adressent aux femmes ?

☐ Elles ont peur de l'engagement.   ☐ Elles ont des problèmes de dépendance affective.

☐ Elles ont des problèmes d'estime de soi.

☐ Elles aiment les commérages.   ☐ Elles préfèrent les hommes qui ont une mauvaise attitude.

☐ Elles grossissent les problèmes.   ☐ Elles se croient supérieures.

☐ Elles accordent trop d'importance à l'argent.   ☐ Elles disent tout ce qu'elles pensent.

4 À partir de l'article d'Yvon Dallaire, associez les noms suivants à un sexe ou à l'autre.

> dépendance immaturité jalousie performance égocentrisme indépendance
> manipulation supériorité hypocrisie insécurité orgueil susceptibilité

Hommes

_____

_____

_____

_____

_____

_____

Femmes

_____

_____

_____

_____

_____

_____

5 En conclusion, qu'est-ce qui explique l'existence de toutes ces différences comportementales et communicationnelles intersexes ?

_____

_____

RÉDACTION

1 Décrivez-vous : quelles sont vos qualités ? Quels sont vos pires défauts ?

2 Décrivez le ou la partenaire idéal(e) en utilisant une grande quantité d'adjectifs.

3 Vous en avez assez de l'attitude de votre partenaire. Écrivez-lui une lettre de rupture en lui faisant le plus grand nombre de reproches possible.

PARLONS-EN

1 Croyez-vous que les hommes et les femmes sont réellement différents ?
Leurs différences s'expliquent-elles par des raisons culturelles ou naturelles ?

2 Les hommes et les femmes reprochent aux individus de l'autre sexe d'avoir
des caractéristiques qui diffèrent des leurs. Pensez-vous qu'ils peuvent apprécier
les différences présentes chez l'autre sexe ?

3 Connaissez-vous des couples qui passent leur vie à se faire des reproches ?
Connaissez-vous des couples qui filent le parfait bonheur ? Comment font-ils ?
Quels sont leurs trucs pour éviter les conflits ?

GRAMMAIRE

1 Les noms suivants sont-ils masculins ou féminins ? Fiez-vous à leur terminaison orale.   《 G P. 120-121
Utilisez les articles <u>un</u> ou <u>une</u>.

_____ psychologie   _____ engagement   _____ communication

_____ incompréhension   _____ insécurité   _____ raison

_____ complémentarité   _____ bataille   _____ bavardage

_____ commérage   _____ question   _____ différence

_____ perception   _____ volonté

2 Classez les mots suivants : s'agit-il d'adjectifs ou d'adverbes ?   《 G P. 133 et 182

> différents supérieurs évidemment assez facilement indirectement finalement
> vraiment véritable maternés sélective principalement compétitives

Adjectifs :   Adverbes :

_____ _____   _____ _____

_____ _____   _____ _____

_____ _____   _____ _____

_____ _____   _____ _____

DÉTENTE EN COURS

De nombreuses expressions en français contiennent des termes empruntés au monde animal.
Associez les expressions suivantes au bon animal et ensuite à leur signification. Un des
animaux de cette liste est utilisé à deux reprises.

> carpe   coq   lapin   âne   taupe

a) Être fier comme un _____   **1** Être entêté, obstiné.

b) Être têtu comme un _____   **2** Avoir beaucoup de désir sexuel.

c) Être un chaud _____   **3** Ne pas venir à un rendez-vous.

d) Être muet comme une _____   **4** Avoir beaucoup de difficulté à voir les objets éloignés.

e) Poser un _____   **5** Être très satisfait de soi.

f) Être myope comme une _____   **6** Ne rien dire.

Avant tout

Quelle est votre saison préférée ? Pourquoi ?
Est-ce que vous passez beaucoup de temps
à l'extérieur pendant l'hiver ?

Pratiquez-vous un sport d'hiver ? Si oui, lequel ?
Avez-vous déjà visité la ville souterraine
de Montréal ?

VOCABULAIRE THÉMATIQUE

Clément (l. 18) : (adj.) peu rigoureux, doux en parlant du climat.
Ex. : Nous avons eu un hiver clément.

Déblayer (l. 65) : (v. tr.) enlever ce qui obstrue, ce qui encombre.
Ex. : Après la tempête, il a fallu deux jours pour déblayer les rues.

Bourrasque (l. 70) : (n. f.) coup de vent violent, mais très court.
Ex. : Une bourrasque souleva les feuilles.

Tourbillon (l. 75) : (n. m.) masse d'air qui tourne sur soi
et soulève des particules.
Ex. : Le vent soulevait un tourbillon de poussière.

Apprends-moi l'hiver

Munis Garnis, équipés de ce
qui est nécessaire ou utile.

Nions Rejetons, contestons.

**EN CONSTRUISANT LEURS VILLES
COMME S'ILS VIVAIENT SOUS LES
PALMIERS, LES CANADIENS NE SE
COMPORTENT PAS EN VÉRITABLES
NORDIQUES, DIT L'URBANISTE
NORMAN PRESSMAN.**

Consultant indépendant, Norman Pressman a
longtemps enseigné la planification et le
design urbain à l'université de Waterloo, en
Ontario. En 1983, il a cofondé l'Association des
5 villes d'hiver. […] Selon lui, «Les Canadiens
n'ont pas encore appris à composer avec
leur climat.»

L'Actualité l'a rencontré à Montréal.

**VOUS DITES QUE LES CANADIENS
NE SONT PAS DE VÉRITABLES
NORDIQUES ?**

— Ils n'ont pas vraiment de culture de l'hiver.
10 On peut passer sa vie au Canada et ne savoir
ni skier, ni patiner ! En Scandinavie, les enfants
apprennent la pratique de ces sports à l'école.
Il y a des supports à ski partout, dans les
immeubles de bureaux comme dans les uni-
15 versités, et tous les autobus en sont **munis**.
[…]

**COMMENT EXPLIQUER
CETTE DIFFÉRENCE ?**

— Peut-être parce que le Canada a été colo-
nisé et construit par des Anglais et des Français,
venus de pays plus cléments ? Après tout, nous
ne vivons ici que depuis 300 ou 400 ans. Les
20 Scandinaves, eux, ont au moins 1 000 années
d'expérience ! Un Canadien va parler d'un hiver
froid avec beaucoup de neige comme d'un
hiver terrible, tandis qu'un Scandinave dira que
c'est un bel hiver… Nous **nions** encore l'hiver.
25 La grande majorité des études canadiennes
sur les besoins humains dans un climat froid
ont été menées en laboratoire et portent sur
la façon d'améliorer le confort des maisons.
Nous sommes des champions du chauffage et
30 de la ventilation. Mais on ne s'est à peu près pas
penché sur le confort à l'extérieur.

**LA MAJORITÉ DES CANADIENS
VIVENT EN VILLE…**

— Et ils construisent leurs villes comme s'ils
étaient en Floride ! Aménager de vastes
places dégagées qu'un vent glacé va balayer
35 six mois par année ou de larges boulevards
– comme la Grande Allée, à Québec ! – c'est

absurde. Regardez la rue Spark, à Ottawa : un fiasco. Une rue **piétonnière**… bordée au sud par une rangée de hauts immeubles, 40 donc sans ensoleillement ! Une ville d'hiver doit prendre en compte les besoins de ses habitants les plus vulnérables… […] Ce n'est pas normal qu'une proportion de la population ne puisse pas marcher sur un trottoir 45 l'hiver sans risquer de tomber…

LES MONTRÉALAIS ONT CONSTRUIT UNE VILLE SOUTERRAINE.

— Oui, la plus étendue du monde, avec celle de Toronto. Les grandes villes canadiennes ont beaucoup privilégié les solutions de ce type… […] Pourquoi ne pas border les rues 50 commerciales de trottoirs chauffés, par exemple ? Ce n'est pas plus cher que de construire un tunnel.

LES VILLES SOUTERRAINES SERAIENT DES ERREURS ?

— Le réseau souterrain de Montréal a contribué au dynamisme de son centre-ville, mais 55 il l'a fait aux dépens des boutiques qui donnent sur la rue… […] Les villes canadiennes pourraient exploiter davantage leur identité hivernale au lieu de se cacher sous terre ou d'essayer de suivre les modes inter-60 nationales de design urbain qui, de toute façon, ne sont pas adaptées à leur réalité.

ÇA DONNERAIT QUOI PAR EXEMPLE ?

— La Scandinavie peut nous apprendre beaucoup à cet égard. On y réduit au minimum l'enlèvement de la neige, les trottoirs 65 sont rarement déblayés et les gens glissent sur des petits *sparks* (trottinettes montées sur des patins). Partout, il y a des voies piéton-nières couvertes, des abribus chauffés. On

construit des rues en lacets pour réduire les 70 bourrasques… […]

COMMENT AMÉLIORER LES GRANDES VILLES EXISTANTES, COMME MONTRÉAL, QUÉBEC, TORONTO OU EDMONTON ?

— Les plans directeurs d'urbanisme des villes canadiennes tiennent très peu compte du climat. Il faut effectuer des études sur l'effet des vents, les accumulations de neige par 75 tourbillons, l'ensoleillement et les ombres pro-jetées par les immeubles… […] Il faut chan-ger les règlements et profiter de la mise en valeur des quartiers pour les appliquer… Il y a aussi des améliorations simples. On peut 80 prolonger de six semaines par année la fréquentation des parcs publics en augmen-tant l'ensoleillement et en plantant des buis-sons pour bloquer l'assaut du vent… […] en installant des bancs publics «orientables» 85 selon la position du soleil. En Suède, aux carre-fours, le trottoir ne s'abaisse pas au niveau de la rue, c'est la rue qui s'élève jusqu'au trottoir comme si ce dernier traversait la rue. Parce qu'ils marchent sur une surface toujours 90 plane, les piétons risquent moins de faire des chutes. Aux voitures «d'**enjamber**» le trottoir !… On peut faire beaucoup ! (734 mots)

© Louise GENDRON, « Apprends-moi l'hiver », *L'Actualité*, vol. 27, n° 3, 1er mars 2002.

Piétonnière Réservée aux personnes qui circulent à pied.

Enjamber Franchir, passer par-dessus un obstacle.

POUR tout **Savoir**

À LIRE

• De l'information sur les sports d'hiver extrêmes et traditionnels, www.quebecregion.com/fr/quoi-faire/activites-attractions/ suggestions/carnaval-de-quebec/.
• L'article de Stéphane Parent, *Des cours aux immigrants pour casser la glace sur l'hiver au Canada*, www.rcinet.ca/fr/2014/11/12/des-cours-aux-immigrants-pour-casser-la-glace-sur-lhiver-au-canada/.

À VOIR

• Le reportage de Radio-Canada, « Trottinettes des neiges et chiens en randonnée, Parc des Appalaches », émission *C'est ça la vie*, 24 février 2011, www.youtube.com/watch?v=AuE8Ivt1mEc.
• Le film d'animation de Sheldon Cohen, *Le chandail*, 1980, texte de Roch Carrier, ONF, 10 min, 21 s, www.onf.ca/film/Chandail_Le/.

Et maintenant !

VOCABULAIRE

1 Trouvez dans le texte un synonyme des mots soulignés ci-dessous. Les réponses se trouvent entre les lignes indiquées entre parenthèses. Faites les accords si nécessaire.

a) La professeure nous a demandé d'_écrire_ un poème sur l'hiver en respectant les règles qu'elle nous a _apprises_ la semaine dernière. (l. 1-7)

b) Ils ont _bâti_ leur nouvelle maison en Beauce parce que le climat y est plus _doux_. (l. 16-18)

c) Pour empêcher la neige d'_obstruer_ l'entrée de l'immeuble, nous demandons aux locataires de déblayer chaque fois qu'il y a un _amoncèlement_ de neige. (l. 73-83)

2 En vous aidant du contexte, associez les expressions suivantes à leur définition, puis utilisez-les correctement dans le paragraphe.

a) Aux dépens de (l. 55)   • à ce sujet   _____

b) Au lieu de (l. 58)   • au détriment de   _____

c) À cet égard (l. 63)   • à la place de   _____

Les Canadiens ne profitent pas assez de l'hiver, souvent _____

leur santé. Les Scandinaves pourraient leur servir de modèles _____ .

Ainsi, _____ *s'enfermer tout l'hiver, ils pourraient sortir davantage*

et apprivoiser le froid et la neige

3 Complétez les phrases avec les mots de la liste suivante.

identité hivernale   bourrasques de neige   ensoleillement   nordique   tourbillon de vent

a) Tout à coup, un _____ a soulevé les feuilles et a arraché les casquettes des marcheurs.

b) Depuis ce matin, de fortes _____ nous rappellent que nous vivons dans un pays _____ .

c) Si les plans directeurs d'urbanisme de nos villes tenaient compte du taux d'_____ des immeubles, nous pourrions exploiter davantage notre _____ .

COMPRÉHENSION ET INTERPRÉTATION

1 Qu'est-ce que Norman Pressman reproche aux Canadiens ?
Choisissez les bonnes réponses.

a) ☐ d'aller passer l'hiver en Floride ;

b) ☐ de nier encore l'hiver même après 400 ans d'existence ;

c) ☐ de copier les pays scandinaves ;

d) ☐ de bâtir les villes comme s'ils vivaient en Floride ;

e) ☐ d'améliorer davantage le confort intérieur plutôt que le confort extérieur ;

f) ☐ d'exploiter leur identité hivernale au maximum.

2 Selon Norman Pressman, nous n'avons pas de culture de l'hiver. Qu'est-ce qui, dans l'architecture et le design de nos villes, le montre ? (3 éléments)

_____
_____
_____
_____
_____

3 Comment les pays scandinaves se sont-ils adaptés à l'hiver ? Donnez trois exemples.

_____
_____
_____
_____
_____

4 Qu'est-ce que les urbanistes devraient faire, selon Norman Pressman ?

_____

5 Pouvez-vous nommer des inventions qui ont permis aux Canadiens de se protéger de l'hiver ?

_____
_____

RÉDACTION

1 Racontez la pire tempête de neige que vous avez affrontée.　　　《 **TS** P. 84

2 Un(e) ami(e) qui vit en Amérique du Sud viendra vous visiter en février. Que lui dites-vous sur l'hiver ?

3 Vous pouvez choisir le pays où vivre. Choisissez-vous un pays nordique ? Pourquoi ?

PARLONS-EN

1 L'urbaniste Norman Pressman dit que « les Canadiens ne se comportent pas en véritables Nordiques ». Êtes-vous d'accord avec lui ? Formez des équipes « pour » et des équipes « contre », puis mettez en commun vos arguments.

2 Norman Pressman propose quelques solutions simples pour vivre comme de véritables Nordiques; par exemple:

- chauffer les trottoirs;
- augmenter l'ensoleillement des parcs publics;
- planter des buissons pour bloquer l'assaut du vent;
- installer des bancs « orientables » vers le soleil.

Pensez-vous que ces solutions pousseraient davantage les gens à sortir pendant l'hiver?

Imaginez deux autres solutions qui aideraient les Canadiens à être de véritables Nordiques.

3 Aimeriez-vous pratiquer un sport d'hiver extrême? Si oui, lequel? Pourquoi? Qu'est-ce que cela vous apporterait?

GRAMMAIRE

P. 184-187 **G** ⟫ **1** Corrigez, s'il y a lieu, les mots en gras par un mot homophone dans les phrases suivantes.

Olivier et Catherine **se**[1] **son**[2] levés tôt pour aller faire de **là**[3] raquette **a**[4] Bromont. Il **leurs**[5] **a**[6] fallu **peu**[7] de temps pour trouver **leur**[8] raquettes, **mes**[9] plus d'une heure pour **ce**[10] rendre sur les pistes. Une **foie**[11] sur place, ils **on**[12] profité d'une belle journée ensoleillée. **Ces**[13] Olivier qui **as**[14] terminé le circuit le premier. Catherine prenait **sont**[15] temps **et**[16] aimait s'arrêter pour admirer les magnifiques paysages qui s'offraient **a**[17] **ces**[18] yeux. Il y avait **peut**[19] de monde sur les pistes **est**[20] la température était clémente. Ils **sont**[21] revenus enchantés de **leurs**[22] journée.

P. 191-192 **G** ⟫ **2** Complétez les mots ci-dessous par l'un des sons « é » suivants: *er, ez, é, ée, ées*.

a) L'hiver, Kim peut s'enferm_____ des journ_____ entières chez elle.

b) Vous nous affirm_____ que vos enfants aiment ski_____ et patin_____ .

c) Je peux vous recommand_____ ce livre sur l'hiver; il est bien illustr_____ .

d) L'année pass_____ , j'ai visit_____ deux mus_____ en Suède.

e) Pendant la Fête des neiges, l'île Sainte-Hélène est illumin_____ toute la soir_____ .

DÉTENTE EN COURS

Voici des mots qui se ressemblent, une seule lettre les différencie l'un de l'autre. À l'aide de votre dictionnaire, reliez chaque mot à la bonne définition.

1 **a)** la voie ● ● espace tracé et aménagé pour circuler à pied ou en voiture
  b) la voix ● ● ensemble des sons produits par les cordes vocales
2 **a)** le choc ● ● facilité à faire quelque chose avec élégance
  b) le chic ● ● émotion brusque et violente, blessure morale
3 **a)** un lien ● ● portion limitée d'un espace où se déroule une action; endroit
  b) un lieu ● ● ce qui sert à lier deux choses ou deux personnes
4 **a)** changer ● ● mettre des marchandises sur un camion, un navire, etc.
  b) charger ● ● remplacer par une personne ou une chose
5 **a)** la valeur ● ● prix d'un objet ou d'un bien qui doit être vendu
  b) la vapeur ● ● ensemble de petites gouttes d'eau dans l'air

Avant tout

Avez-vous déjà entendu dire qu'il pouvait être dommageable pour le cerveau de passer beaucoup de temps un téléphone collé à l'oreille? Selon vous, ces craintes sont-elles fondées?

Combien de fois par jour regardez-vous votre téléphone ou votre tablette pour consulter vos réseaux sociaux, votre boite vocale, votre boite de courriels, vos messages textes, etc.? Croyez-vous qu'il vaudrait mieux éviter de le faire dans certains contextes? Lesquels?

VOCABULAIRE THÉMATIQUE

Pianoter (intertitre) : (v.) taper sur un clavier.
Ex. : Elle pianote sur son téléphone pour envoyer un texto à son amie.

Soins (l. 2) : (n. m.) moyens par lesquels on soigne, on tente de soulager une personne.
Ex. : Assoyez-vous ici, l'infirmière va vérifier de quels soins vous avez besoin.

Tablette (l. 22) : (n. f.) ordinateur portable et plat se présentant comme un écran tactile.
Ex. : Je vais consulter mes courriels sur ma tablette.

Naviguer (l. 66) : utiliser Internet pour y chercher de l'information grâce à un navigateur Web.
Ex. : J'ai trouvé cette recette en naviguant sur Internet.

Les téléphones peuvent être nocifs
pour la santé (mais pas pour les raisons que l'on croit)

AU BLOC OPÉRATOIRE, PRÊT À PASSER SOUS LE SCALPEL, FERIEZ-VOUS CONFIANCE À UN ANESTHÉSISTE PIANOTANT INLASSABLEMENT SUR SON TÉLÉPHONE INTELLIGENT?

Plus que jamais, la technologie est la béquille de la médecine en matière de soins aux patients. Mais elle est aussi une source de distraction qui peut engendrer de graves
5 erreurs. Plusieurs incidents en ont attesté au cours des dernières années, notamment aux États-Unis.

Le site d'information médicale Medscape fait notamment état du cas de Mary
10 Roseann Milne, une sexagénaire admise à l'hôpital Medical City de Dallas, en 2011, afin d'y subir une **ablation** du nœud auriculo-ventriculaire.

«Lors de l'opération, la **saturation san-**
15 **guine** en oxygène chute dangereusement pendant 15 à 20 minutes sans que l'anesthésiste chargé de surveiller la patiente s'en inquiète, conduisant au décès de celle-ci.

Poursuivi en justice par la famille, le chirurgien
20 a affirmé que l'anesthésiste était occupé à envoyer e-mails et textos ou à jouer avec son téléphone ou sa tablette. Ce dernier a d'ailleurs reconnu se connecter pour lire des articles ou des livres pendant ses temps
25 morts. Une occupation qui n'était, d'ailleurs selon lui, pas un problème puisqu'il "regardait le moniteur au moins toutes les 30 secondes et surveillait le patient au moins toutes les 30 minutes", peut-on lire dans sa
30 déposition.»

Cet incident déplorable n'est pas isolé. Medscape cite d'autres exemples, tels que celui d'un patient resté partiellement paralysé **à l'issue** d'une opération durant
35 laquelle le neurochirurgien avait fait plus de 10 appels téléphoniques à caractère personnel, ou encore celui de ce chirurgien ayant perdu son téléphone dans l'abdomen d'une patiente au cours d'une césarienne.
40 Ce dernier cas illustre un point essentiel du risque de l'utilisation d'appareils connectés

Inlassablement Sans se fatiguer.

Ablation Action d'enlever un organe ou une tumeur.

Saturation sanguine Concentration d'oxygène dans le sang.

À l'issue À la fin.

Se doter Se donner.

A levé l'interdiction A mis fin à l'interdiction.

dans les blocs opératoires : les germes qu'ils transportent. Car les téléphones sont de véritables nids à microbes. En 2006, des
45 microbiologistes de l'Université de Manchester ont même expliqué qu'on trouvait sur un cellulaire plus de bactéries que sur un siège de toilette !

Une étude réalisée auprès de chirurgiens
50 orthopédiques a par ailleurs montré qu'à l'entrée du bloc opératoire, 83 % des téléphones analysés présentaient des germes pathogènes. Pourtant, il est possible d'utiliser un téléphone dans un bloc opératoire
55 sans contrevenir aux règles de stérilité : des pochettes ont été spécialement conçues pour garantir l'accès tactile.

De manière générale, 66 % des chirurgiens utilisent leur téléphone à l'hôpital, et notam-
60 ment en bloc opératoire. Autre étude statistique pour le moins inquiétante : 56 % des infirmiers chargés de gérer les appareils de circulation extracorporelle pendant une chirurgie cardiaque ont avoué se servir de leur
65 téléphone durant l'opération – pour envoyer des textos, lire des courriels, naviguer sur le Web ou encore interagir sur les réseaux sociaux.

Au Québec, il n'existe aucun règlement pour encadrer l'utilisation des téléphones et
70 des tablettes dans les hôpitaux. Cependant,

le ministère de la Santé a demandé aux différents établissements de la province de **se doter** d'une politique en la matière.

C'est ce qu'a notamment fait le Centre
75 hospitalier de l'Université de Montréal (CHUM), en 2012, quand il **a levé l'interdiction** qui pesait auparavant sur l'utilisation des appareils de communication sans fil dans son enceinte – sous prétexte qu'ils pouvaient produire des
80 interférences avec l'équipement médical. Cette politique, qui s'applique au bloc opératoire, s'articule autour de plusieurs principes, dont le strict usage professionnel et le respect de la confidentialité. (565 mots)

© Vincent DESTOUCHES, « Les téléphones peuvent être nocifs pour la santé (mais pas pour les raisons que l'on croit) », *L'actualité*, 15 aout 2015. www.lactualite.com/sante-et-science/sante/les-telephones-peuvent-etre-nocifs-pour-la-sante-mais-pas-pour-les-raisons-que-lon-croit/

POUR tout Savoir

À LIRE
• Le blogue de Patrick Lagacé, *Lettre d'un père à ses enfants trop branchés*, blogues.cyberpresse.ca/lagace/2011/11/17/lettre-dun-pere-a-ses-enfants-trop-branches/.

À FAIRE
• Êtes-vous un cyberaccro ? Testez vos habitudes grâce à ce questionnaire : www.doctissimo.fr/test-psychologie-CYBER_ADDICT.htm.

Et maintenant !

VOCABULAIRE

1 Remplissez le tableau ci-dessous à l'aide de mots du texte qui sont de la même famille.

LIGNES	NOM	ADJECTIF	VERBE
15 à 20		décédé	décéder
20 à 25	connexion	connexe	
35 à 40	opération		opérer
45 à 50		réglé	règlementer
50 à 54	articulation	articulé	

2 Complétez les phrases à l'aide des mots suivants. Faites les accords nécessaires.

> temps morts (l. 24-25)   césarienne (l. 39)   pathogènes (l. 53)
> contrevenir (l. 55)   pochettes (l. 56)

a) Une femme qui n'accouche pas par voie vaginale accouche par _____

b) Un objet susceptible de provoquer une maladie est un objet _____

c) Une personne qui ne suit pas les règlements _____

d) Pour protéger un téléphone cellulaire, on peut le mettre dans une _____

e) Un moment pendant lequel une personne ne joue pas un rôle actif est un _____

3 Quel est le sens des expressions suivantes, selon leur emploi dans le texte ?

a) « La technologie est **la béquille** de la médecine. » (l. 1) :

   1 Un bâton sur lequel une personne s'appuie pour marcher.

   2 Une aide, un soutien très utile.

   3 Un problème qui doit être réglé.

b) « Notamment » (l. 6) :

   1 Entre autres

   2 Exceptionnellement

   3 De manière remarquée

c) « Encadrer » (l. 69) :

   1 Placer dans un cadre décoratif.

   2 Gérer

   3 Flanquer

COMPRÉHENSION ET INTERPRÉTATION

1 De nos jours, la technologie sert la médecine, mais lui nuit aussi. Expliquez cette affirmation.

_____

_____

_____

2 L'anesthésiste chargé de surveiller Mary Roseann Milne lors de son opération a-t-il regardé le moniteur aussi souvent qu'il a déclaré l'avoir fait dans sa déposition ? Expliquez votre réponse.

_____

_____

3 En plus de déconcentrer les professionnels de la santé, quel autre risque peut être associé à l'utilisation de téléphones et de tablettes en milieu hospitalier ?

_____

4 Qui a le pouvoir de règlementer l'utilisation des téléphones et des tablettes dans les milieux hospitaliers québécois ?

_____

_____

5 Relevez deux conditions permettant aux professionnels de la santé qui travaillent au Centre hospitalier de l'Université de Montréal d'utiliser leurs appareils de communication sans fil.

1 _____

2 _____

RÉDACTION

1 En vous inspirant de la lettre d'un père à ses enfants trop branchés (voir la section _Pour tout savoir_), dressez une liste d'arguments contre l'utilisation abusive des appareils de communication électronique.

2 Avez-vous déjà causé un accident en utilisant un de vos appareils électroniques ? Ou encore, votre téléphone vous a-t-il déjà sauvé la vie ? Que s'est-il passé ? Rédigez un paragraphe dans lequel vous utiliserez au moins 10 verbes au passé composé pour répondre à l'une ou l'autre de ces questions.

PARLONS-EN

1 Que pensez-vous de l'interdiction de texter au volant d'une voiture ? Respectez-vous toujours cette loi ? Quelles sont les conséquences légales si vous ne la respectez pas ?

2 À quelle fréquence nettoyez-vous un de vos appareils électroniques ? Les nettoierez-vous plus fréquemment maintenant que vous savez que la plupart des sièges de toilette sont probablement plus propres que vos appareils ?

3 Croyez-vous que le Québec devrait adopter une loi pour encadrer l'utilisation des téléphones et des tablettes par tous les professionnels de la santé ?

 RAMMAIRE

1 Répondez aux questions suivantes par des phrases négatives.   «‹ G P. 112-113

a) Est-ce que tu as encore ton vieil ordinateur ?

_____

b) Est-ce qu'il y a quelqu'un pour m'aider à comprendre ce système ?

_____

c) Est-ce qu'il y a quelque chose de nouveau sur son profil Facebook ?

_____

d) Êtes-vous inscrits à Facebook ou à Twitter ?

_____

e) Est-on toujours connecté à Internet ?

_____

f) Alex a-t-il beaucoup d'amis Facebook ?

_____

g) Est-ce que tu oublies souvent ton nom d'utilisateur ?

_____

2 Identifiez la classe grammaticale des mots soulignés dans le texte ci-dessous en choisissant le code approprié.

> N = nom   A = adjectif   D = déterminant   V = verbe   C = conjonction
> P = pronom   ADV = adverbe   PR = préposition

Les médias sociaux constituent un groupe d'applications en ligne, qui utilisent la technologie du Web 2.0 et permettent la création et l'échange du contenu généré par les utilisateurs. Ce type de médias se sert de l'intelligence collective dans un esprit de très grande collaboration. En effet, grâce à ces moyens de communication, des individus ou des groupes de personnes, qui collaborent socialement, créent du contenu Web, l'organisent, l'indexent, le modifient, font des commentaires et le combinent · à des créations personnelles.

DÉTENTE EN COURS

Écrivez en français standard les mots et les expressions SMS ci-dessous.

a) t oqp : _____

b) jtm : _____

c) mdr : _____

d) qqn : _____

e) qqch : _____

f) tjrs : _____

g) bcp : _____

h) c cho : _____

i) ght : _____

j) keskec : _____

k) l è nrv : _____

l) stp : _____

m) ras : _____

n) g 1 rdv : _____

Avant tout

Quel rôle joue la chimie dans notre vie quotidienne? Pensez-vous que les aliments que vous mangez sont chimiquement modifiés?

Pensez-vous que la chimie peut régler le problème de la sous-alimentation dans le monde? Accepteriez-vous de vivre sans ordinateur, téléphone portable ou voiture?

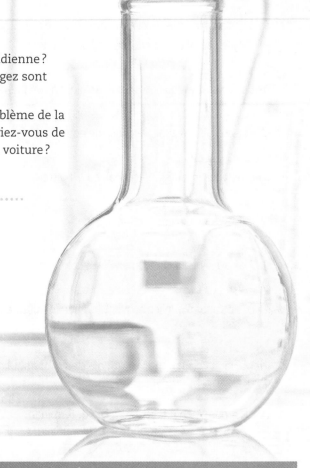

VOCABULAIRE THÉMATIQUE

Synthétique (l. 4-5) : (adj.) obtenu par la synthèse chimique.
Ex. : De nos jours, les produits naturels sont de plus en plus remplacés par des produits synthétiques.

Composé (l. 13) : (n. m.) corps qui résulte de la composition de plusieurs éléments.
Ex. : Dans nos expériences en laboratoire, nous obtenons parfois des composés chimiques très intéressants.

Moléculaire (l. 14-15) : (adj.) relatif à la molécule, structure extrêmement petite, mesurable en nanomètres.
Ex. : Ces chercheurs sont capables de travailler avec des structures moléculaires très complexes.

Réaction (l. 79) : (n. f.) transformation qui résulte de la mise en commun de plusieurs corps ou substances.
Ex. : Les réactions que nous observons au laboratoire de chimie me font peur parfois.

La chimie a modelé notre monde

LA CHIMIE A MODELÉ NOTRE MONDE
Où qu'on porte le regard autour de soi, on peut voir l'application de connaissances obtenues grâce à la recherche en chimie: plastiques de toutes sortes, vêtements syn-
5 thétiques, peinture, essence pour moteurs, ordinateurs, produits alimentaires, médicaments, etc.

«La recherche en chimie est **incontournable** pour notre mode de vie actuel, qui est
10 un choix de société», affirme Christian Reber, professeur au département de chimie de l'Université de Montréal. Le professeur dirige un groupe de recherche sur les composés **organométalliques** et les matériaux molé-
15 culaires, et donne un cours sur le rôle de la chimie dans différentes sphères de l'activité humaine.

Alors que plusieurs voient d'un mauvais œil les manipulations chimiques dans le
20 domaine alimentaire, «on oublie trop souvent le rôle déterminant qu'a joué cette science dans l'agriculture, rappelle le professeur. Au 19ᵉ siècle, on craignait de manquer de nourriture pour soutenir la croissance démogra-
25 phique. C'est alors qu'on a cherché à imiter la nature qui transforme, à l'aide des bactéries, l'azote de l'air en nitrate essentiel à la croissance des plantes.»

Les **engrais** chimiques venaient de naitre.
30 On estime aujourd'hui que le tiers de l'azote que contient notre organisme est issu de ces engrais. «Le procédé de fabrication a été rendu possible grâce à la théorie physicochimique de l'époque», ajoute le chercheur.

35 D'autres produits d'usage courant découlent de découvertes jugées à l'époque sans importance. C'est le cas par exemple des 17 éléments chimiques appelés «terres rares» mis au jour à la fin du 19ᵉ siècle et présents
40 en faible quantité dans les minerais. «Ces métaux n'avaient aucune utilité lorsqu'ils ont

Incontournable
Indispensable, qu'il est nécessaire de connaitre.

Organométalliques
Composés chimiques comportant au moins une liaison entre un atome de carbone et un métal.

Engrais Produit destiné à améliorer la fertilité du sol.

été découverts. Ils entrent maintenant dans la composition des écrans de téléviseurs et d'ordinateurs, des baladeurs MP3 et de
45 tous les téléphones cellulaires», mentionne Christian Reber.

Les terres rares, dont on vient de trouver un important gisement au Témiscamingue, suscitent aussi l'intérêt des fabricants de voi-
50 tures hybrides ou électriques, puisqu'elles figurent parmi les composantes des accumulateurs et des aimants compacts.

La découverte de ces métaux n'est pas sans rappeler celle du radium, qui valut le
55 prix Nobel à **Marie Curie**; pour obtenir un gramme de cet élément, elle avait dû traiter des tonnes de minerais. Mais contrairement aux terres rares, on a tout de suite vu, au tournant du 20e siècle, l'application possible
60 du radium dans le traitement du cancer par un procédé de radiothérapie qui allait porter le nom de sa découvreuse, la curiethérapie.

AU CARREFOUR DES SCIENCES
Ces exemples nous montrent que la chimie est au carrefour de plusieurs sciences, que ce
65 soit la physique, la biologie, la médecine ou l'informatique.

«La chimie, c'est en fait la fabrication d'outils non visibles, résume Christian Reber. Les règles de la chimie physique et de la chimie
70 inorganique ont été établies par la physique des années 1920, mais ce sont les chimistes qui ont rendu ces équations utilisables.»

Le professeur ne s'inquiète pas **outre mesure** des conséquences défavorables qui
75 peuvent résulter de ces connaissances et estime que la chimie offre les solutions aux problèmes qu'elle peut occasionner.

«En environnement, il faut connaître les lois des réactions chimiques pour procéder à
80 la dépollution, fait-il valoir. La compréhension de ces lois nous permet de neutraliser les métaux lourds et de les rendre réutilisables. Nous pouvons aussi stabiliser les éléments des armes nucléaires lorsqu'elles sont désamor-
85 cées et éviter la dispersion de ces composés.»

Pour le chercheur, il serait naïf de penser qu'on peut, dans l'application de la science, obtenir seulement ce qu'on cherche sans qu'il y ait de répercussions négatives. «C'est
90 de la pensée magique, dit-il. C'est comme l'usage d'un médicament; il y a toujours un effet toxique. Nous sommes faits de composés chimiques et, si nous trafiquons ces composés, il y aura des **contrecoups**.»

95 Puisque notre société est construite sur ces connaissances devenues indispensables, il est de la responsabilité de chacun de prendre conscience de ces faits et d'agir en conséquence, conclut le chimiste. (668 mots)

© Marie LAMBERT-CHAN, Revue *Les Diplômés de l'Université de Montréal*, automne 2011.

Marie Curie Physicienne et chimiste française d'origine polonaise qui découvre la radioactivité. Prix Nobel de physique en 1903 et de chimie en 1910.

Outre mesure Trop.

Contrecoups Conséquences.

POUR tout Savoir

À LIRE
- Le portail Wikipédia sur la chimie, http://fr.wikipedia.org/wiki/Chimie.
- La bande dessinée de Paul Depevere, *À la découverte de la chimie*, dessins de Aurélie Koot, éd. De Boek Supérieur, 2012.

À VOIR ET À LIRE
- La maison virtuelle du CNRS, www.cnrs.fr/inc/chimissimo/accueil/accueil.html, activité interactive multimédia qui illustre l'apport de la chimie dans notre vie quotidienne.
- Des expériences de chimie faciles, www.pratiks.com/?s=chimie.

Et maintenant !

VOCABULAIRE

1 Complétez les phrases suvantes avec des mots du texte. Les réponses se trouvent entre les lignes indiquées entre parenthèses. Faites les accords, si nécessaire.

a) La chimie est devenue _____ pour notre société. (l. 8-12)

b) Pour rendre le sol plus fertile, on a essayé d'_____ la nature en fabriquant des engrais. (l. 25-28)

c) Les « terres rares » se retrouvent dans la _____ de beaucoup de produits modernes. (l. 42-46)

d) Les _____ de « terres rares » intéressent les fabricants de voitures hybrides et électriques. (l. 47-52)

e) Il est devenu _____ de connaitre les lois de la chimie. (l. 95-99)

2 Trouvez dans le texte trois synonymes du mot *conséquence*.

- _____
- _____
- _____

3 À l'aide du contexte et de votre dictionnaire, expliquez le sens des expressions suivantes dans vos propres mots. Utilisez ensuite certaines d'entre elles dans le paragraphe ci-dessous, en faisant les accords grammaticaux nécessaires.

a) Voir d'un mauvais œil (l. 18-19) : _____

b) Agir en conséquence (l. 98-99) : _____

c) Mettre au jour (l. 39) : _____

d) Rendre possible (l. 32-33) : _____

e) Être au carrefour de (l. 64) : _____

f) Prendre conscience (l. 97-98) : _____

Même si certaines personnes voient _____ la chimie, cette science est essentielle à notre compréhension du monde. De plus, cette science, qui _____ les transformations moléculaires, _____ plusieurs sciences permettant la production de nourriture, de médicaments, de carburants et de nombreux autres produits. Il est pourtant nécessaire de _____ que l'application de la chimie dans divers domaines de la vie peut aussi avoir des conséquences négatives ; il faut _____

COMPRÉHENSION ET INTERPRÉTATION

1 La chimie touche tous les domaines. Trouvez dans le texte des produits obtenus grâce à la chimie et que l'on peut associer aux industries suivantes :

    a) l'industrie automobile : _____

    b) l'industrie pharmaceutique : _____

    c) l'industrie agroalimentaire : _____

    d) l'industrie textile : _____

2 Quel est le rôle joué par la chimie dans l'agriculture ?

_____

_____

3 Est-ce que la découverte des terres rares à la fin du 19e siècle a été considérée comme une grande découverte à l'époque ?

_____

4 Quelle est l'utilité des terres rares aujourd'hui ?

_____

_____

5 Quel est l'avis du professeur Christian Reber sur les conséquences des recherches chimiques sur la vie ? Encerclez la bonne réponse.

    a) Ces recherches sont devenues indispensables, donc il faut prendre des risques et assumer les éventuelles conséquences négatives.

    b) Chacun d'entre nous devrait connaitre les lois des réactions chimiques pour pouvoir se protéger et agir en connaissance de cause.

    c) Il faut faire appel à la magie pour neutraliser les effets toxiques des composés chimiques.

RÉDACTION

1 Vous voulez animer l'atelier « Scientifiques en herbe » destiné à des élèves du secondaire. Pour vous assurer d'avoir un grand nombre de participants, vous envoyez une lettre à l'école où vous présentez l'importance de la chimie pour la connaissance, la protection de l'environnement et le développement économique. Suivez la structure du texte informatif présentée dans la section *Théorie et stratégies*.   « TS P. 79-81

2 Écrivez un courriel à l'Office de la protection du consommateur dans lequel vous vous plaignez de la mauvaise qualité d'un produit que vous venez d'acheter.

PARLONS-EN

1 Formez deux équipes. Une des équipes apporte des arguments qui soutiennent le rôle positif des sciences dans la vie, tandis que l'autre insiste surtout sur les conséquences négatives des recherches scientifiques.

2 Imaginez-vous dans 1000 ans vivre dans un espace intergalactique. Décrivez l'espace où vous vivez, les vêtements que vous portez. Dites ce que vous mangez et décrivez les activités que vous faites.

GRAMMAIRE

P. 144-145 G »
P. 194-195

1 Corrigez les erreurs dans les phrases suivantes.

a) Mira est une scientiste. Elle travaille dans un grand laboratoire pharmaceutique. (1 erreur)

_____

_____

b) Je croix que Julien a fait un très bon choix de carrière. (1 erreur)

_____

_____

c) Pour trois ans, ils n'ont pas participé aux travaux de recherche sur les composés moléculaires. (1 erreur)

_____

_____

d) Karine a cherché pour son sarrau et ses lunettes de protection tout l'après-midi. (1 erreur)

_____

_____

e) Je suis vraiment content avec ma vie : j'aime cette ville et je travail fort à mon travaille. (3 erreurs)

_____

_____

P. 138-140 G »

2 Répondez aux questions suivantes en utilisant les pronoms compléments _le_, _la_, _l'_, _les_.

a) — Aimes-tu les sciences ? — Oui, _____

b) — Regardes-tu chaque semaine l'émission _Science et vie_ ? — Oui, _____

c) — Connais-tu le professeur de chimie organique ? — Non, _____

d) — Faites-vous ces expériences très souvent ? — Oui, _____

e) — Est-ce que tu utilises le papier tous les jours ? — Oui, _____

f) — Marc emporte les dossiers de recherche chez lui ? — Non, _____

g) — Tu connais toutes ces formules par cœur ? — Oui, _____

DÉTENTE EN COURS

Les expressions suivantes ont été coupées. À vous de réunir les éléments.

a) Faire d'une pierre	_____	**1**	par la fenêtre.
b) Prendre le taureau	_____	**2**	bon œil.
c) Avoir bon pied	_____	**3**	de circonstance.
d) Remuer ciel	_____	**4**	sur quel pied danser.
e) Mettre les choses	_____	**5**	de tout bois.
f) Avoir un sourire	_____	**6**	deux coups.
g) Ne pas savoir	_____	**7**	et terre.
h) Jeter son argent	_____	**8**	au clair.
i) Faire feu	_____	**9**	à son cou.
j) Prendre ses jambes	_____	**10**	par les cornes.

Avant tout

Avez-vous déjà consulté un voyant ?
Si oui, les prédictions du voyant en
question se sont-elles réalisées ?

Combien cela vous a-t-il coûté ?
Connaissez-vous des gens qui croient
sérieusement à la divination ?

VOCABULAIRE THÉMATIQUE

Divinatoire (l. 16) : (adj.) relatif à la capacité de deviner,
de prédire.
Ex. : Les arts divinatoires sont aussi appelés les sciences occultes.

Charlatan (l. 19) : (n. m.) personne habile qui exploite
la crédulité des gens.
Ex. : Ce médecin est un charlatan, car il n'a pas de formation
en médecine.

Imposteur (l. 19) : (n. m.) personne qui trompe les autres par
des mensonges pour tirer un profit.
Ex. : Vous avez prétendu être un autre : vous êtes un imposteur !

Voyant (l. 29) : (n. m.) personne douée de facultés paranormales.
Ex. : Seuls les voyants peuvent prédire l'avenir.

Industrie de l'ésotérisme : cultiver le scepticisme

**ENTRE PENSÉE CRITIQUE ET
PENSÉE MAGIQUE, LA LIGNE
EST PARFOIS MINCE.**

Les Sceptiques du Québec aiment bien réserver une table au Salon international de l'ésotérisme de Montréal. Les membres de cette association – dont la mission est de promouvoir la
5 pensée critique – s'amusent alors à un petit jeu.

Depuis 15 ans, ils offrent 10 000 $ à quiconque peut prouver ses dons paranormaux. Certains candidats tentent de montrer qu'ils peuvent communiquer avec grand-maman,
10 décédée il y a plus de 20 ans. D'autres se démènent pour illustrer comment la position des astres exerce une influence sur notre vie amoureuse. Heureusement pour la cagnotte des Sceptiques du Québec, personne n'a
15 encore remporté le **lot**.

Les praticiens des arts divinatoires interrogés pour cet article ont tous admis que, « fort malheureusement », leur métier était contaminé par des charlatans. Les imposteurs, évi-
20 demment, ce sont les autres… jamais eux.

Pour Pierre Cloutier, porte-parole des Sceptiques, les praticiens des sciences occultes sont soit des gens peu éduqués, soit des illuminés, ou pire, des escrocs. « Il y en a toujours
25 qui viennent nous voir, mais qui n'ont aucune idée de ce que représente une méthode scientifique rigoureuse », raconte ce technicien en électronique à la retraite.

Un voyant a prédit avec justesse que vous
30 êtes malheureux dans votre couple et que vous allez vous séparer ? Il a simplement posé les bonnes questions et lu les indices sur votre visage, déduit Pierre Cloutier. Votre **ulcère** à l'estomac vous fait moins souffrir en sortant
35 d'une séance de **reiki** ? Vive l'effet placebo ! Et que penser des **sourciers** ? « C'est normal qu'ils trouvent de l'eau dans le sous-sol québécois. De l'eau, il y en a partout au Québec, rigole le Sceptique. Demandez-leur
40 de trouver un endroit où il n'y a PAS d'eau. Vous verrez… »

Sociologue de la religion, professeur à l'Université Laval et au cégep de Sainte-Foy,

Lot Ensemble de ce
que reçoit le gagnant
d'une loterie.

Ulcère Plaie, blessure
difficile à guérir et
douloureuse.

Reiki Méthode de
soin d'origine japonaise
basée sur
l'apposition des mains.

Sourciers Personnes
capables de détecter
l'eau souterraine.

Alain Bouchard est plus nuancé. Il n'est pas vrai, dit-il, que croire dans les sciences occultes découle d'un manque d'éducation. «Plusieurs études ont révélé qu'il n'y avait aucune corrélation entre la scolarité, l'âge ou le statut socio-économique et l'intérêt pour ça», affirme-t-il. Après tout, **Richard Nixon** et **François Mitterrand** consultaient des astrologues pour connaître les journées favorables aux grandes décisions politiques. Mackenzie King, premier ministre du Canada, disait s'entretenir avec sa mère et son chien, tous deux décédés.

Selon Alain Bouchard, les Sceptiques invoquent parfois des arguments simplistes. «Ils disent que les voyants se limitent à faire des prédictions très générales dans lesquelles tout le monde peut se reconnaître. Or, il arrive que des personnes racontent qu'un voyant a fait des prédictions troublantes de vérité, qui sortaient de la sphère de l'anecdote. Certains "hasards" mériteraient qu'on s'y attarde.»

Le sociologue aurait-il un penchant pour le paranormal? «Pas du tout! Mais je n'ai pas la prétention d'affirmer que tout ça est de la **foutaise**.» Le rejet en bloc serait une forme de dogmatisme dont il faut aussi se méfier, selon lui. «La méthode scientifique stipule qu'il faut toujours remettre les choses en question.»

Alain Bouchard croit que la science finira par venir à bout des zones grises entourant le «pouvoir» de certains voyants. «Certains individus ont peut-être une sensibilité particulière qu'on comprend encore mal. On sait tellement peu de choses sur les mécanismes cérébraux.»

Pour sa part, Pierre Cloutier maintient qu'il faut avant tout protéger les clients naïfs qui se font plumer à coup d'appels aux lignes 1 900 ou dans les salons de l'ésotérisme. «La science en sait déjà suffisamment sur le cerveau pour savoir qu'il est capable d'escroquerie.»
(614 mots)

© Dominique FORGET, magazine *Jobboom*, mars 2011.

Richard Nixon
37e président des États-Unis (1969 à 1974), dont la présidence a été marquée par la guerre du Viêt Nam et le scandale du Watergate.

François Mitterand
Président de la France de 1981 à 1995.

Foutaise Chose sans importance, sans intérêt.

POUR tout Savoir

À LIRE
• Le site des Sceptiques du Québec, www.sceptiques.qc.ca.
• Le portail Wikipédia sur le paranormal, http://fr.wikipedia.org/wiki/Portail:Paranormal.

Et maintenant !

VOCABULAIRE

1 Complétez les phrases suivantes avec des mots du texte. Les réponses se trouvent à la ligne indiquée entre parenthèses.

a) Mettre en œuvre et encourager le développement d'un projet,

c'est le _____ (l. 4)

b) N'importe qui, c'est _____ (l. 6-7)

c) Une réserve d'argent mis en commun par les membres d'une association,

c'est une _____ (l. 13)

d) Quand on enlève à quelqu'un un bien matériel en le trompant,

on le _____ (l. 84)

2 Associez les mots suivants à un synonyme.

a) Occulte (l. 22)   • Discuter   _____

b) Rigoler (l. 39)   • Obscur   _____

c) S'entretenir (l. 55)   • Tromperie   _____

d) Escroquerie (l. 87)   • Rire   _____

3 Complétez chaque début de phrase ci-dessous en l'associant à sa suite.

a) Le voyant qui m'a vendu ce service   • parce que j'aime m'attarder à ce loisir. _____

b) Elle aime beaucoup l'astrologie,   • il reste peu de temps avant le procès. _____

c) Je prends mon temps pour lire l'horoscope   • est un imposteur. _____

d) On se démène pour trouver la vérité :   • elle a un penchant pour l'occulte. _____

COMPRÉHENSION ET INTERPRÉTATION

1 Qu'est-ce que les Sceptiques du Québec offrent pour prouver l'existence de pouvoirs occultes ?

_____

_____

2 Selon Pierre Cloutier, qui pratique les sciences occultes ? Encerclez les bonnes réponses.

a) Des illuminés.

b) Des scientifiques rigoureux.

c) Des imposteurs.

d) Des techniciens en électronique.

e) Des gens ayant peu d'éducation.

3 Selon Alain Bouchard, croire aux phénomènes paranormaux n'est pas lié au manque d'éducation. Quels exemples illustrent ce point de vue ?

_____

_____

_____

_____

_____

4 Quel argument des Sceptiques Alain Bouchard critique-t-il ? Pourquoi ?

_____

_____

_____

5 Pourquoi Alain Bouchard pense-t-il qu'il faut être nuancé à l'égard des phénomènes inexpliqués ? (2 éléments)

_____

_____

RÉDACTION

1 En utilisant le futur simple, rédigez la prédiction qu'un voyant pourrait faire à un personnage historique de votre choix, mais que vous ne nommerez pas, puis faites deviner l'identité de ce personnage à la classe grâce aux prédictions.

P. 78 TS » **2** Choisissez entre le sujet a) ou le sujet b).

a) En un court paragraphe, dites si vous croyez au « sixième sens ». Justifiez votre réponse.

b) En un court paragraphe, dites si quelqu'un de votre entourage a déjà démontré qu'il possédait un « sixième sens ».

PARLONS-EN

1 Avez-vous déjà été témoin d'une séance d'hypnose ou d'un tour de magie ? Racontez cette expérience. Avez-vous cru aux pouvoirs de l'illusionniste qui était devant vous ou avez-vous plutôt mis en doute ses compétences ? Pourquoi ?

2 Croyez-vous qu'il est possible de lire l'avenir de quelqu'un dans les lignes de sa main ? Croyez-vous que le sort de chacun est, d'une façon ou d'une autre, prédéterminé ? Qu'est-ce qui vous incite à penser que c'est possible ou que ce ne l'est pas ?

GRAMMAIRE

P. 145 G » **1** Complétez les phrases suivantes en conjuguant les verbes irréguliers *avoir*, *être*, *aller* ou *faire* au présent de l'indicatif.

a) J' _____ besoin de l'aide d'un voyant.

b) Tu _____ de bonne humeur : on t'a prédit de belles choses.

c) Elle _____ en retard à sa séance de voyance.

d) Les esprits _____ du bruit pour communiquer.

e) Il _____ honte de croire aux phénomènes paranormaux.

f) On _____ raison : les sciences occultes sont une escroquerie !

g) Est-ce que vous _____ de la magie ?

h) Je _____ comme ci comme ça depuis qu'on m'a annoncé ma mort prochaine.

i) Elles _____ tort d'être si sceptiques.

j) On _____ confiance en toi : tu dis toujours la vérité.

k) Elles _____ horreur de se faire raconter des mensonges.

l) Je _____ en forme depuis que je sais ce que me réserve l'avenir.

m) Nous _____ bientôt communiquer avec un sociologue pour avoir plus d'explications.

n) Vous _____ d'accord pour respecter la méthode scientifique.

o) Vous _____ hâte de voir la preuve que les sciences occultes existent.

p) Tu _____ en train de te faire plumer par un charlatan !

q) Nous _____ de l'avis de ce voyant : fais attention à toi !

2 Complétez le texte suivant avec le bon déterminant possessif.　　　　　《 **G** P. 131

Daniel et _____ amie Caroline s'en vont consulter une voyante :

_____ séance est prévue pour 14 h et _____ chèques sont déjà signés.

Caroline est nerveuse parce que _____ mère, qui était une femme très stricte,

est décédée récemment. Elle a peur de l'entendre lui dire que _____ cheveux

sont trop longs. _____ émotion est très vive. Daniel, lui, veut surtout

communiquer avec _____ chien, mort depuis des années. Cependant,

avant d'entrer chez la voyante, il s'adresse à _____ copine : «Caroline,

_____ liens sont très importants ; ne laissons pas la voyante nous dire

que _____ mère et _____ chien ont le contrôle de _____ vie.»

DÉTENTE EN COURS

Aucun voyant n'aurait pu le prédire : vous vous retrouvez sur une ile déserte, à des milliers de kilomètres de toute civilisation, sans aucun objet pour vous aider à survivre. Heureusement, une force occulte vous permet de choisir les dix (10) objets qui vous seraient les plus utiles parmi la liste suivante. Lesquels choisissez-vous et pourquoi ?

un matelas	un couteau	un-million de dollars
la photo de votre famille	une canne à pêche	un sac de couchage
de la corde	un téléphone portable	un stylo
un révolver	une flute	un kayak
un dictionnaire de français	un filet	
une boussole	une caisse de vodka	
une trousse de premiers soins	une toile imperméable	
des clous et un marteau	un briquet	
un grand récipient	de l'essence	

_____
_____
_____
_____
_____
_____
_____
_____
_____
_____
_____
_____
_____

Textes

NARRATIFS

Avant tout

Êtes-vous en couple ? Depuis combien de temps ?
Avez-vous déjà vécu un coup de foudre ?

Comment se sent-on quand on est amoureux ?
Selon vous, le véritable amour est-il éternel ?

VOCABULAIRE THÉMATIQUE

Tendresse (l. 4) : (n. f.) sentiment d'affection, de gentillesse.
Ex. : Une mère ressent de la tendresse pour son enfant.

Ennui (l. 5) : (n. m.) grande lassitude (fatigue), impression de vide causée par la routine.
Ex. : Ce travail est d'un ennui mortel !

Allégresse (l. 22) : (n. f.) état d'une personne qui est joyeuse.
Ex. : L'allégresse vécue à Noël est magique.

Coup de foudre (l. 23) : passion violente et subite pour quelqu'un.
Ex. : Quand je l'ai vu, j'ai eu le coup de foudre.

Date limite de fraicheur

Neurones Désignent les cellules nerveuses.

[…]

Un moustique dure une journée, une rose trois jours. Un chat dure treize ans, l'amour trois. C'est comme ça. Il y a d'abord une année de passion, puis une année de tendresse et
5 enfin une année d'ennui.

La première année, on dit : « Si tu me quittes, je me tue. »

La seconde année, on dit : « Si tu me quittes, je souffrirai mais je m'en remettrai. »
10 La troisième année, on dit : « Si tu me quittes, je sabre le champagne. »

Personne ne vous prévient que l'amour dure trois ans. Le complot amoureux repose sur un secret bien gardé. On vous fait croire
15 que c'est pour la vie alors que, chimiquement, l'amour disparait au bout de trois années. Je l'ai lu dans un magazine féminin : l'amour est une poussée éphémère de dopamine, de noradrénaline, de prolactine, de
20 lulibérine et d'ocytocine. Une petite molécule,

la phényléthylamine (PEA), déclenche des sensations d'allégresse, d'exaltation et d'euphorie. Le coup de foudre, ce sont les **neurones** du système limbique qui sont saturés en PEA. La
25 tendresse, ce sont les endorphines (l'opium du couple). La société vous trompe : elle vous vend le grand amour alors qu'il est scientifiquement démontré que ces hormones cessent d'agir après trois années.
30 D'ailleurs, les statistiques parlent d'elles-mêmes : une passion dure en moyenne 317,5 jours (je me demande bien ce qui se passe durant la dernière demi-journée…), et, à Paris, deux couples mariés sur trois
35 divorcent dans les trois ans qui suivent la cérémonie. Dans les annuaires démographiques des Nations Unies, des spécialistes du recensement posent des questions sur le divorce depuis 1947 aux habitants de
40 soixante-deux pays. La majorité des divorces ont lieu au cours de la quatrième année de

mariage (ce qui veut dire que les procédures ont été enclenchées en fin de troisième année). «En Finlande, en Russie, en Égypte,
45 en Afrique du Sud, les centaines de millions d'hommes et de femmes étudiés par l'ONU, qui parlent des langues différentes, exercent des métiers différents, s'habillent de façon différente, manipulent des monnaies, enton-
50 nent des prières, craignent des démons différents, nourrissent une infinie variété d'espoirs et de rêves… connaissent tous un pic des divorces juste après trois ans de vie commune.» Cette banalité n'est qu'une humilia-
55 tion supplémentaire.

Trois ans! Les statistiques, la biochimie, mon cas personnel : la durée de l'amour reste toujours identique. Coïncidence troublante.

60 Pourquoi trois ans et pas deux, ou quatre, ou six cents? À mon avis, cela confirme l'existence de ces trois étapes que **Stendhal**, **Barthes** et Barbara **Cartland** ont souvent distinguées : Passion-Tendresse-Ennui, cycle de trois paliers qui durent chacun une année
65 – un triangle aussi sacré que la Sainte Trinité.

La première année, on achète des meubles.

La deuxième année, on déplace les meubles.

70 La troisième année, on partage les meubles. (471 mots)

© Frédéric BEIGBEDER, *L'amour dure trois ans*, Paris, Éditions Grasset & Fasquelle, 1997, p. 27-30.

Stendhal Écrivain français (1783-1842), un des grands représentants du roman français du 19e siècle.

Barthes Critique et théoricien français (1915-1980), figure importante de la pensée structuraliste.

Cartland Écrivaine britannique (1901-2000), auteure de romans d'amour populaires.

POUR tout **Savoir**

À LIRE
• L'article de Stanilas de Haldat, « Pourquoi l'amour dure-t-il trois ans ? », www.psychologies.com/Couple/Vie-de-couple/Amour/Interviews/Pourquoi-l-amour-dure-trois-ans.

À VOIR
• Le site non officiel de Frédéric Beigbeder, le S. N. O. B., www.beigbeder.net.
• Le film de Frédéric Beigbeder, *L'amour dure trois ans*, 2012.
• Le film de Jan Kounen, *99 francs*, tiré du roman du même nom de Frédéric Beigbeder, 2007.

Et maintenant !

VOCABULAIRE

1 Trouvez, à l'intérieur des lignes indiquées, un synonyme pour chacun des mots soulignés ci-dessous. Faites les accords si nécessaire.

a) Il vous <u>avertit</u> de ne pas poser ce geste. (l. 12-13) : _____

b) En voyant cet homme, j'ai ressenti un <u>coup</u> d'adrénaline. (l. 17-20) : Une _____

c) Mon <u>enthousiasme</u> était très intense quand j'ai rencontré ma femme.

(l. 20-22) : _____

d) Cette fleur dure seulement quelques jours ; elle est <u>fragile</u>. (l. 17-20) : _____

e) Les parfums autour de cette fille sont <u>remplis</u> d'arômes : elle est amoureuse.

(l. 23-24) : _____

2 À l'aide du texte, expliquez les expressions suivantes.

a) « Je sabre le champagne » (l. 11) :

_____

_____

b) « Les statistiques parlent d'elles-mêmes » (l. 30-31) :

_____

_____

3 Qui suis-je ? Les réponses se trouvent entre les lignes indiquées entre parenthèses.

a) Un sentiment de bien être physique et spirituel (l. 20-23) : _____

b) Une expression qui veut dire « à la fin de » (l. 14-17) : _____

c) Une opération qui consiste à dénombrer une population (l. 36-40) : _____

d) Un verbe qui signifie « commencer à chanter » (l. 44-54) : _____

COMPRÉHENSION ET INTERPRÉTATION

1 De quel « complot » l'auteur parle-t-il à la ligne 13 ?

a) La société essaie de faire croire que l'amour dure toute la vie, mais c'est faux.

b) Le complot est un secret bien gardé : l'amour est chimiquement et socialement contrôlé.

c) La société vous prévient que l'amour dure trois ans.

2 De quelle façon la molécule PEA fonctionne-t-elle quand on devient amoureux ?

_____

_____

3 La majorité des divorces arrivent pendant la quatrième année d'une vie de couple. Est-ce que cette statistique contredit la théorie de l'auteur ? Expliquez.

_____

_____

_____

4 Quelle coïncidence troublante l'auteur mentionne-t-il ?

_____

_____

5 Comment l'auteur nous montre-t-il l'évolution de la passion entre la première, la deuxième et la troisième année de vie commune ?

_____

_____

_____

_____

RÉDACTION

1 Vous recevez un texto de votre amoureuse ou de votre amoureux qui souhaite mettre fin à la relation que vous entretenez avec elle ou avec lui. Rédigez ce texto et répondez-y en quelques mots.

2 Faites une liste des grands clichés liés au concept de l'amour éternel (le mariage, par exemple).

3 Rédigez l'histoire d'amour la plus tragique ou la plus ridicule que vous ayez entendue.

PARLONS-EN

1 Êtes-vous d'accord avec la thèse de l'auteur? Est-ce que l'amour peut durer plus de trois ans?

2 Selon vous, quelles sont les causes qui expliquent la fin de l'amour?

3 Comment peut-on prolonger la vie de son couple?

GRAMMAIRE

1 Vous avez reçu cette lettre d'amour, mais elle est pleine d'erreurs. Avant de décider si oui ou non vous allez répondre à cette personne, corrigez les 20 erreurs grammaticales, syntaxiques et orthographiques qui sont soulignées dans le texte.

《 **TS** P. 98
P. 100-101

Attention, le texte est au présent.

Je <u>suis</u> peur et <u>je besoin</u> de parler <u>à toi</u>. Je ne <u>savoir</u> pas <u>qu'est-ce</u> qui m'<u>arriver</u>, <u>mes</u> quand je te vois, je <u>vraiment ai beacoups des</u> sentiments. J'ai <u>du</u> tendresse pour toi. Quand tu n'es pas <u>la</u>, je m'<u>ennuyé</u>. <u>Tout</u> mes <u>aimes dit</u> que tu es incroyable. J'ai le coup de foudre pour toi. Je <u>veut</u> te <u>raconter</u> ce soir en personne pour parler de <u>quequechose important</u>. Au revoir.

_____

_____

_____

_____

_____

_____

_____

_____

_____

_____

_____

_____

_____

P. 138-139 G »» **2** Dans les phrases suivantes, remplacez le groupe du nom souligné par le bon pronom sujet.

a) <u>Bob, Gaston et moi</u> (_____) aimons beaucoup les femmes séductrices.

b) <u>Barbara et sa cousine</u> (_____) sont amoureuses du même garçon.

c) Est-ce que l'amour rend aveugle ? Oui, <u>l'amour</u> (_____) rend aveugle.

d) <u>Les amoureux</u> (_____) pensent à aimer.

e) <u>Les couples</u> (_____) font l'amour plusieurs fois par semaine.

f) <u>La police</u> (_____) est reconnue pour son amour des beignes.

g) <u>Tout le monde</u> (_____) désire être aimé.

h) <u>Ceux qui aiment</u> (_____) sont heureux.

i) <u>Ta mère et toi</u> (_____) êtes la raison de notre divorce !

DÉTENTE EN COURS

Que veulent dire les expressions suivantes ? Associez-les au sens le plus précis.

a) Avoir le béguin. |___| **1** Être un grand séducteur.

b) Loin des yeux, loin du cœur. |___| **2** Chercher des aventures amoureuses.

c) Vivre d'amour et d'eau fraiche. |___| **3** Être amoureux.

d) Un feu de paille. |___| **4** Avoir le cœur qui palpite.

e) L'amour rend aveugle. |___| **5** Faire la cour, séduire.

f) Filer le parfait amour. |___| **6** Vivre l'amour idéal.

g) Conter fleurette. |___| **7** Une passion qui ne dure pas.

h) Le cœur bat la chamade. |___| **8** La distance nuit à l'amour.

i) Être un don Juan. |___| **9** L'amour empêche de voir les défauts.

j) Courir la galipote. |___| **10** Celui qui aime possède tout.

Avant tout

Aimez-vous les sports ?

Êtes-vous sportif/sportive ?

Pratiquez-vous un sport d'équipe ? Lequel ?

Êtes-vous partisan d'une équipe sportive ? Laquelle ?

Comment se manifeste votre passion pour cette équipe ?

VOCABULAIRE THÉMATIQUE

Maillot (l. 23) : (n. m.) vêtement moulant qui couvre le haut du corps.
Ex. : Le maillot de la Lazio est bleu ciel.

Calé (en foot) (l. 38) : (adj.) expert, qui connait bien le domaine.
Ex. : Cette étudiante est calée en informatique.

Spectateur en verve (l. 62) : spectateur qui a beaucoup de choses
à dire et qui les dit avec fougue et vivacité.
Ex. : Un joueur a raté le but ; les spectateurs en verve l'insultent.

Un match de  foot à Rome

Elizabeth Gilbert, écrivaine américaine, est à Rome afin de parfaire ses connaissances en italien. Pour pratiquer cette langue, elle rencontre régulièrement un ami italien, Luca Spaghetti qui, lui, désire apprendre l'anglais. Lors de leurs rencontres, elle parle italien, il parle anglais et ils se corrigent mutuellement. Aujourd'hui, les deux amis assistent à un match de foot.

Hier après-midi, je suis allée assister à un match de foot avec Luca Spaghetti et ses copains. Nous étions là pour voir la Lazio. Il y a deux équipes de foot à Rome – la Lazio et 5 l'AS Rome. La rivalité entre ces deux équipes et leurs **supporteurs** est immense, et peut diviser des familles par ailleurs unies, ou transformer des quartiers paisibles en zones de guerre civile. Il est important de choisir 10 tôt dans la vie si on est supporteur de la Lazio ou de l'AS Rome parce que cela déterminera, dans une large part, avec qui vous passerez vos dimanches après-midi jusqu'à la fin de votre vie.

15 Luca a une bande d'une dizaine d'amis proches. Tous s'adorent comme des frères. Sauf que la moitié d'entre eux soutient la Lazio, et l'autre moitié l'AS Rome. Et contre ça, aucun ne peut grand-chose : ils sont tous 20 issus de familles dans lesquelles la loyauté à l'une ou l'autre équipe était déjà établie. Le grand-père de Luca […] lui a offert son premier maillot bleu ciel de la Lazio quand il était encore dans les langes. Et comme son 25 grand-père, Luca sera un supporteur de la Lazio jusqu'à sa mort.

«On peut changer d'épouse, dit Luca, de boulot, de nationalité et même de religion, mais on ne changera jamais d'équipe.»

[…]

30 Mon premier match de foot en compagnie de Luca Spaghetti a été un délirant banquet de langue italienne. J'ai appris dans ce stade tout un tas de mots nouveaux qu'on n'apprend jamais en cours. Un vieux mon- 35 sieur assis derrière moi hurlait comme un damné et enfilait les jurons à l'intention des joueurs comme les perles d'un collier. Je ne suis pas extrêmement calée en foot, mais je n'ai pas perdu de temps à questionner

Foot Au Québec, le foot est appelé soccer pour distinguer ce sport du football américain.

Supporteurs Au Québec, on recommande l'utilisation du mot « partisans ».

Bouseux Paysan dans un sens familier et péjoratif.

Diatribe Critique violente, attaque verbale.

Crétin Idiot, stupide.

Soliloques Discours d'une personne qui semble ne parler qu'à elle-même.

40 bêtement Luca quant à l'action qui se déroulait sur le terrain. À la place, je lui demandais à tout bout de champ : « Luca, que vient de dire le type derrière moi ? Que veut dire *cafone* ? » Et Luca, sans détacher les yeux du 45 terrain, me répondait : « **Bouseux**. Ça veut dire bouseux. »

Je notais dans mon carnet. Puis je fermais les yeux pour mieux écouter la suite de la **diatribe** du vieux monsieur : [...]

50 « Allez ! Allez ! Vas-y Albertini ! Vas-y... Oui, oui, mon garçon, parfait ! Magnifique ! Magnifique ! Tire ! Tire ! Dans le but ! C'est ça [...] c'est – AHHHH ! VA TE FAIRE FOUTRE ! CONNARD ! BOUSEUX ! TRAITRE ! Sainte mère 55 de Dieu... Oh, mon Dieu, mais pourquoi ? Pourquoi ? C'est **crétin**, c'est honteux, quelle honte ! [...] »

Ah, quel délicieux moment j'ai passé ! Quelle chance j'ai eue d'avoir cet homme 60 pour voisin. Je me délectais de chaque mot qui sortait de sa bouche. [...] Et il n'était pas le seul spectateur en verve. Le stade tout entier résonnait de tels **soliloques**. Avec quelle ferveur ! Chaque fois qu'une grave entorse à la 65 légalité footballistique se produisait sur le terrain, le stade tout entier se dressait, et chacun des vingt-mille spectateurs, à grand renfort de gesticulations et d'insultes, s'élevait en protestations outragées ; on se serait cru au 70 beau milieu d'une altercation dans un embouteillage géant. Les joueurs de la Lazio n'étaient pas moins théâtraux que leurs supporteurs : comme dans les scènes d'assassinat dans *Jules César*, ils se roulaient de douleur sur la 75 pelouse, afin que rien n'échappe aux spectateurs des derniers rangs, puis se relevaient d'un bond en deux secondes pour réattaquer le gardien des buts adverses.

La Lazio a perdu, néanmoins.

80 Pour remonter un moral en berne, Luca Spaghetti a demandé à ses amis : « On va s'en jeter un ? »

J'ai supposé qu'il entendait par là : « Et si on allait boire un coup dans un bar ? » C'est 85 ce que feraient des supporteurs en Amérique après la défaite de leur équipe. Ils iraient dans un bistrot et se saouleraient. Cela n'a rien de spécifiquement américain, d'ailleurs – les Anglais, les Australiens, les Allemands... 90 Tous feraient de même, non ? Or, Luca et ses copains ne sont pas allés se remonter le moral dans un bar. Mais dans une pâtisserie. Une petite pâtisserie qui ne payait pas de mine, planquée en entresol dans un quartier 95 sans charme de Rome. L'endroit était bondé en ce dimanche après-midi. Mais c'est toujours bondé les jours de match. En sortant du stade, et avant de rentrer chez eux, les supporteurs de la Lazio s'y arrêtent et passent 100 des heures dans la rue, debout ou appuyés sur leur scooter, à commenter le match, en arborant leur air le plus macho, tout en mangeant des *choux à la crème*.

J'adore l'Italie. (789 mots)

© Elizabeth GILBERT, *Mange, prie, aime*, Wylie Agency (trad.), Paris, Éditions Calmann-Lévy, Le livre de poche, n° 31355, 2008, p. 111-114.

POUR tout Savoir

À LIRE
- L'article d'Alec Castonguay, « Le foot, carte d'identité de la planète », *Le Devoir*, 12 juin 2010.
- La capsule linguistique *Soccer ou football*, Office québécois de la langue française, www.oqlf.gouv.qc.ca/actualites/capsules_hebdo/soccer_20090617.html.

À VOIR
- La section vidéos de Soccer-foot.ca, http://soccer-foot.ca/index.php?option=com_content&view=article&id=81.

Et maintenant !

VOCABULAIRE

1 Trouvez un synonyme dans le texte. La réponse se trouve aux lignes indiquées entre parenthèses.

a) amis (l. 1-3) : _____

b) calme (l. 5-10) : _____

c) travail (l. 27-29) : _____

d) imbécile (l. 55-57) : _____

2 Que veulent dire les expressions suivantes ?

a) « Une grave entorse... se produisait. » (l. 64-65) :

  1 Un joueur se blessait à la cheville.

  2 Un règlement n'était pas respecté.

  3 Un arbitre donnait l'avantage à l'équipe adverse.

b) « Remonter un moral en berne. » (l. 80) :

  1 Hisser un drapeau en guise de détresse.

  2 Faire sauter quelqu'un en l'air sur une couverture.

  3 Redonner la joie de vivre à quelqu'un.

c) « Qui ne payait pas de mine. » (l. 93-94) :

  1 Qui n'avait pas une belle apparence.

  2 Qui n'avait pas assez de mines pour payer sa dette.

  3 Qui n'était pas payé pour son travail à la mine.

COMPRÉHENSION ET INTERPRÉTATION

1 La rivalité entre la Lazio et l'AS Rome peut avoir de graves conséquences. Lesquelles (2 éléments) ?

_____

_____

2 Vrai ou faux ? Justifiez vos réponses en donnant un extrait du texte.

a) Toutes les personnes qui font partie de la bande de Luca sont des frères.

_____

_____

b) Les amis de Luca sont nés dans des familles où la loyauté envers une équipe vient des aïeuls.

_____

_____

c) Luca Spaghetti a reçu son premier maillot de la Lazio quand il était adolescent.

_____

_____

3 Comment l'auteure prouve qu'elle souhaite vraiment perfectionner son italien (2 éléments) ?

_____

_____

4 Comment les spectateurs montraient-ils leur mécontentement quand un joueur ou un arbitre faisait une entorse à la légalité footballistique (3 éléments) ?

_____

_____

_____

5 Pourquoi la réaction de Luca et de ses copains après la défaite a-t-elle surpris l'auteure ?

_____

_____

RÉDACTION

1 En équipe de deux, imaginez un court dialogue entre un supporteur de la Lazio et un supporteur de l'AS Rome.

P. 78 TS » **2** Que pensez-vous de la violence dans les sports ? Écrivez un court paragraphe.

3 Avez-vous déjà gagné un trophée ? Décrivez brièvement l'évènement et dites ce que vous avez ressenti lors de cette victoire.

PARLONS-EN

1 « On peut changer d'épouse, dit Luca, de boulot, de nationalité et même de religion, mais on ne changera jamais d'équipe. » (l. 27-29) Êtes-vous d'accord avec lui ? Discutez-en en équipe.

2 Quand on apprend une langue, il y a des « mots nouveaux qu'on n'apprend jamais en cours » (l. 33-34). Avez-vous déjà appris des mots français qui ne s'enseignent pas en classe ? Si oui, lesquels ? Où avez-vous appris ces mots ? Qui vous les a enseignés ?

GRAMMAIRE

1 Complétez, lorsque possible, le tableau des classes de mots suivants.

Nom	Verbe	Adjectif	Adverbe
rivalité (l. 5)			
fin (l. 13)			
nationalité (l. 28)			
légalité (l. 65)			

2 Écrivez correctement les adjectifs dans la phrase suivante. «‹ G P. 133-135

« Ces deux équipes (rival) _____ ont participé aux trois derniers tournois

(national) _____ sans poser de gestes (illégal) _____

pendant les rencontres (final) _____ . Nous les félicitons. »

3 Mettez les déterminants *ce, cet, cette* ou *ces* devant les mots suivants. «‹ G P. 130

a) _____ action   **e)** _____ quartier   **i)** _____ stade

b) _____ crétin   **f)** _____ ami   **j)** _____ embouteillage

c) _____ équipe   **g)** _____ épouse   **k)** _____ honte

d) _____ homme   **h)** _____ entorse   **l)** _____ après-midi

DÉTENTE EN COURS

Thomas, l'entraineur de l'équipe de soccer les Champions, a choisi une formation 4-3-4 pour commencer le prochain match de son équipe. Cette formation indique qu'il y aura trois ailiers, quatre arrières et trois milieux (ou demi). Voici le nom des joueurs et leur position. Placez-les sur le terrain. Kevin, le gardien de but, est déjà placé.

a) Luca : avant centre
b) William : arrière droit
c) Billy : ailier droit
d) Diego : milieu gauche
e) Luciano : arrière gauche
f) Guillaume : milieu central
g) Antonio : ailier gauche

h) Johnny : milieu droit
i) Xavier : défenseur central droit
j) Nabil : défenseur central gauche

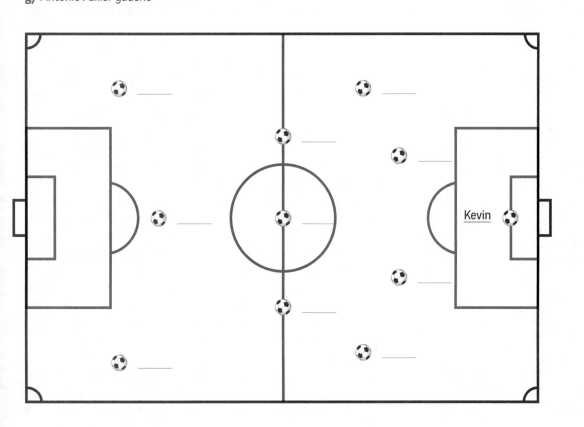

TEXTES NARRATIFS

Avant tout

Connaissez-vous des pays ou des régions victimes de guerres civiles ? Donnez-en quelques exemples.

Selon vous, quelles sont les conséquences de ces conflits sur la population civile ?

Qu'est-ce qui définit, à votre avis, l'identité d'un individu ?

En quoi l'identité d'un individu peut-elle être affectée par un conflit ou un incident majeur ?

VOCABULAIRE THÉMATIQUE

Jumeau, jumelle (l. 20-21) : (n. m. f.) enfant né(e) d'un même accouchement qu'un(e) autre.
Ex. : Corinne et son jumeau Kevin se ressemblent comme deux gouttes d'eau.

Enlever (l. 38) : (v. t.) emmener de force une personne et la retenir.
Ex. : Les rebelles ont enlevé deux journalistes.

Réanimer (l. 50) : (v. t.) prendre des moyens pour rétablir les fonctions vitales d'une personne.
Ex. : Les ambulanciers ont essayé de réanimer les victimes de l'accident.

Orphelin, orpheline (l. 78) : (n. m. f.) enfant qui a perdu un ou ses deux parents.
Ex. : Carlos était orphelin de ses deux parents quand il a été adopté par cette famille.

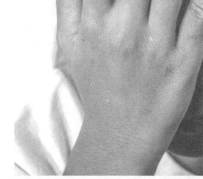

Une longue séparation

Manquais de... N'avais pas en quantité suffisante.

A surpris A pris au dépourvu, sans qu'on s'y attende.

Placard Armoire fixe aménagée contre un mur, équipée de tablettes ou de portemanteaux et fermée par une porte.

Tabassèrent Battirent.

À mort De telle sorte qu'on en meurt ; mortellement.

Emmenant Menant avec soi du lieu où l'on est vers un autre lieu.

Saignait Perdait du sang.

J'aime vivre dans la discrétion, le secret même, cacher ce que je suis. Je suis un être sans valeur, manquant de dignité, détruit par les évènements de son passé. Un être qui
5 n'est pas comme vous. Je suis Micha, un homme de 27 ans vivant à Kinshasa, capitale du Congo.

Ça fait un bout de temps que j'y suis. Je ne sais plus comment j'y suis arrivé. Tout ce
10 que je me rappelle, c'est que j'étais dans une famille. On était heureux, je ne **manquais de** rien, les choses tournaient à merveille. Je pensais que l'on vivrait ainsi jusqu'à la fin de nos jours. Hélas, je ne connaissais pas le mot
15 malheur. Je me disais que s'il existait des malheureux dans le monde, c'était leur faute, que ces personnes ne savaient pas profiter des occasions qui se présentaient à elles.

Mon père était homme d'affaires, ma
20 mère, infirmière. J'étais un jumeau et ma jumelle s'appelait Nora. On était heureux. Mais un jour le malheur nous **a surpris**.

J'avais six ans et je n'ai jamais oublié cet évènement. C'était un soir, un dimanche, mon
25 père était au salon, il lisait le journal local, ma mère préparait le souper, ma sœur jouait avec ses poupées et moi, je révisais mes notes pour un test de mathématiques.

Subitement, j'ai vu trois hommes incon-
30 nus entrer dans la maison, bien armés, les visages masqués.

— Couchez-vous, couchez-vous !

Mon père tomba par terre, ma mère sortit vite de la cuisine pour voir ce qui se passait,
35 je courus me cacher dans le **placard** et c'est de là que j'ai tout vu. L'un de ces trois monstres tira sur ma mère. Ils **tabassèrent** mon père **à mort**, puis enlevèrent ma sœur, l'**emmenant** avec eux.
40 Après leur départ, je sortis du placard, criant et pleurant d'une voix forte, mais plus personne n'était là pour m'entendre. Je regardais ma mère couchée au sol, sans mouvement, mon père qui **saignait** et n'avait plus

45 la force de dire un mot. Je lui pris la main, il me regarda dans les yeux pour la dernière fois. Quelques minutes plus tard, la police arriva. Les policiers me firent sortir de la maison et monter dans leur voiture. J'en vis un
50 qui tentait de réanimer mon père, mais, je le savais, c'était trop tard.

Puis ce fut l'enterrement de mes parents.

Les années passèrent, je me suis marié et nous avons eu deux enfants. Deux jolis anges
55 adorables. Je donnai à l'une le nom de ma mère, Sonia, et à l'autre, celui de ma sœur, Nora. Depuis l'enlèvement, je n'avais jamais revu ma sœur. J'avais toujours vécu avec l'espoir de la revoir un jour. Souvent je me
60 demandais si je la reconnaitrais. Je n'avais pas perdu espoir, car je croyais fermement qu'elle n'était pas morte.

Un jour, j'ai rencontré une femme qui était à la recherche d'un travail. Mon cœur se
65 mit à battre très fort, comme si j'avais retrouvé quelque chose que j'avais perdu depuis longtemps. Je lui fixai un rendez-vous pour la semaine suivante.

Quand je l'ai vue entrer dans mon bureau,
70 je l'ai saluée avec peut-être trop de ferveur, cela a dû lui paraitre un peu étrange.

Quand elle se mit à parler de son expérience professionnelle, je ne voyais plus que Nora, ma sœur. J'ai dû la regarder bizarre-
75 ment ; je n'osais croire au bonheur de l'avoir retrouvée. Je lui ai demandé de me parler de sa famille. Elle me répondit qu'elle était orpheline de père et de mère. Elle avait été élevée dans un **orphelinat** de la ville, puis
80 avait été adoptée par une famille où elle vivait encore. Je suis resté stupéfait en écoutant son histoire. J'avais les larmes aux yeux, mais elle ne comprenait absolument rien de ce qui se passait. À la fin de l'entrevue, je n'osai pas
85 lui donner une réponse définitive, lui demandant plutôt de revenir le lendemain.

Je rentrai chez moi, mais ne cessais de penser à elle. Ma femme me demanda ce qui me préoccupait. Je me mis à tout lui expliquer. Elle
90 me conseilla de dire la vérité à cette femme dès que je la rencontrerais de nouveau.

— De quoi as-tu peur ? Tu ne veux pas croire en ce bonheur ?

Le lendemain, au bureau, je ne savais pas
95 par où commencer. Finalement, je décidai de lui parler, de lui raconter l'histoire de cette famille qui était notre famille : comment, sous mes yeux, nos parents avaient été assassinés et elle, ma sœur, enlevée… On se mit tous
100 les deux à pleurer. Et soudain, alors que je lui tenais les mains, je vis à son poignet gauche le même signe familial que celui que je portais. C'était elle, Nora, ma jumelle. (782 mots)

© Tshalie TSHALA-KAYEMBE,
« Une longue séparation », *Virages*, n° 61,
automne 2012, p. 88-90.

Orphelinat Établissement qui recueille et élève des enfants qui ont perdu leurs parents.

POUR tout **Savoir**

À LIRE
- Le roman d'Agota Kristof, *Le grand cahier*, 1986.
- L'article de Jean-Frédéric Légaré-Tremblay, « Le grand conflit oublié », *Le Devoir*, 21 janvier 2015. Analyse de la guerre en République démocratique du Congo, conflit le plus meurtrier au monde depuis la Seconde Guerre mondiale.

À ÉCOUTER
- La chanson de Grand Corps Malade, « J'ai pas les mots », album *Enfant de la ville*, 2008.
- La chanson d'Alexandre Poulin, « Diamant noir », album *Le mouvement des marées*, 2013.

À REGARDER
- Le film de János Szász, *Le grand cahier*, 2013.

Et maintenant !

VOCABULAIRE

1 Pour chaque mot ci-dessous, trouvez un synonyme dans le texte aux lignes indiquées entre parenthèses.

a) Fonctionner (l. 11-12) : _____

b) Essayer (l. 49-51) : _____

c) Funérailles (l. 50-55) : _____

d) Enthousiasme (l. 69-71) : _____

e) Sembler (l. 69-71) : _____

f) Bizarre (l. 69-71) : _____

g) Étonné (l. 81-82) : _____

h) Arrêter (l. 87-88) : _____

2 Trouvez dans les trois premiers paragraphes trois mots qui appartiennent à la même famille que le mot *bonheur*.

_____   _____

_____

3 Trouvez dans le deuxième paragraphe une expression qui signifie le contraire de l'expression *Se passer très mal*.

_____

COMPRÉHENSION ET INTERPRÉTATION

1 Déterminez les lignes du texte correspondant aux différentes parties du schéma narratif.

a) Situation initiale : _____

b) Élément déclencheur : _____

c) Péripéties : _____

d) Dénouement : _____

e) Situation finale : _____

2 Pourquoi Micha dit-il qu'il aime vivre dans la discrétion ?

_____

_____

_____

3 Relevez le marqueur de relation qui introduit l'élément déclencheur de l'histoire.

_____

4 Pourquoi le cœur de Micha se met-il à battre plus fort lorsqu'il rencontre la femme qui est à la recherche de travail ?

_____

_____

5 Quelle est la preuve définitive que la femme venue dans le bureau de Micha est sa sœur jumelle, Nora ?

_____

_____

6 Pourquoi ces évènements ont-ils marqué cet enfant pour la vie ?

_____

_____

RÉDACTION

1 Composez un court paragraphe dans lequel vous imaginez une situation finale pour l'histoire *Une longue séparation*.

2 Une fois rentré à la maison, Micha raconte à sa femme dans les moindres détails comment s'est déroulée l'entrevue avec sa sœur jumelle. Dans un paragraphe d'environ 100 mots, imaginez le portrait physique et moral de Nora dressé par son frère jumeau.

PARLONS-EN

1 Pensez-vous que les jumeaux sont unis par un lien singulier toute leur vie ? Expliquez.

2 Avez-vous déjà été témoin de retrouvailles touchantes ? Racontez la scène.

3 Au Centre Bell, à la sortie d'un match de hockey, vous tombez sur votre meilleur ami d'enfance, que vous aviez perdu de vue depuis 10 ans. Jouez la scène en équipes de deux.

GRAMMAIRE

1 À l'aide du dictionnaire, trouvez les noms qui correspondent aux verbes suivants.

a) Séparer : _____

d) Rencontrer : _____

b) Enlever : _____

e) Adopter : _____

c) Réanimer : _____

f) Surprendre : _____

2 a) Dans le texte ci-dessous, remplacez le présent par le temps du passé qui convient (imparfait ou passé composé).

b) Encadrez tous les déterminants possessifs.

c) Surlignez les pronoms compléments directs et indirects.

Mon père tombe (_____) par terre, ma mère sort (_____) de

la cuisine pour voir ce qui se passe (_____) et je cours (_____)

me cacher dans le placard. L'un des agresseurs tire (_____) sur ma mère.

Ils frappent (_____) mon père et enlèvent (_____) ma sœur.

Après leur départ, je sors (_____) du placard, mais plus personne n'est

(_____) là pour me voir ou m'entendre. Je regarde (_____) ma

mère couchée au sol, mon père qui n'a (_____) plus la force de me dire un

mot. Quelques minutes plus tard, les policiers arrivent (_____). Ils me

font (_____) sortir de la maison et monter dans leur voiture. Je vois

(_____) un policier qui tente (_____) de réanimer mon père,

mais, je le sais (_____), c'est (_____) trop tard.

3 Récrivez votre texte à la troisième personne du singulier en faisant toutes les transformations nécessaires.

_____

_____

_____

_____

_____

_____

_____

_____

_____

DÉTENTE EN COURS

Associez les expressions suivantes à leur définition.

a) Se tourner les pouces. ☐ **1** Recommencer à neuf.

b) Tourner la page. ☐ **2** Le feuilleter.

c) Tourner quelqu'un **3** Expédier son travail.
   ou quelque chose en ridicule. ☐ **4** Séduire quelqu'un.

d) Tourner les coins ronds. ☐ **5** Être inactif.

e) Tourner le dos à quelqu'un. ☐ **6** Se moquer de quelqu'un

f) Tourner les pages d'un livre. ☐   ou de quelque chose.

g) Tourner la tête à quelqu'un. ☐ **7** Le laisser tomber.

Avant tout

Avez-vous entendu parler des migrants qui ont fui leur pays par dizaines de milliers? D'après vous, qu'est-ce qui pousse des gens à fuir leur pays?

Connaissez-vous quelqu'un qui a quitté son pays et qui est venu s'installer au Canada? Est-ce que cela lui a été facile de recommencer sa vie dans un nouveau pays?

Avez-vous déjà entendu parler des «boat people»? Qui sont-ils? Qui vous en a parlé?

VOCABULAIRE THÉMATIQUE

Camp de réfugiés (introduction) : camp construit par un gouvernement ou une organisation non gouvernementale (ONG) pour accueillir temporairement des personnes qui ont fui leur pays à la suite d'une catastrophe naturelle, d'une grave crise politique ou d'une guerre.
Ex. : Ils ont vécu trois ans dans un camp de réfugiés avant d'immigrer au Canada.

Couver (l. 2) : (v. t.) entourer de soins à l'excès.
Ex. : Cette jeune maman couve un peu trop son petit garçon.

Bénévole (l. 81-82) : (n. m. f.) personne qui rend service gratuitement, sans en tirer profit.
Ex. : Il est bénévole à la Maison des jeunes depuis deux ans.

Allocation (l. 88) : (n. f.) somme d'argent allouée pour faire face à un besoin.
Ex. : Madame Tremblay reçoit des allocations familiales tous les mois pour ses deux enfants.

Des réfugiés de Da Nang, au nord de Saïgon (Viêt Nam), accostant à Vung Tau, au sud de Saïgon, en 1975.

Photo d'archives. © Jack Cahill/ Getty Images.

Granby, terre d'accueil

L'auteure, Kim Thuy, est d'origine vietnamienne. Elle fait partie des «boat people» qui ont fui le Vietnam par centaines de milliers à cause de la guerre. Sa famille a quitté le Viêt Nam cachée au fond d'un bateau. Elle a vécu quatre mois dans un camp de réfugiés en Malaisie avant de venir s'établir à Granby, au Québec.

La ville de Granby a été le ventre chaud qui nous a couvés durant notre première année au Canada. Les habitants de la ville nous ont bercés un à un. Les élèves de mon école pri-
5 maire faisaient la queue pour nous inviter chez eux pour le repas du midi. Ainsi, chacun de nos midis était réservé par une famille et, chaque fois, nous retournions à l'école le ventre presque vide, parce que nous ne
10 savions pas comment manger du riz non collant avec une fourchette. Nous ne savions pas comment leur dire que cette nourriture nous était étrangère, qu'il n'était pas nécessaire

pour eux de courir les marchés pour **déni-**
15 **cher** la dernière boîte de Minute Rice. Nous ne pouvions ni leur parler ni les écouter. Mais l'essentiel y était. Il y avait de la générosité et de la gratitude dans chacun de ces grains de riz laissés dans nos assiettes. Je me demande
20 encore aujourd'hui si les mots n'auraient pas **entaché** ces moments de grâce. Et si, parfois, les sentiments ne sont pas mieux compris dans le silence, comme celui qui existait entre Claudette et monsieur Kiet. Leurs premiers
25 moments ensemble furent sans paroles, et pourtant monsieur Kiet accepta de déposer

Dénicher Trouver après avoir fait plusieurs recherches.

Entaché Jeter le discrédit sur quelqu'un.

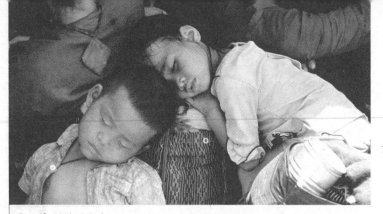

Des réfugiés épuisés dans le village de pêcheurs de Vung Tau, au moment de la chute du Viêt Nam, sous le poids de l'armée nord-vietnamienne, en avril 1975.

Photo d'archives.
© Therry Fincher. Photo. Int/Alamy Stock Photo.

Camion-cube Camion qui a une boite rectangulaire et fermée à l'arrière.

Soldée Vendue à très bas prix.

Marchés aux puces Marchés où l'on vend des marchandises d'occasion.

Cintrée Dont la coupe est ajustée, resserrée à la taille.

son bébé dans les bras de Claudette sans questionnement : un bébé, son bébé, qu'il avait retrouvé sur la plage, après que son
30 bateau s'était enroulé dans une vague trop gourmande. Il n'avait pas retrouvé sa femme, seulement son fils, qui vécut sa deuxième naissance sans sa mère. Claudette leur tendit les bras et les garda chez elle pendant des
35 jours, des mois, des années.

Johanne m'a tendu la main de la même façon. Elle m'a aimée même si je portais une tuque au logo McDonald's, même si je voyageais en cachette dans un **camion-cube** avec
40 cinquante autres Vietnamiens pour travailler dans les champs des Cantons-de-l'Est après l'école. Johanne voulait que j'aille à l'école secondaire privée avec elle l'année suivante. Pourtant, elle savait que j'attendais chaque fin
45 d'après-midi, dans la cour de cette même école, les camions des agriculteurs pour aller travailler au noir, ramassant quelques dollars en échange des sacs de haricots cueillis.

Johanne m'a aussi emmenée au cinéma
50 même si je portais une chemise **soldée** à quatre-vingt-huit cents avec un trou près du bord. Au retour du film *Fame*, elle m'a montré à chanter en anglais la chanson thème : *I sing the body electric*… sans que je comprenne les
55 paroles, ni sa conversation avec sa sœur et ses parents autour de leur foyer. Elle est aussi celle qui m'a relevée de mes premières chutes en patin, qui m'a applaudie et a crié mon nom dans la foule quand Serge, un camarade de
60 classe trois fois plus grand que moi, m'a prise dans ses bras avec le ballon de football pour marquer un but.

Je me demande si je ne l'ai pas inventée, cette amie. J'ai rencontré beaucoup de gens
65 qui croient en Dieu, mais moi je crois aux anges. Et Johanne en était un. Elle faisait partie d'une armée d'anges qui avaient été parachutés sur la ville pour nous donner un traitement de choc. Ils étaient à nos portes
70 par dizaines à nous offrir des vêtements

chauds, des jouets, des invitations, des rêves. Je sentais qu'il n'y avait pas assez d'espace en nous pour recevoir tout ce qui nous était offert, pour capter tous les sourires qui nous
75 étaient destinés. Comment visiter le zoo de Granby plus de deux fois par fin de semaine ? Comment apprécier un weekend de camping dans la nature ? Comment savourer une omelette au sirop d'érable ?

80 J'ai une photo de mon père enlacé dans les bras de nos « parrains », une famille de bénévoles qui nous avait été assignée. Ils consacraient leur dimanche à nous emmener dans des **marchés aux puces**. Ils négociaient haut
85 et fort pour que nous puissions acheter des matelas, de la vaisselle, des lits, des sofas, l'essentiel en somme, avec nos trois cents dollars d'allocation gouvernementale destinée à l'ameublement de notre première demeure
90 au Québec. Un des vendeurs a donné en prime un chandail rouge à gros col roulé à mon père. Il l'a porté fièrement chaque jour de notre premier printemps au Québec. Aujourd'hui, son grand sourire sur la photo réussit à faire oublier
95 la coupe **cintrée** de ce chandail pour femme. Il est préférable de ne pas tout savoir, parfois.

Évidemment, il y a des moments où nous aurions aimé en savoir davantage. Savoir, par exemple, qu'il y avait des puces dans nos
100 vieux matelas. Mais ces détails sont sans importance puisqu'ils n'apparaissaient pas sur les photos. De toute manière, nous croyions que nous étions immunisés contre les piqûres, qu'aucune puce ne pouvait mordre notre
105 peau cuivrée par le soleil de Malaisie. Or, les vents froids et les bains chauds nous avaient purifiés, rendant les morsures insupportables et les démangeaisons sanglantes.

Nous avons jeté ces matelas sans en infor-
110 mer nos parrains. Nous ne voulions pas les attrister parce qu'ils nous avaient donné leur cœur, leur temps. Nous appréciions leur générosité, mais insuffisamment : nous ne connaissions pas encore le prix du temps, sa
115 juste valeur, sa grande rareté.

Pendant toute une année, Granby a représenté le paradis terrestre. Je ne pouvais imaginer une meilleure place dans le monde, même si nous y étions mangés par les mouches autant
120 que dans notre camp de réfugiés… (954 mots)

© Kim THUY, *Ru*, Montréal, Éditions Libre Expression, 2009, p. 31-35.

POUR tout Savoir

À LIRE
- Le roman de Philippe Claudel, *La petite fille de Monsieur Linh*, 2007.
- Le portail Immigration du Gouvernement du Canada, « Parrainer un membre de la famille », www.cic.gc.ca/francais/immigrer/parrainer/index.asp.

À ÉCOUTER
- La chanson de Corneille, *Parce qu'on vient de loin*, www.dailymotion.com/video/xnpax_corneille-parce-qu-on-vient-de-loin_music.

À VOIR
- L'entrevue de Boucar Diouf sur l'intégration des immigrants : « La noix de coco », émission *Bazzo.tv*, Télé-Québec, 5 min 42 s, octobre 2013, www.youtube.com/watch?v=yQtyT3HIW4Y.
- Le documentaire de Georges Amar, *Les boat people 10 ans après*, ONF, 26 min 32 s, 1986, www.onf.ca/film/les_boat_people_10_ans_apres.
- La vidéo de l'organisme Save the children sur l'effet de la guerre sur les enfants, 2014, www.youtube.com/watch?v=RBQ-IoHfimQ.
- Le film de Dany Laferrière, *Comment conquérir l'Amérique en une nuit*, DVD, 2004.
- L'émission *Qui êtes-vous ?* du 7 décembre 2015 à Radio-Canada, http://ici.radio-canada.ca/tele/qui-etes-vous/2015-2016/episodes/361299/kim-thuy. Kim Thuy y retrace son parcours de Saïgon jusqu'à Granby.
- L'entrevue de Kim Thuy à l'émission *Tout le monde en parle* du 6 décembre 2015, http://ici.radio-canada.ca/tele/tout-le-monde-en-parle/2015-2016/segments/entrevue/4238/kim-thuy.

Et maintenant !

VOCABULAIRE

1 Que veulent dire les expressions suivantes ?

a) « Les élèves... **faisaient la queue** » (l. 5) :
1. Ils attendaient les uns derrière les autres pour nous inviter.
2. Ils faisaient des choses sans queue ni tête pour nous inviter.
3. Ils étaient toujours les derniers à nous inviter.

b) « **Courir les marchés** » (l. 14) :
1. Courir et marcher en alternant.
2. Courir dans les allées des marchés.
3. Fréquenter régulièrement les marchés.

c) « Travailler **au noir** » (l. 47) :
1. Travailler seulement la nuit.
2. Travailler clandestinement, sans déclarer son salaire.
3. Travailler dans le noir, sans électricité.

d) « Ils négociaient **haut et fort** » (l. 84-85) :
1. Ils exigeaient des prix très élevés.
2. Ils parlaient très fort pour se faire entendre.
3. Ils discutaient avec ardeur pour obtenir les meilleurs prix.

2 Quel est le sens du mot « parrain » (l. 81) dans ce contexte ?

a) Personne qui tient un enfant lors d'un baptême.

b) Personne qui en guide une autre et l'aide à s'adapter à son nouvel environnement.

c) Personne qui est à la tête de la mafia.

3 Associez les mots suivants aux extraits du texte. Un mot peut être utilisé deux fois.

a) générosité   c) confiance   e) discrétion
b) disponibilité   d) incrédulité   f) précarité

[____] [...] monsieur Kiet accepta de déposer son bébé dans les bras de Claudette sans questionnement (l. 26-28).

[____] [...] aller travailler au noir, ramassant quelques dollars en échange des sacs de haricots cueillis (l. 46-48).

[____] Je me demande si je ne l'ai pas inventée, cette amie (l. 63-64).

[____] Ils étaient à nos portes par dizaines à nous offrir des vêtements chauds [...] (l. 69-71).

[____] Ils consacraient leur dimanche à nous emmener dans des marchés aux puces (l. 82-84).

[____] Nous avons jeté ces matelas sans en informer nos parrains (l. 109-110).

COMPRÉHENSION ET INTERPRÉTATION

1 Comment l'auteure décrit-elle la ville de Granby au début et à la fin du texte ?

_____

_____

2 Pourquoi l'auteure dit-elle : « chaque fois, nous retournions à l'école le ventre presque vide » (l. 8-9) (2 éléments) ?

_____

_____

_____

_____

3 Qu'est-ce qui est arrivé à la femme de M. Kiet ?

_____

_____

4 Selon l'auteure, Johanne était un ange (l. 65-66). Pourquoi ? Donnez deux exemples qui montrent la bonté de Johanne.

_____

_____

_____

_____

_____

_____

_____

_____

5 Est-ce que les bénévoles et les parrains en faisaient trop, selon l'auteure ? Donnez des exemples.

_____

_____

_____

_____

_____

_____

_____

6 Pourquoi le chandail rouge a-t-il marqué les souvenirs d'enfance de l'auteure ?

_____

_____

_____

RÉDACTION

1 Interviewez une personne de votre entourage – ami de la famille, grand-parent, oncle, tante, etc. – qui a immigré au Canada. Ensuite, dans un texte d'environ 250 mots, racontez son histoire en suivant le schéma narratif des pages 47 et 48.

2 Vous pensez aller vivre dans un autre pays. Écrivez un texte de 150 mots dans lequel :
- vous présentez brièvement ce pays ;
- vous expliquez pourquoi vous voulez y vivre ;
- vous dites ce que vous ferez dans ce pays ;
- vous concluez en disant si vous voulez vous y installer de façon permanente ou non.

PARLONS-EN

1 Quitter son pays et s'intégrer dans un nouveau pays n'est pas facile. Quelles sont, selon vous, les qualités nécessaires pour bien vivre ce grand bouleversement ? Quelles sont les difficultés que le migrant peut rencontrer ? Pensez-vous être capable d'immigrer ? Discutez-en en petits groupes.

2 Le Canada est-il une bonne société d'accueil pour les immigrants ? Selon vous, quelles sont les qualités qu'une société d'accueil devrait avoir ?

3 Vous devez quitter précipitamment votre domicile à cause d'une catastrophe (incendie, inondation, attentat, etc.). Vous avez trois minutes pour sortir. Qu'emportez-vous avec vous ? Pourquoi ?

GRAMMAIRE

P. 184-187 G »

1 Corrigez, si nécessaire, les mots en gras ci-dessous en les remplaçant par un mot homophone.

a) Ils **on** _____ été accueillis par une armée de bénévoles qui **ce** _____ **son** _____ dévoués pendant un an.

b) Les agriculteurs **leurs** _____ ont dit qu'ils appréciaient **leur** _____ ponctualité : ils étaient toujours **a** _____ **leur** _____ .

c) L'auteur **ces** _____ que **s'est** _____ difficile de faire **sais** _____ valises **est** _____ de quitter **son** _____ pays pour toujours.

d) Tu **m'a** _____ dit que **ses** _____ réfugiés ont passé plus de 10 jours sur la mer **s'en** _____ eau et **s'en** _____ nourriture. **S'est** _____ terrible !

e) Trente-sept migrants **ce** _____ sont noyés **an** _____ voulant traverser **là** _____ **mère** _____ Méditerranée **est** _____ atteindre les côtes européennes.

P. 116 G »

2 Pourquoi a-t-on mis un deux-points (« **:** ») dans les phrases suivantes ?

a) Voici ce que nous devons acheter : des matelas, des lits, des sofas et de la vaisselle.

_____

b) La bénévole nous a dit : « Je suis heureuse de vous accueillir chez moi. »

_____

c) Notre première année à Granby n'a pas été facile : nous avions peu d'argent, il fallait travailler après l'école et nous avions de la difficulté à supporter le froid.

_____

DÉTENTE EN COURS

Jeu « Si je quittais mon pays, j'apporterais… »

Consignes :

- Formez des groupes d'environ 10 personnes.
- Les noms des objets que vous apportez doivent être formés de deux groupes du nom unis par la préposition « de », par exemple : une photo **de** la famille ou le bijou **de** ma grand-mère.
- Vous n'avez pas le droit de prendre des notes.
- La première personne commence en disant : « Si je quittais mon pays, j'apporterais… » et choisit ce qu'elle veut emporter, par exemple : une photo de sa famille. La deuxième poursuit : « Si je quittais mon pays, j'apporterais une photo de ma famille et… », puis ajoute autre chose, par exemple : un bijou de ma grand-mère. La troisième continue : « Si je quittais mon pays, j'apporterais une photo de ma famille, un bijou de ma grand-mère et… » et ajoute autre chose, et ainsi de suite jusqu'à ce qu'on ait fait le tour du groupe en essayant de répéter chaque fois la liste d'objets dans l'ordre et sans se tromper. La personne qui oublie un objet ou ne respecte pas l'ordre est éliminée. Le dernier joueur gagne.

Avant tout

Venez-vous de la ville ou de la banlieue ? Quels sont les stéréotypes associés aux gens qui habitent en banlieue ?

Avez-vous déjà remarqué que plusieurs personnes qui habitent en ville ont tendance à snober les personnes qui n'y habitent pas ?

VOCABULAIRE THÉMATIQUE

Banlieue (l. 2) : (n. f.) désigne les localités qui sont situées autour d'une grande ville.

Ex. : Mes parents ont quitté Montréal pour la banlieue dès qu'ils ont eu des enfants.

Métropole (l. 6) : (n. f.) ville principale d'un pays, d'une province ou d'une région.

Ex. : Marie a quitté sa région natale pour venir étudier dans la métropole.

Brulure (l. 42) : (n. f.) lésion, blessure affectant la peau.

Ex. : Tu dois mettre des mitaines si tu veux éviter les brulures quand tu sors ton gâteau du four.

Cauchemar (l. 62) : (n. m.) rêve qui nous plonge dans la peur et l'angoisse.

Ex. : Mon chat m'a réveillé toute la nuit, et je l'ai vu dans mes cauchemars.

L'étranger

Il y a quelques années, j'ai quitté Montréal pour la banlieue. J'ai rapidement constaté que le *nightlife* de Mont-Saint-Hilaire n'était pas très excitant. Un mardi soir, j'ai donc
5 décidé d'aller prendre un verre dans la grande métropole. À vingt-deux heures, je traversais le pont Jacques-Cartier, étrangement désert, et dix minutes plus tard me stationnais devant un bar «branché» que je
10 connaissais, sur Mont-Royal.

Le bar débordait de monde, de musique et de fumée. Exactement ce que je recherchais. Mais je ne m'attendais pas à ce qu'on me dévisage ainsi, à ce qu'on murmure sur
15 mon passage tandis que je traversais la foule. Un peu **mal à l'aise**, j'ai trouvé une table vide, mais on continuait à me reluquer **à la dérobée**. Gêné, j'ai examiné le décor. Il y avait des masques sur les murs, très réalistes.
20 Des faciès humains qui exprimaient une sorte de terreur douloureuse parfaitement réussie.

Le serveur semblait délibérément m'ignorer. Perplexe, je suis allé à la **chambre de bain** pour me soulager. En sortant des toi-
25 lettes, un curieux spectacle m'attendait.

La musique était arrêtée. Plus personne ne parlait, ni ne bougeait. Tous les clients étaient tournés vers moi et me regardaient en silence. Le serveur m'a alors demandé
30 d'une voix dure :

— T'habites pas Montréal, toi, hein ?

Pris d'une soudaine angoisse, j'ai menti, sans trop savoir pourquoi, affirmant avec peu de conviction que j'étais Montréalais.
35 Les regards sont devenus sceptiques. Le serveur a marmonné :

— On va te faire le test, pour voir si tu dis la vérité…

Il s'est approché de moi, tenant un exem-
40 plaire du *Voir* entre les mains, et, avant que je puisse réagir, l'**a plaqué** sur mon cou. Une brûlure épouvantable a mordu ma peau et je n'ai pu m'empêcher de crier.

— C'en est un ! a crié une cliente.
45 — C'en est un ! a répété un autre.

Ils se sont mis à avancer vers moi, menaçants. Effrayé, **je me suis plaqué** contre le mur, tout près d'un masque.

Et j'ai alors remarqué que ce faciès humain
50 n'était pas une sculpture, mais un vrai visage !

Mal à l'aise Gêné, intimidé.

À la dérobée Avec discrétion.

Chambre de bain Calque de l'anglais. On dira plutôt « salle de bains ».

Voir est une publication mensuelle gratuite qui présente l'actualité culturelle montréalaise.

A plaqué A collé, a appliqué quelque chose [le journal] sur quelque chose [mon cou].

Je me suis plaqué Je me suis appuyé.

Et sous cette face épouvantée, on pouvait lire : « D. Bérubé, Boucherville ». Sous un autre masque, il était écrit : « L. Brodeur, Brossard », et ainsi de suite !

55 — On est prêt à vous tolérer le week-end, mais la semaine, on veut pas vous voir ! a beuglé le serveur, tandis que tous les clients s'approchaient toujours.

Dans un éclair, j'ai compris ce qui m'atten-60 dait. Et avant que les premières mains ne m'aient atteint, je me suis précipité vers la porte. Mais dehors, le cauchemar se poursuivait : les piétons étaient immobilisés sur les trottoirs. Tous me fixaient.

65 Et dans leurs yeux, je lisais ma mort.

— Un autre ! a hurlé un jeune en me désignant.

J'ai tout juste eu le temps de m'engouffrer dans ma voiture, tandis qu'une quinzaine de 70 personnes **s'élançaient** vers moi. Délirant de peur, j'ai démarré brusquement pour descendre Mont-Royal à toute vitesse, tandis que dans mon rétroviseur, je voyais la foule grossissante me poursuivre en vociférant 75 telles des bêtes haineuses. Devant, des piétons se dressaient sur la route pour m'arrêter, mais je n'ai pas ralenti, je crois même en avoir fauché quelques-uns.

Sur Papineau, j'ai tourné à droite roulant à 80 cent kilomètres heure. Une meute, derrière, ne me lâchait pas ! Mais comment pouvaient-ils courir si vite ?

Le pont, enfin ! Mais je m'y suis engagé trop rapidement, j'ai dérapé et, après avoir 85 effectué un 180 degrés, ma voiture s'est immobilisée. Heureusement, le pont était toujours désert.

Confus, j'ai regardé derrière, convaincu que la meute allait me rattraper.

90 Mais ils étaient tous immobiles à l'entrée du pont, comme s'ils n'osaient pas s'y engager. L'un d'eux, plus téméraire, a fait quelques pas, mais aussitôt sur le pont il s'est mis à trembler, à vomir, puis s'est écroulé sur le 95 dos, pris de convulsions.

Je me suis empressé de reprendre la route, couvert de sueur, le souffle court. Ce n'est que de l'autre côté que j'ai à nouveau senti cette brûlure sur mon cou. J'ai écarté le 100 col de ma chemise et ai jeté un coup d'œil dans le rétroviseur. La brûlure était **écarlate** et avait une drôle de forme, comme trois chiffres : « 450 ». (711 mots)

© Patrick SENÉCAL, « L'étranger », 2004, http://collections.banq.qc.ca:81/lapresse/src/pages/2004/03/04/E/82812_20040304LPE07.pdf.

S'élançaient Se projetaient en avant.

Écarlate Rouge vif.

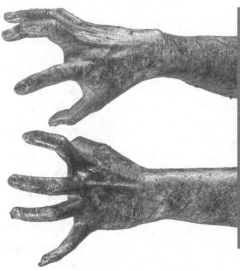

POUR tout**Savoir**

À LIRE

Les nombreux romans de Patrick Senécal. Parmi ceux-ci :
- *Sur le seuil*, 1998.
- *Aliss*, 2000.
- *5150 rue des Ormes*, 2002.
- *Les 7 jours du Talion*, 2002.
- *Le passager*, 2003.
- *Contre Dieu*, 2010.
- *Faims*, 2015.

À VOIR

Les films basés sur les scénarios de Patrick Senécal :
- *Sur le seuil*, 2003.
- *Chambre n° 13*, 2006.
- *5150 rue des Ormes*, 2009.
- *Les 7 jours du Talion*, 2010.

La série Web de Patrick Senécal :
- *La reine rouge*, 2011, www.reinerouge.tv.

Et maintenant !

VOCABULAIRE

1 Les mots suivants sont tirés de la nouvelle « L'étranger ». Réutilisez-les correctement dans le texte qui suit.

> piétons (l. 63)   ai démarré (l. 71)   ai ralenti (l. 77)   trottoir (l. 64)   rétroviseur (l. 73)
> ai dérapé (l. 84)   traversais (l. 7)   fauché (l. 78)   angoisse (l. 32)   métropole (l. 6)

Il était difficile de faire son chemin sur le _____ , car il y avait beaucoup

de _____ ce jour-là dans la _____ . Je me sentais pris

d'_____ et je voulais rentrer chez moi. J'ai atteint ma voiture et, puisque

j'étais pressé, j'_____ immédiatement. Pendant que je _____ la

première intersection, j'ai vu une ombre dans mon _____ . J'ai eu peur

et j'_____ , mais j'ai appuyé sur le frein trop vite et j'_____

sur la glace. Quand j'ai regardé devant moi, il était trop tard : j'avais _____

l'écureuil.

2 Associez les expressions de la colonne de gauche à leur équivalent dans la colonne de droite. Certains équivalents peuvent servir plus d'une fois.

a) Banlieue (l. 2) : ☐   **1** effrayant

b) Délibérément (l. 22) : ☐   **2** feindre

c) Mentir (l. 32) : ☐   **3** mauvais rêve

d) Marmonner (l. 36) : ☐   **4** bredouiller

e) Brulure (l. 42) : ☐   **5** lésion causée par une chaleur excessive

f) Épouvantable (l. 42) : ☐   **6** entrer

g) Beugler (l. 57) : ☐   **7** périphérie d'une grande ville

h) Cauchemar (l. 62) : ☐   **8** crier

i) Hurler (l. 66) : ☐   **9** intentionnellement

j) Engouffrer (l. 68) : ☐   **10** foule

k) Vociférer (l. 74) : ☐

l) Meute (l. 80) : ☐

3 En vous aidant du contexte, expliquez dans vos propres mots les expressions suivantes.

a) « Reluquer à la dérobée » (l. 17-18) : _____

b) « Dans un éclair » (l. 59) : _____

c) « Je me suis empressé » (l. 96) : _____

d) « J'ai jeté un coup d'œil » (l. 100) : _____

COMPRÉHENSION ET INTERPRÉTATION

1 Pourquoi le narrateur a-t-il décidé de sortir à Montréal plutôt que dans sa ville?

_____

_____

2 Quand le narrateur est arrivé au bar, comment étaient l'ambiance et le décor?

_____

_____

3 Qu'est-ce que les clients voulaient dire quand ils affirmaient: « C'en est un! » ?

_____

4 Qu'est-ce que le serveur a fait pour être certain que le narrateur était un banlieusard? Quel effet ce geste a-t-il eu sur le narrateur?

_____

_____

5 Pourquoi est-ce que le narrateur a précisé au début du récit que cette histoire s'est déroulée un mardi soir?

_____

_____

RÉDACTION

1 La semaine dernière, vous êtes allé(e) visiter un ami qui vous avait invité(e) à son chalet. Vous vous êtes perdu(e) et, impossible de téléphoner: votre téléphone portable ne captait plus le signal. Dans un petit village mal éclairé, vous avez repéré une station-service et vous vous êtes arrêté(e) pour y demander votre chemin. Vous êtes descendu(e) de la voiture et... À vous de raconter la suite, à la manière de Patrick Senécal.

2 Formez des équipes et dressez la liste des avantages et celle des inconvénients associés au fait de vivre en ville ou de vivre en banlieue.

3 Imaginez un soir de semaine sans devoirs ni travaux à remettre le lendemain. À quoi ressemble une telle soirée? Que faites-vous de votre temps précieux?

PARLONS-EN

1 La ville de Montréal a ses partisans et ses détracteurs. Qu'en est-il de vous? Êtes-vous de ceux qui adorent la métropole ou de ceux qui l'évitent le plus possible?

2 Le narrateur de cette nouvelle a décidé de sortir dans un bar de l'avenue du Mont-Royal. Et vous, qu'est-ce que vous aimez faire à Montréal? Quels sont les lieux que vous fréquentez? Quels sont les endroits où vous préférez passer une soirée?

3 Vous est-il déjà arrivé de vous sentir « l'étranger ou l'étangère » dans un groupe? Que s'est-il passé? Comment les gens s'y sont-ils pris pour faire naitre ce sentiment en vous? Comment avez-vous réagi?

GRAMMAIRE

1 La nouvelle de Patrick Senécal est écrite au passé et on y trouve surtout des verbes au passé composé et à l'imparfait. Pour chacun de ces énoncés tirés des deux derniers paragraphes du texte, vous allez... **《** **G** P. 149-154
- identifier quel est l'infinitif du verbe souligné;
- déterminer si le verbe est écrit au passé composé (p. c.) ou à l'imparfait (i.);
- justifier l'emploi de ce temps de verbe en réutilisant le vocabulaire présenté dans le tableau explicatif des emplois de l'imparfait.

INFINITIF	TEMPS DE VERBE	EMPLOI

a) « Mais ils <u>étaient</u> tous immobiles à l'entrée du pont ».

_____ _____ _____

b) « L'un d'eux, plus téméraire, <u>a fait</u> quelques pas ».

_____ _____ _____

c) « mais aussitôt sur le pont il <u>s'est mis</u> à trembler ».

_____ _____ _____

d) « à vomir, puis <u>s'est écroulé</u> sur le dos, pris de convulsions ».

_____ _____ _____

e) « Je <u>me suis empressé</u> de reprendre la route ».

_____ _____ _____

f) « j'<u>ai</u> à nouveau <u>senti</u> cette brulure sur mon cou ».

_____ _____ _____

g) « J'<u>ai écarté</u> le col de ma chemise ».

_____ _____ _____

h) « et <u>ai jeté</u> un coup d'œil dans le rétroviseur ».

_____ _____ _____

i) « La brulure <u>était</u> écarlate ».

_____ _____ _____

j) « et <u>avait</u> une drôle de forme, comme trois chiffres ».

_____ _____ _____

TEXTES NARRATIFS

P. 133-135 **G** 〉❯ **2** Transformez les adjectifs suivants : s'ils sont masculins, mettez-les au féminin et s'ils sont féminins, mettez-les au masculin.

a) Épouvantable : _____

b) Excitant : _____

c) Désert : _____

d) Branché : _____

e) Réaliste : _____

f) Humain : _____

g) Douloureuse : _____

h) Perplexe : _____

i) Curieux : _____

j) Montréalais : _____

k) Menaçant : _____

l) Vrai : _____

m) Épouvantée : _____

n) Autre : _____

o) Prêt : _____

p) Premier : _____

q) Haineuse : _____

r) Confuse : _____

s) Écarlate : _____

t) Drôle : _____

DÉTENTE EN COURS

Corrigez les phrases suivantes. Le nombre d'erreurs est indiqué entre parenthèses.

1 Il ya beaucoup des rechercheurs qui travail à cette enquête. (4)

_____

2 Yann est un person compliqué et différent et il aime sa travaille. (6)

_____

3 La fin semaine, elle veut promené tout la journée. (4)

_____

4 Elle a pas idées pour son project, mes elle va faire des reserches. (5)

_____

Textes

DIVERS

Avant tout

Avez-vous déjà été victime d'une cyberattaque?
Que faites-vous pour vous en protéger?

Considérez-vous que vous avez suffisamment
de connaissances en informatique
pour protéger vos renseignements
personnels et vos ordinateurs
de manière efficace?

VOCABULAIRE THÉMATIQUE

Attaque par déni de service (l. 21-22) : attaque qui vise à rendre indisponible un service ou à empêcher ses utilisateurs de l'utiliser.
Ex. : Le pirate informatique surnommé Mafiaboy a inondé des réseaux informatiques et son attaque a provoqué un déni de service.

Réseautage (l. 60) : (n. m.) action de développer son réseau de relations sociales par l'intermédiaire d'Internet.
Ex. : Sur la toile, on peut fréquenter un grand nombre de sites Internet si on désire faire du réseautage professionnel.

Piratage (l. 66) : (n. m.) action de pirater, intrusion ou prise de contrôle d'un ordinateur à l'insu de son propriétaire par l'intermédiaire d'Internet.
Ex. : Le piratage informatique crée de nombreux dommages aux ordinateurs qui ne sont pas équipés d'un logiciel antivirus adéquat.

Logiciel (conseil n° 3) : (n. m.) ensemble des programmes effectuant le traitement automatique des données d'un appareil informatique.
Ex. : J'ai installé un nouveau logiciel sur mon ordinateur qui me permet de modifier et d'archiver mes photos.

Mafiaboy

«*Hot On the Trail of "Mafiaboy"*» pouvait-on lire le 15 février 2000 à la une du site de nouvelles technologiques Wired.com. Ça se passait le jour où Mafiaboy, mon alter ego en ligne, est devenu célèbre.

5

Avant ce jour, je n'étais qu'un **ado** ordinaire qui grandissait dans une **banlieue** de Montréal. Je sortais avec mes amis, fréquentais l'école et jouais au basket-ball. J'étais un jeune de 15 ans, en classe de dixième année, vivant chez son père. Puis, tout à coup, je me suis mis à faire les manchettes des bulletins de nouvelles internationales.

10

En février 2000, le FBI m'a désigné, moi, Mafiaboy, en tant que suspect dans une enquête concernant une série de cyberattaques qui avaient eu pour cible quelques-uns des géants d'Internet, notamment Yahoo.com, eBay.com, CNN.com et E*TRADE.com. Ces sites Internet avaient été ralentis ou complètement paralysés à cause d'attaques massives entraînant un déni de service.

15

20

[…]

Ce quelqu'un, c'était moi.

À partir de ma chambre à coucher, dans une maison située en banlieue de Montréal,

25

Ado Abréviation pour adolescent.

Banlieue Désigne les localités qui environnent une grande ville.

j'ai lancé ce qui demeure encore aujourd'hui une des plus vastes séries d'attaques ayant provoqué un déni de service. C'est ainsi que le nom de Mafiaboy est devenu célèbre. 30 Tristement célèbre. Ce nom a été prononcé sur les chaînes de nouvelles du monde entier. Bill Clinton, le président américain, a convoqué à la Maison-Blanche un sommet sur la cybersécurité. Janet Reno, la ministre de la 35 Justice, déclara que son bureau ne connaîtrait pas de repos avant de m'avoir appréhendé.

Après avoir été poursuivi par le FBI et la GRC, j'ai finalement été arrêté et accusé de près de 70 infractions liées aux crimes infor- 40 matiques. Parallèlement, mon père était aussi arrêté ; on porta contre lui des accusations douteuses qui furent plus tard abandonnées. Une ordonnance de la cour m'empêchait de voir mes meilleurs amis, et il 45 m'était interdit de me servir d'ordinateurs ou d'Internet. Des journalistes campaient à l'extérieur de chez moi et devant mon école.

Ma vie s'est effondrée. Je ne savais même plus qui j'étais.

50 Je n'avais jamais eu pareils soucis auparavant. Dès la première fois où mes mains se sont posées sur un clavier, j'ai compris que ma vie serait à tout jamais liée aux ordinateurs. J'éprouvais parfois des difficultés à l'école, 55 mais, pour moi, les ordinateurs ont toujours eu un sens. C'était comme si leur mode d'emploi était inscrit dans mon ADN. J'avais six ans à l'époque. Ensuite, je suis passé des jeux à Internet, puis à l'apprentissage de la program- 60 mation informatique et du réseautage. Ensuite, je me suis senti attiré par les **recoins** plus sombres d'Internet, et j'ai joint les rangs d'un groupe de pirates informatiques qui m'enseignèrent comment infliger des dommages à 65 mes ennemis en ligne. Les ordinateurs et le piratage sont alors devenus le centre de ma vie et l'ont changée pour toujours.

Mes attaques de 2000 étaient illégales, irréfléchies et, sous divers aspects, simplement 70 stupides. À l'époque, je ne réalisais pas les conséquences de mes gestes. Je ne cherche aucunement à excuser ces crimes, et je tiens à ce qu'il soit clair que j'ai conscience des dommages que j'ai causés et que je les 75 regrette. Ce livre n'a pas pour but de justifier ou de glorifier mes actes passés. Il raconte plutôt la façon dont l'obsession d'un enfant pour les ordinateurs a donné lieu à l'une des cyberattaques les plus célèbres de l'histoire.

[…]

80 Le trajet qui m'a mené à l'écriture de ce livre a débuté il y a quelques années, quand j'ai commencé à écrire une chronique sur la sécurité informatique pour le *Journal de Montréal*. Mes chroniques traitaient le plus 85 souvent de la sécurité de l'utilisateur ordinaire, et je me suis efforcé d'y renseigner les gens sur la bonne manière de se protéger. Mais j'ai fini par réaliser que la meilleure façon d'aider les gens consistait à partager ce 90 que j'ai vécu et à illustrer les liens qui existent entre cette expérience et la situation préoccupante d'aujourd'hui. Il s'agit de l'histoire de Mafiaboy, mais aussi d'un avertissement concernant le monde dangereux que consti- 95 tue de nos jours Internet. (677 mots)

[…]

© Michael CALCE, Craig SILVERMAN et Guy RIVEST (trad.), *Mafiaboy*, Montréal, Les Intouchables, 2008, 288 p. Cet extrait a été reproduit aux termes d'une licence accordée par Copibec.

Recoins Coins cachés, parties secrètes et dissimulées.

Pourriels Terme informatique fusionnant les mots « courriel » et « poubelle ».

Hameçonnage Piratage par courriel dans le but de recueillir les coordonnées et des renseignements confidentiels des destinataires.

Les conseils de Mafiaboy

1 Un courriel est une carte postale : il peut être lu et intercepté par plusieurs personnes.
2 Choisissez des mots de passe complexes.
3 Activez et mettez à jour votre logiciel antivirus.
4 Utilisez un pare-feu.
5 Mettez à jour, mettez à jour, mettez à jour : il est essentiel d'installer toutes les mises à jour disponibles.
6 Débranchez-vous quand vous avez terminé.
7 Faites des copies de sauvegarde et compartimentez vos données.
8 Soyez obsédés par la protection de vos renseignements personnels.
9 Protégez votre réseau sans fil.
10 Contrez les **pourriels** et l'**hameçonnage**.
11 Utilisez des adresses électroniques personnelles et professionnelles distinctes.
12 Le texte en clair est préférable : le fait d'envoyer et d'accepter des courriels formatés en HTML augmente le risque de recevoir des pourriels et de se faire hameçonner.
13 Parlez à vos enfants.

POUR tout **Savoir**

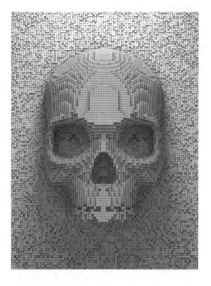

Et maintenant !

VOCABULAIRE

1 Les mots suivants ont été tirés du texte. Réutilisez-les correctement dans le texte qui suit.

> clavier (l. 52)   logiciel (conseil n° 3)   sauvegarde (conseil n° 7)   pare-feu (conseil n° 4)
> données (conseil n° 7)   courriel (conseil n° 1)   réseau sans fil (conseil n° 9)   mot de passe (conseil n° 2)
> débrancher (conseil n° 6)   piratage (l. 66)   mise à jour (conseil n° 5)

La semaine passée, j'ai allumé mon ordinateur portable et je me suis connecté à Internet grâce

à mon _____ . Quand je suis allé sur mon site de messagerie, j'ai

d'abord entré mon _____ et j'ai vu que j'avais un nouveau

_____ . Je l'ai ouvert et c'est à ce moment que mes problèmes ont

commencé. Mon _____ a arrêté de fonctionner. J'ai paniqué parce que

je n'avais pas fait la _____ de mon _____

_____ . Aussi, cela faisait très longtemps que je n'avais pas procédé

à la _____ de mes _____ . J'ai dû éteindre

mon ordinateur et j'ai même décidé de le _____ . Je l'ai amené chez un

réparateur et on m'a dit que j'avais été victime de _____ informatique.

2 Dans le texte, trouvez les mots de la même famille que ceux ci-dessous. Les réponses se trouvent entre les lignes indiquées entre parenthèses.

a) Lent (l. 19-22) : _____

b) Doute (l. 40-43) : _____

c) Fond (l. 48) : _____

3 À quelle définition correspondent les expressions et les mots suivants ? Aidez-vous du contexte et de votre dictionnaire pour faire votre choix.

a) Faire les manchettes :

____ faire de petites manches.

____ être en première page d'un journal.

____ porter des chemises.

b) Déni de service :

____ refus de rendre service à quelqu'un.

____ refus d'admettre la vérité.

____ accès refusé à un site Internet.

c) Avertissement :

____ publicité.

____ appel à la prudence.

____ mise en valeur d'une annonce, d'une affiche.

d) Mode d'emploi :

____ emploi populaire.

____ notice indiquant la manière d'utiliser un produit.

____ carrière dans le milieu de la mode.

e) Pourriels :

____ courriels envoyés massivement aux internautes et généralement destinés à la poubelle.

____ personnes ou choses pourries.

____ action d'encourager le piratage.

f) Hameçonnage :

____ hameçons utilisés à la pêche.

____ leurre utilisé pour attraper un poisson.

____ technique de fraude par courriel impliquant un vol d'identité.

COMPRÉHENSION ET INTERPRÉTATION

1 Pour quel crime Mafiaboy a-t-il été recherché par le FBI ?

_____

_____

_____

2 Pour Michael Calce, quelles ont été les conséquences de son arrestation (4 éléments) ?

_____

_____

_____

_____

3 Est-ce que Michael Calce a toujours eu de la facilité à comprendre le monde de l'informatique ? Justifiez votre réponse avec un extrait du texte.

_____

_____

_____

_____

_____

4 Après sa libération, qu'est-ce que Michael Calce a fait pour informer la population sur la sécurité informatique ? (Relevez deux actions.)

_____

_____

5 Pour quelles raisons Michael Calce a-t-il décidé de publier son histoire? (Relevez deux raisons.)

_____

_____

_____

R ÉDACTION

1 Michael Calce donne aux parents le conseil de parler à leurs enfants. Faites une liste des conseils que vous donneriez à votre jeune frère ou à votre jeune sœur qui utiliserait Internet. Commencez vos phrases avec l'expression « Tu dois ».

2 En équipes de deux, notez quels sont les avantages et les inconvénients de la présence de l'informatique dans notre vie quotidienne.

3 Comme tout le monde, vous avez déjà connu des ennuis reliés à votre utilisation d'engins informatiques. Dans un texte écrit au passé (passé composé et imparfait), racontez l'histoire de votre pire cauchemar informatique.

《 G P. 149-151
P. 152-157

P ARLONS-EN

1 Parmi les douze premiers conseils donnés par Mafiaboy, quels sont ceux que vous suivez? Quels sont ceux que vous n'avez pas l'habitude de suivre? Quels sont les conseils que vous suivrez dorénavant?

2 Pourriez-vous vivre sans Internet pendant 24 heures? À quoi ressemblerait une telle journée?

3 Avant la venue d'Internet, les étudiants faisaient leurs recherches en bibliothèque. Croyez-vous que les recherches des étudiants sont meilleures depuis qu'ils ont accès à des informations sur Internet?

G RAMMAIRE

1 Complétez les phrases suivantes en choisissant parmi les déterminants définis et les prépositions de lieux : *à, au, à la, à l', aux, en, de, chez.*

《 G P. 126
P. 180-181

a) Michael Calce était _____ lui quand les policiers sont venus l'arrêter.

b) Les journalistes guettaient sa présence _____ école.

c) Les policiers ont emmené Mafiaboy _____ commissariat.

d) Sa mère était _____ sa tante quand elle a appris son arrestation.

e) Le lendemain de son attaque, j'ai entendu parler de lui _____ collège,

_____ **dépanneur**, _____ le dentiste, _____ épicerie et finalement

_____ maison.

f) Michael Calce habitait _____ Ile-Bizard, une banlieue _____ Montréal, quand les

évènements se sont produits.

g) Le FBI et la GRC le recherchaient _____ États-Unis et _____ Canada.

h) _____ Italie, _____ Grèce, _____ Philippines et _____ Corée, on n'avait

jamais entendu parler de Mafiaboy avant ses attaques.

Dépanneur Ce terme est particulier au Québec ; c'est un régionalisme.

i) Le 15 février 2000, _____ Paris (_____ France), _____ Québec (_____ Canada), _____ Oaxaca (_____ Mexique) et _____ Londres (_____ Angleterre), les gens ont eu des problèmes pour accéder au site Yahoo.com.

P. 163 **G** ❯❯ **2** Les extraits suivants ont été tirés du texte *Mafiaboy*. Mettez les verbes au futur proche.

a) Ça se passe : _____

b) Je ne suis pas : _____

c) Un ado qui grandit : _____

d) Je sors : _____

e) Je fréquente : _____

f) Je ne me mets pas dans l'embarras : _____

g) Le FBI me désigne : _____

h) Les cyberattaques ont : _____

i) Je lance : _____

j) Le nom Mafiaboy devient : _____

DÉTENTE EN COURS

Les mots suivants sont cachés dans la grille. Retrouvez-les.
Ensuite, avec les lettres restantes, reconstituez la phrase cachée.

M	A	I	N	F	O	R	M	A	T	I	Q	U	E	F
I	T	N	E	M	E	S	S	I	T	R	E	V	A	A
B	O	Y	R	U	E	T	A	N	I	D	R	O		A
O	B	S	E	S	S	I	O	N		D	J	T	P	L
E	C	H	O	L	A	G	E	L	L	I	E	O	M	O
M	B	A	R	E	M	U	I	S		N	U	N	U	G
M	A	M	E	T	G	N	V		R	R	N	C	I	I
A	N	E	T	I	R	U	C	E	S	R	E	B	Y	C
R	L	C	A	M	C	R	T	U	G	E	I	M	N	I
G	I	O	R	I	E	N	I		I	A	L	N	I	E
O	E	N	I	L	I	T	B	F	O	R	R	O	O	L
R	U	N	P	M	E	A	F	A	U	T	E	D	C	T
P	E	A	M	A	N	C	H	E	T	T	E	S	E	E
I	Q	G	R	E	H	C	N	A	R	B	E	D	R	R
U	E	E	M	O	N	T	R	E	A	L	J	E	U	

- AVERTISSEMENT
- BANLIEUE
- CYBERSÉCURITÉ
- DÉBRANCHER
- DÉNI
- ÉCOLE
- FAUTE
- FBI
- GRC
- HAMEÇONNAGE
- ILLÉGAL
- INFORMATIQUE
- INTERNET
- JEU
- JEUNE
- LIMITE
- LOGICIEL
- MANCHETTES
- MONTRÉAL
- OBSESSION
- ORDINATEUR
- PIRATER
- POURSUITE
- PROGRAMME
- RECOIN
- SAUVEGARDER

Solution : _____

Avant tout

Connaissez-vous bien Montréal et ses quartiers ?
Quelles sont ses principales attractions touristiques ?

Quel quartier allez-vous visiter le plus souvent ? Pour quelle raison ?
Aimez-vous les bandes dessinées ? Connaissez-vous Michel Rabagliati ?

VOCABULAIRE THÉMATIQUE

Tourisme extrême : tourisme pratiqué par les personnes qui veulent éprouver des sensations fortes.
Ex. : L'été prochain, ils vont faire du tourisme extrême en Gaspésie ; ils ont prévu faire du vélo de montagne, de l'escalade et du saut à l'élastique.

Visite guidée : action de parcourir un lieu accompagné par un professionnel.
Ex. : Comme ils s'intéressent à l'histoire, ils ont préféré faire une visite guidée du musée d'archéologie.

Haut lieu : endroit important.
Ex. : Paris est un haut lieu de la mode.

Branché : (adj.) qui est à la mode.
Ex. : Ils vont toujours prendre leur café dans le bar le plus branché de la ville.

Tourisme Extrême

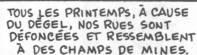

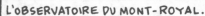

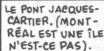

© Michel RABAGLIATI, « Tourisme extrême »,
Paul dans le métro, Éditions de La Pastèque, 2005, 114 p.

POUR tout Savoir

À LIRE

- Le site officiel de Michel Rabagliati, www.michelrabagliati.com.
- La page de Michel Rabagliati sur le portail Wikipédia, http://fr. wikipedia.org/wiki/Michel_Rabagliati.
- Le site www.bande-dessinee.org qui propose un aperçu de la bande dessinée francophone.
- La page Tourisme Montréal, du Portail officiel de la Ville de Montréal : www.tourisme-montreal.org.

À VOIR

- Le film de François Bouvier, *Paul à Québec*, 2015, une adaptation de la célèbre bande dessinée.

À VOIR ET À ÉCOUTER

- Un guide audio sur la langue québécoise familière intitulé *Québécois pour les nuls*, de SolangeTeParle : www.youtube.com/ watch?v=qYm83H5TOMM.

Et maintenant !

1 Donnez le sens des mots en gras ci-dessous tels qu'ils sont employés dans le texte.

a) Nous **disposons d'**exactement une minute pour faire ce tour. _____

b) Nous n'aimons pas trop le quartier des affaires, mais **il faut faire avec**. _____

c) Les **nids-de-poule** ne sont pas très appréciés par les automobilistes. _____

d) La rue Sainte-Catherine est **un haut lieu** de magasinage. _____

e) Le quartier du Plateau est un ancien **bastion** de la population ouvrière. _____

_____

f) Aujourd'hui, ce quartier est très **branché**. _____

g) Westmount est devenu **le fief** des riches. _____

2 Complétez les phrases suivantes à l'aide des mots appropriés choisis dans la liste ci-dessous.

visité	magasinage	visite guidée	quartier
branchés	exactement	grandioses	attractions

L'été dernier, nous avons _____ la ville de Toronto. Rendus au centre-ville, nous avons choisi de faire une _____ en autocar. Quelle horreur ! La visite a duré _____ quinze minutes et nous n'avons presque rien vu, car il pleuvait. Le chauffeur roulait trop vite et le guide ne donnait pas assez d'informations sur les _____ importantes. Le lendemain matin, nous avons pris nos sacs à dos et nous avons marché pour visiter d'autres endroits, pas seulement le _____ des affaires et du _____ . Ainsi, nous avons découvert les quartiers _____ et d'autres projets _____ de la ville.

3 Donnez les noms correspondant aux verbes suivants.

a) Visiter : _____

b) Guider : _____

c) Disposer : _____

d) Attirer : _____

e) Projeter : _____

f) Exploiter : _____

g) Rivaliser : _____

h) Crier : _____

i) Insulter : _____

j) Vivre : _____

COMPRÉHENSION ET INTERPRÉTATION

1 Expliquez le titre de cette bande dessinée.

_____

_____

_____

_____

2 Pourquoi les rues de Montréal ressemblent-elles à des champs de mines au printemps ?

_____

_____

3 Pourquoi, dans la BD, les Montréalais ont-ils eu honte du Stade olympique ?

_____

_____

_____

4 Quel est l'endroit le plus connu à Montréal pour faire des achats ?

_____

5 Pourquoi les Montréalais vivent-ils aujourd'hui en harmonie ?

_____

_____

_____

6 Qu'est-ce qu'il y a d'amusant dans la dernière vignette (2 éléments) ?

_____

_____

RÉDACTION

1 Écrivez quatre phrases sur différents aspects (architecture, culture, transport en commun, etc.) de la ville de Montréal. Dans chaque phrase, utilisez un verbe au présent et au moins un adjectif.

2 Un ami qui habite au Mexique vous rend visite à Montréal pour la première fois. Une fois retourné chez lui, au Mexique, Fernando vous écrit un courriel en français pour vous remercier de votre accueil et vous faire part de ses impressions sur Montréal. Écrivez ce courriel comme si vous étiez Fernando.

3 En équipe de deux ou de trois étudiants, composez de nouveaux dialogues pour cet extrait de la bande dessinée de Rabagliati. Donnez aussi un titre à votre nouvelle bande dessinée.

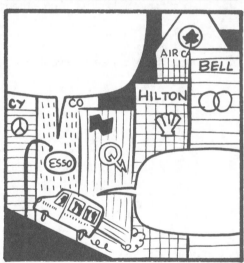

PARLONS-EN

1 Si vous n'aviez qu'un seul mot pour décrire Montréal, quel serait ce mot ? Justifiez votre choix.

2 Quand votre ami mexicain, Fernando, vous a rendu visite, vous êtes sorti avec lui au centre-ville un samedi soir. Avec un coéquipier, imaginez la conversation que vous avez eue avec votre ami et jouez la scène.

3 Faites des recherches sur un auteur de **BD** francophone et présentez vos résultats sous forme d'exposé.

Structure suggérée:
- Vie de l'auteur, modèles, motivation.
- Œuvre.
- Présentation d'un extrait de BD de l'auteur choisi et commentaires sur son style.

Expressions utiles:

Les différents types de BD	sont	le **polar**, le western, l'histoire d'amour, d'aventures, de science-fiction, fantastique, le manga.
La BD L'album	raconte met en scène	une histoire, un conflit, une aventure.
L'image La vignette La case Le dessin La planche	représente montre	un personnage, un héros, une héroïne, un paysage, un détail, une scène.
Les bulles Les récitatifs	contiennent	peu de texte, assez de texte, beaucoup de texte, trop de texte.
Ce que j'aime, Ce que je n'aime pas,	ce sont c'est	les contrastes, les couleurs, le réalisme.
Le style Le graphisme	est me semble	réaliste, caricatural, exagéré, statique, dynamique, comique, triste, sérieux, critique.

BD constitue une expression familière.

Polar constitue une expression familière. Un « polar » est un roman policier en langue correcte.

GRAMMAIRE

1 Soulignez tous les verbes au présent dans la bande dessinée. Ensuite, retranscrivez-les dans les phrases ci-dessous.   «‹ **G** P. 144-146

a) Mon nom _____ Paul.

b) Nous _____ d'exactement une minute.

c) Ça _____ , hein ?

d) Nos rues _____ défoncées et _____ à des champs de mines.

e) Montréal _____ une ile.

f) Il y _____ tellement de communautés différentes.

g) Les Montréalais _____ dans la plus totale harmonie.

P. 149-151 G » **2** Imaginez que nous sommes en 2050. Paul, devenu grand-père, raconte à sa petite-fille sa jeunesse à Montréal. Reconstituez l'histoire de Paul en remplaçant les espaces par les verbes de l'exercice précédent conjugués à l'imparfait.

Mon nom _____ Paul et je travaillais comme guide touristique pour la ville de Montréal. Nous _____ d'exactement une minute pour faire le tour de la ville. À cause des nids-de-poule, ça _____ . Les rues _____ défoncées et _____ à des champs de mines. À l'époque, Montréal _____ une ile où il y _____ beaucoup de communautés différentes. Les Montréalais _____ dans la plus totale harmonie.

P. 179-181 G » **3** Complétez les phrases suivantes avec les prépositions convenables.

a) Les touristes s'adressent _____ leur guide.

b) Il accepte _____ voyager avec son frère.

c) Elle est sortie _____ son manteau, elle va attraper froid.

d) Nous sommes montés _____ l'autocar, mais le chauffeur n'était pas là.

e) Paul vit _____ Montréal depuis 10 ans.

f) La sœur de Paul étudie _____ France. Leurs parents travaillent _____ Mexique.

g) Nos amis viennent nous visiter _____ deux semaines.

h) J'ai posé beaucoup de questions _____ l'histoire de ces lieux.

i) Ils ont besoin d'argent _____ faire ce voyage à l'étranger.

j) Au printemps, il y a plein de nids-de-poule _____ nos routes.

k) Il y a beaucoup de poussière _____ le lit.

DÉTENTE EN COURS

Trouvez l'intrus dans chaque liste de mots suivante.

Exemple: Montréal – Laval – Ontario – Brossard.
   La réponse est Ontario parce que c'est une province alors que les autres sont des villes.

a) BD – roman – nouvelle – CD

b) Autocar – camion – train – bicyclette

c) Hôtel – tente – auberge – gite

d) Difficile – ardu – douteux – dur

e) Rue – roue – boulevard – avenue

f) Demander – réclamer – exiger – pardonner

g) Espoir – attente – aspirateur – aspiration

h) Se pencher – se dépêcher – se hâter – se presser

i) Aliment – élémentaire – alimentation – alimentaire

j) Esprit – espoir – espérance – désespoir

THÉORIE ET STRATÉGIES

INTRODUCTION

Le texte est un ensemble de phrases organisées de manière cohérente et structurée.

Selon que l'on renseigne, raconte, exprime des sentiments, décrit, argumente ou que l'on rapporte des dialogues, le texte peut être :

- informatif,
- narratif,
- expressif,
- descriptif,
- argumentatif,
- dialogal (ou dramatique).

Dans cet ouvrage, il sera question des deux types suivants : informatif et narratif.

Deux éléments contribuent principalement à l'organisation d'un texte : le paragraphe et le marqueur de relation.

a) Le paragraphe regroupe un certain nombre de phrases portant sur un même sujet et correspond à une unité de sens.

Le paragraphe sert à faire progresser l'information : chaque paragraphe apporte une nouvelle explication, un nouvel exemple, un aspect différent du sujet traité.

P. 78 **TS** »

Conseils de rédaction d'un paragraphe
• Dans chaque paragraphe, on met en valeur une idée principale.
• L'idée principale est développée à l'aide d'idées secondaires.
• Les idées doivent s'enchaîner selon un ordre logique.
• Des marqueurs de relation adéquats (*premièrement, deuxièmement, enfin*, etc.) assurent la succession logique des idées.

b) Le marqueur de relation sert à marquer la transition entre diverses parties d'un texte ou d'une phrase.

Le marqueur de relation est essentiel dans un texte et son choix doit être précis afin d'exprimer clairement la pensée de l'auteur.

Une même phrase change de sens selon le marqueur de relation utilisé.

Exemple : Éric joue de la guitare **depuis que** sa copine l'a embrassé. (relation de temps)

Éric joue de la guitare **parce que** sa copine l'a embrassé. (relation de cause)

Éric joue de la guitare, **donc** sa copine l'a embrassé. (relation de conséquence)

Éric joue de la guitare **même si** sa copine l'a embrassé. (relation de concession)

LES MARQUEURS DE RELATION

P. 109 **G** »

Les marqueurs de relation s'emploient pour relier deux phrases graphiques.

Exemple : Kristina fait de la peinture. **De plus**, elle fait partie de la chorale du cégep.

Les marqueurs de relation s'emploient également pour relier des paragraphes.

Exemple : En premier lieu, la publicité envahit la vie des gens. En effet, peu importe où l'on se trouve, une annonce publicitaire attire notre regard ou sollicite notre oreille. Que ce soit à la télévision, dans l'autobus, dans la rue ou encore dans notre boite aux lettres, la publicité est partout.

De plus, la publicité invite à dépenser. Les consommateurs se laissent facilement tenter par une annonce publicitaire. Il arrive souvent que l'on achète un produit sans en avoir réellement besoin.

Enfin, la publicité coute cher aux consommateurs. Il suffit de penser aux publisacs déposés chaque semaine à nos portes. Toute cette publicité n'est pas gratuite; les frais encourus se répercutent sur le prix des produits.

Principaux marqueurs de relation (selon leur rôle dans la phrase ou dans le texte)		
Rôles	**Marqueurs de relation**	
1 Pour faire progresser des idées		
Introduire une idée, une information	En premier lieu Pour commencer	Premièrement Tout d'abord
Indiquer une suite	De plus En second lieu	Puis Ensuite
Marquer la fin, la conclusion	Bref En conclusion Enfin	Finalement Pour terminer Pour conclure
2 Pour expliquer, préciser, illustrer une idée		
Introduire un exemple, une explication	Ainsi Par exemple	Pour illustrer cette idée
Reformuler une idée	Autrement dit Bref	En d'autres mots
Marquer son accord ou renforcer une affirmation	Bien entendu Bien sûr	Effectivement En effet
Marquer un ajout	Aussi De plus	En plus Par ailleurs
Donner son point de vue	À mon avis	Selon moi
Marquer une réserve	Cependant Mais	Pourtant
3 Pour marquer une circonstance		
Le temps	Au début Quand Au moment où Avant (de) Après (que) Plus tard	Un jour Ce jour-là Pendant (ce temps) De temps en temps Depuis que Maintenant
Le lieu	Au loin Au milieu À côté Un peu plus loin	En face En haut Sur (la plage) Au bord (du lac)
La cause	À cause de Car	Parce que Puisque
La conséquence	Ainsi C'est pourquoi Donc	En conséquence Par conséquent
Le but	Afin de Afin que	Pour Pour que
La manière	De cette façon	Pour cela

1 Dans les phrases suivantes, encerclez les marqueurs de relation.

a) Julien partira plus tôt, car il doit aller au concert.

b) Tu dois aller à la bibliothèque pour faire des recherches complètes.

c) Depuis qu'elle fait de la danse, Sara est de bonne humeur.

d) Le vélo de montagne a toujours été sa passion ; cependant, elle a dû arrêter à cause d'une blessure au genou.

e) À mon avis, la voiture électrique sera bientôt présente sur toutes les routes.

f) Coralie fait des études à temps plein ; de plus, elle travaille à la piscine municipale.

g) Avant la réunion, les moniteurs préparent les questions qu'ils veulent poser au directeur.

h) Bien entendu, après leur séjour à l'étranger, ils ont décidé de lancer une affaire ensemble.

2 Complétez le paragraphe suivant à l'aide des marqueurs de relation choisis dans la liste ci-dessous.

tout d'abord	ensuite	finalement	depuis que	en effet	car	avant de

_____ il habite Montréal, Guillaume ne pense qu'à sa passion : découvrir des édifices désaffectés et les prendre en photo. _____ , il cherche un coéquipier. _____ , il fait des recherches pour dénicher des bâtiments ou des tunnels abandonnés. _____ passer à l'action, il se documente bien sur les endroits retenus. _____ , il faut être bien renseigné, _____ ces lieux peuvent être très dangereux.

_____ , il se rend sur place avec son coéquipier. Les deux jeunes n'y prennent que des photos et n'y laissent que des traces de pas.

3 Mettez les marqueurs de relation qui conviennent dans les phrases suivantes.

a) _____ répondre à une question, il faut réfléchir.

b) Cédric n'a pas voulu entrer dans le tunnel, _____ il avait peur.

c) Il m'avait promis de venir me chercher au collège ; _____ , je l'ai attendu jusqu'à midi, _____ il n'est pas venu.

d) _____ , je vous parlerai de ma formation et de mon expérience ; _____ , je vous présenterai mon projet de voyage humanitaire. _____ , je vous montrerai des photos de mes voyages antérieurs.

LE TEXTE INFORMATIF

Fonction

Un texte informatif sert à renseigner le lecteur sur un fait, un évènement, une personne.

Caractéristiques du texte informatif
- Le texte informatif est organisé progressivement, selon les idées principales et les idées secondaires du sujet présenté.
- Chaque idée principale est développée dans un paragraphe qui peut être mis en évidence à l'aide d'un intertitre.
- Le point de vue dans un texte informatif est en général objectif.

Exemple de texte informatif

L'engouement pour les médias sociaux

On se demande souvent si les médias sociaux sont là pour rester ou s'ils sont une mode passagère. Puisqu'avec les années leur popularité ne fait qu'augmenter, on ne peut plus croire à un effet de mode. Leurs plateformes – ou notre façon de les utiliser – vont possiblement changer et évoluer, mais les médias sociaux sont là pour rester, car ils sont déjà utilisés par un grand nombre d'internautes et ils constituent une source importante d'information pour les gens.

Tout d'abord, voyons les statistiques sur les médias sociaux : les chiffres sont éloquents. Ainsi, au Québec, 73 % des internautes, ou 59 % des adultes, réalisent au moins une activité sur les médias sociaux minimalement une fois par mois. De façon quotidienne ou hebdomadaire, 60 % des internautes québécois naviguent sur les médias sociaux pour consulter du contenu, 44 % pour interagir avec d'autres utilisateurs et 42 % pour entretenir leur profil. Ces pourcentages sont révélateurs de l'ampleur que prennent les médias sociaux chez les internautes.

Ensuite, il faut admettre que les médias sociaux constituent une importante source d'information. En effet, les gens consultent et interagissent davantage qu'ils y créent du contenu ou relaient de l'information. Donc, les gens veulent principalement savoir ce qui se passe. En se connectant, ils découvriront ce qu'il y a de nouveau chez leurs amis ou les membres de leur famille. Par exemple, ceux qui ont des enfants utilisent davantage les médias sociaux (73,3 %) que ceux qui n'en ont pas (51,7 %). Les médias sociaux sont également reconnus comme une bonne source de nouvelles sur l'actualité. La majorité des utilisateurs considèrent qu'ils sont un bon moyen pour se tenir informés ; ils disent même que le champ d'information couvert est plus vaste que celui des médias traditionnels. Bref, les gens se fient à ceux qui aiment partager et relayer du contenu pour se tenir au courant des nouvelles importantes ou de celles qui alimenteront leurs conversations.

En conclusion, les médias sociaux sont loin d'être en voie de disparition, car le nombre d'utilisateurs est en pleine croissance ; pour beaucoup de gens, ils représentent de plus en plus une source d'information privilégiée. Ce que l'avenir pourrait apporter aux internautes, ce sera peut-être une meilleure gestion de la consommation de ces outils d'information et de communication. (378 mots)

© Gina DESJARDINS, *Triplex*, le blogue techno de Radio-Canada, texte modifié.

THÉORIE ET STRATÉGIES

Rédaction d'un paragraphe informatif
Structure du paragraphe informatif

P. 74-75 TS »

- **Marqueur de relation**

  En général, chaque idée principale est introduite par un marqueur (*tout d'abord*, *ensuite*, *enfin*, etc.) qui fait la transition entre deux idées. Il est tout à fait possible de se passer de marqueurs à condition de bien formuler ses idées.

- **Idée énoncée (courte introduction)**

  Une phrase présente l'idée principale du paragraphe.

- **Idée expliquée et illustrée**

  C'est le noyau du paragraphe. Il présente une brève explication de l'idée principale, ainsi que des faits, des statistiques et des données qui illustreront le propos.

- **Idée résumée (conclusion partielle)**

  C'est la synthèse de l'idée principale développée dans le paragraphe. À rédiger dans ses propres mots autant que possible.

  Cette brève conclusion peut aussi annoncer l'idée du paragraphe suivant, et donc servir de transition, ou bien elle peut ouvrir sur un aspect relié au sujet.

EXEMPLE DE PARAGRAPHE INFORMATIF TYPE

Mis au point par deux amateurs de plein air de l'île de Vancouver, le Ktrak permet de transformer son vélo de montagne en motoneige à pédales. **//** *En effet, il suffit de remplacer la roue avant par un ski et la roue arrière par un système de chenilles pour avoir un nouveau mode de transport.* **//** *Selon Sylvain Baudry, l'un des fiers inventeurs, ce système permet non seulement de dévaler les pentes, mais aussi – avec un certain effort – de les remonter.* **//** *En conclusion, il suffit d'un changement mineur pour avoir un vélo de neige.* **//** *Il reste à convaincre les propriétaires de stations de ski, inquiets pour la sécurité des skieurs, d'accepter ces cyclistes des neiges dans leurs établissements. (116 mots)*	**Idée énoncée** **Idée expliquée** **Idée illustrée** **Idée résumée** **Ouverture**

© Jonathan TRUDEL, «Trois inventions pour mettre du fun dans l'hiver» (extrait), *L'actualité*, 16 février 2009, texte modifié.

1 Dans le paragraphe ci-dessous, séparez les idées par une double barre oblique (//). Indiquez ensuite dans la colonne de droite à quoi correspondent ces séparations : idée énoncée, idée expliquée, idée illustrée, idée résumée et ouverture.

> *Pelleter exige un effort physique intense et c'est pourquoi les Québécois appellent cela le «sport national»! L'activité mobilise les biceps, les muscles du dos et le cardio. Chaque pelletée de neige pèse 5 kg en moyenne, selon le Centre canadien d'hygiène et de sécurité au travail. Et quand la neige est mouillée, la charge peut grimper à 11 kg. Le brave qui déplace une pelletée aux 5 secondes charrie 60 kg de neige par minute, ce qui commence à ressembler au poids d'un adulte. Ainsi, en pelletant de la neige légère durant 30 minutes, une personne brule environ 290 calories, soit plus qu'en pédalant le même temps sur un vélo stationnaire (170 calories). Bref, le pelletage est une activité qui aide à bruler un tas de calories tout en offrant de l'air frais en sus. (134 mots)*
>
> © Matthieu BURGARD, «Le pelletage, un art», *Magazine Jobboom*, vol. 13, n° 1, janvier 2012, texte modifié. Cet extrait a été reproduit aux termes d'une licence accordée par Copibec.

P. 78 **TS** » **2** Composez un paragraphe structuré d'environ 120 mots sur le sujet suivant : L'impact du travail à temps partiel sur les études. Votre texte comportera une seule idée principale. Esquissez d'abord vos idées en utilisant des phrases non verbales.

Idée énoncée : _____

Idée expliquée : _____

Idée illustrée : _____

Idée résumée : _____

Votre texte : _____

_____

_____

_____

_____

_____

_____

Rédaction du plan d'un texte informatif
Qu'est-ce qu'un plan ?

Le plan est une étape importante qui précède l'écriture d'un texte informatif.

C'est le moment où l'on organise ses idées de manière progressive, cohérente et logique.

Le plan doit présenter trois parties : l'introduction, le développement, la conclusion.

Le plan ne doit pas contenir de phrases, mais des formulations simples et sans verbes conjugués.

Modèle de plan (pour un texte de 250 mots)

Sujet : La place de l'informatique dans la vie d'aujourd'hui

Structure	Exemples
1 Introduction (environ 45 mots)	
• Sujet amené (S.A.) On présente le sujet de façon générale, sans le nommer (fait d'actualité, réflexion philosophique, film récent, etc.).	L'informatique
• Sujet posé (S.P.) On nomme le sujet directement.	La place de l'informatique aujourd'hui
• Sujet divisé (S.D.) On présente les aspects qui seront développés.	• Dans la vie professionnelle • Dans la vie personnelle
2 Développement (deux paragraphes d'environ 80 mots chacun) Chaque aspect est développé dans un paragraphe.	• Idée énoncée : l'informatique dans la vie professionnelle. • Idée expliquée : nouvelle dynamique de l'emploi. • Idée illustrée : création de nouveaux emplois, simplification et meilleure gestion des tâches. • Idée résumée : le rôle de l'informatique dans la nouvelle dynamique professionnelle. • Idée énoncée : l'informatique dans la vie personnelle. • Idée expliquée : nouveaux moyens de socialisation. • Idée illustrée : changement des outils de communication entre individus. • Idée résumée : le rôle de l'informatique dans la vie personnelle des gens.
3 Conclusion (environ 45 mots)	
• Marqueur de relation de conclusion : *pour terminer*, *en conclusion*, *pour conclure*, etc.	
• Rappel du sujet	L'informatique
• Synthèse des aspects abordés La synthèse des aspects développés dans chaque paragraphe. Cette synthèse doit se faire dans des mots différents de ceux employés dans les paragraphes.	Prépondérance de l'informatique dans la vie professionnelle et personnelle
• Ouverture C'est une nouvelle idée en lien avec le sujet : un souhait, une opinion, une question, etc.	**Exemples :** L'informatique : outil de communication ou d'isolement ? L'avenir de l'humanité dépendra-t-il du progrès de l'informatique ?

P. 78 **TS**)»

Exemples de phrases non verbales dans un plan (constituées de groupes du nom ou de groupes du verbe)

Phrases non verbales constituées de groupes du nom	Phrases non verbales constituées de groupes du verbe
Réduction des gaz à effet de serre	Réduire les gaz à effet de serre
Augmentation des frais de scolarité	Augmenter les frais de scolarité
Abolition de la peine de mort	Abolir la peine de mort

1 Transformez les phrases suivantes en phrases non verbales.
Exemple : Elle prépare sa présentation orale. → Préparation de la présentation orale.

a) L'intérêt des étudiants pour les sciences augmente.

_____

b) Le patron de la compagnie partira en France.

_____

c) Des fonds ont été détournés en Ontario.

_____

d) On valorise les études.

_____

e) Les filles et les garçons sont différents.

_____

f) Le nombre de salariés sera réduit.

_____

g) Il est interdit de faire des graffitis sur les édifices publics.

_____

h) Deux magasins seront fermés.

_____

P. 79-80 **TS** »» **2** Relisez attentivement l'article *L'engouement pour les médias sociaux* (p. 77) et faites le plan de ce texte en utilisant des phrases non verbales.

Introduction

S.A. : _____

S.P. : _____

S.D. : _____

_____

Développement

Idée principale du paragraphe 1 : _____

Idée principale du paragraphe 2 : _____

THÉORIE ET STRATÉGIES

Conclusion

Rappel du sujet : _____

Synthèse des aspects abordés : _____
_____

Ouverture : _____

Rédaction d'un texte informatif

Planifier l'écriture du texte informatif

Choisir le sujet.

Dresser une liste des idées principales et des idées secondaires à aborder.

Organiser les idées dans un plan.

Écrire le texte

Utiliser le plan pour rédiger le brouillon, le relire et le modifier au cours de la rédaction.

Réviser et corriger le texte

Après la rédaction du brouillon, relire le texte, le corriger, puis le transcrire au propre.

LE TEXTE NARRATIF

Fonction
Un texte narratif sert à raconter une histoire.

Caractéristiques du texte narratif

La structure du texte narratif (schéma narratif)

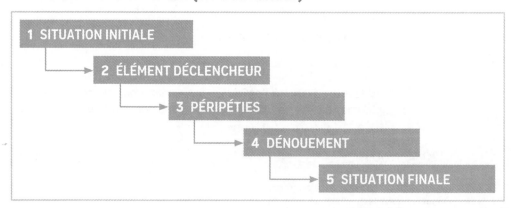

1 Situation initiale
Situation qui présente le lieu, le temps de l'action et les personnages. C'est un moment d'équilibre, de stabilité.

2 Élément déclencheur
L'évènement qui bouleverse la situation initiale.

3 Péripéties
Les actions entreprises par le personnage principal pour résoudre le problème posé par l'élément déclencheur.

4 Dénouement
Le dernier évènement qui vient améliorer ou empirer la situation dans laquelle se trouvait le héros.

5 Situation finale (facultative)
Ce qui arrive après le dénouement. Retour à la stabilité.

Le narrateur

Il est la voix qui raconte l'histoire. Il peut raconter à la première personne (point de vue subjectif) ou à la troisième personne (point de vue objectif).

Les personnages

- Il y a souvent plusieurs personnages.
- Le personnage principal s'appelle le « héros ».
- Chaque personnage peut être désigné de différentes manières : un nom, un pronom, un groupe de mots (par exemple : le fou du village ; la fille aux yeux bleus).

Exemple de texte narratif

Le manteau écarlate

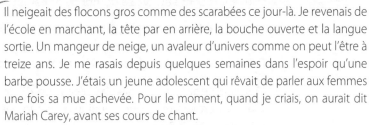

Il neigeait des flocons gros comme des scarabées ce jour-là. Je revenais de l'école en marchant, la tête par en arrière, la bouche ouverte et la langue sortie. Un mangeur de neige, un avaleur d'univers comme on peut l'être à treize ans. Je me rasais depuis quelques semaines dans l'espoir qu'une barbe pousse. J'étais un jeune adolescent qui rêvait de parler aux femmes une fois sa mue achevée. Pour le moment, quand je criais, on aurait dit Mariah Carey, avant ses cours de chant.

Alors que je courais d'un flocon à l'autre, j'ai aperçu au loin la petite forme arrondie de ma grand-mère dans son manteau écarlate. À quatre pieds huit pouces, la couleur de son manteau était pour elle la seule façon de revenir de ses promenades sans avoir été happée par la souffleuse.

Pendant quelques secondes, j'ai oublié mon orgueil d'ado et je suis redevenu enfant. J'ai couru entre les flocons en criant « grand-maman ». De ma gorge sortaient des chats qu'on égorgeait. Malgré mes cris, ma grand-mère ne se retournait pas. Elle ne bougeait même pas. Alors j'ai hurlé plus fort, j'ai couru plus vite. Rien n'y faisait. « Grand-maman ! Grand-maaaaa-man !! » Je courais aussi vite que me le permettait la neige accumulée sur le trottoir.

Plus je m'approchais, moins il y avait de flocons qui nous séparaient, mieux je la voyais. Et tout à coup je me suis aperçu que ma grand-mère était… une boîte aux lettres.

La honte.

Je me suis efforcé de courir un peu au-delà de la boîte aux lettres pour sauver les apparences. Ensuite, je me suis remis à marcher sans vérifier si quelqu'un m'avait vu. Voir quelqu'un me regarder m'aurait fait trop honte. Alors j'ai crié moins fort deux ou trois « grand-maman » pour la forme, comme si depuis le début c'était une sorte de répétition pour une pièce de théâtre. Puis je me suis tu. Jusqu'à mes seize ans, je crois.

Je n'ai jamais dit à ma grand-mère que je l'avais prise pour une boîte aux lettres. À treize ans, je savais qu'on ne pouvait dire cela à une femme, aussi grand-mère fût-elle. (356 mots)

© Daniel RONDEAU, *J'écris parce que je chante mal*, Hamac, 2010.

THÉORIE ET STRATÉGIES

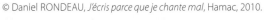

Indiquez, dans la marge du texte *Le manteau écarlate*, les étapes du schéma narratif : situation initiale, élément déclencheur, péripéties, dénouement et situation finale.

Rédaction d'un texte narratif

Planifier l'écriture du texte narratif

AIDE-MÉMOIRE POUR L'ÉLABORATION DU PLAN D'UN TEXTE NARRATIF D'ENVIRON 250 MOTS

Le schéma narratif

1 Situation initiale (un paragraphe d'environ 40 mots)
C'est la mise en scène qui sert à renseigner le lecteur sur les éléments nécessaires pour comprendre l'histoire : description du lieu et du temps, présentation des personnages et présentation de la première action, celle qui décrit ce que font les personnages au début de l'histoire. Dans le récit au passé, les verbes sont souvent conjugués à l'imparfait.

2 Élément déclencheur (un paragraphe d'environ 25 mots)
C'est l'élément perturbateur qui modifie la situation initiale. Cet évènement est souvent raconté au passé composé et est introduit par un marqueur de relation.

3 Péripéties (deux paragraphes, environ 70 mots par paragraphe)
Ce sont les évènements (les actions) provoqués par l'élément déclencheur.
Dans un récit au passé, les verbes sont souvent conjugués au passé composé.

4 Dénouement (un paragraphe d'environ 45 mots, la situation finale y compris)
C'est la dernière péripétie qui aide à résoudre le conflit. Les verbes sont conjugués au passé composé.

5 Situation finale (facultative)
Le retour à l'harmonie initiale. Elle peut être heureuse ou malheureuse.

EXEMPLE DE PLAN

Sujet : Racontez un évènement mémorable que vous avez vécu pendant votre adolescence.

1 Situation initiale (environ 40 mots)

Qui ? Les personnages les plus importants : _____

Où ? Le cadre de l'action : _____

Quand ? Le cadre temporel : _____

Quoi ? Qu'est-ce qui se passe au moment où le récit commence ?

_____

2 Élément déclencheur (environ 25 mots)

_____

3 Péripéties (enchainement chronologique des actions)

1er paragraphe (environ 70 mots)

_____

_____

_____

2e paragraphe (environ 70 mots)

_____

_____

_____

4 Dénouement (un paragraphe d'environ 45 mots, la situation finale y compris)

_____

_____

_____

5 Situation finale

_____

_____

_____

Écrire le texte

Utiliser le plan pour rédiger le brouillon, le relire et le modifier au cours de la rédaction.

P. 96-98 **TS** ›» ## Réviser et corriger le texte

Après la rédaction du brouillon, relire le texte, le corriger, puis le transcrire au propre.

STRATÉGIES DE LECTURE

LES ÉTAPES D'UNE LECTURE EFFICACE

Avant la lecture

Analysez la situation de lecture en vous posant les questions suivantes.
- QUI a écrit ce texte ?
- À QUI s'adresse-t-il (à un large public, aux jeunes, aux lecteurs de revues spécialisées, etc.) ?
- QUEL est son SUJET ?
- À QUEL TYPE de texte appartient-il : au texte informatif ou narratif ?
- POURQUOI le lisez-vous (pour vous divertir, pour vous informer, pour un travail scolaire, pour raconter une histoire, etc.) ?

Pour répondre à ces questions, vous devez :
- lire le titre (il donne le sujet du texte), le sous-titre (il apporte des précisions sur le sujet), le chapeau (ce court texte placé en tête d'un article présente le sujet), les intertitres (ils annoncent les aspects abordés dans chaque section du texte), l'introduction (elle contient les grandes lignes du sujet), les divisions du texte (paragraphes, sections) ;
- regarder attentivement les illustrations, les photographies, les tableaux (ils fournissent des informations sur le contenu), les encadrés, les mots en gras et soulignés (ils attirent l'attention sur les informations importantes du texte) ;
- faire appel à vos connaissances antérieures (sur le sujet, le type de texte, l'auteur) ;

- prévoir des moyens d'annoter le texte (crayons-feutres pour surligner, crayons à mine pour écrire des notes en marge du texte);
- lire les questions auxquelles vous devez répondre avant d'entreprendre la lecture du texte.

Pendant la lecture

- Faites des liens entre ce que vous lisez et les questions auxquelles vous devez répondre (s'il s'agit d'un questionnaire).
- Essayez de comprendre le sens d'une phrase même si vous ne comprenez pas un mot (aidez-vous du contexte). Lisez les mots avant et après et repérez, s'il y a lieu, des préfixes et des suffixes, des mots de la même famille ou des mots apparentés (cognates).

P. 101-104 **TS** »
- Consultez un dictionnaire pour découvrir le sens du mot qui vous empêche de comprendre le texte.
- Surlignez les mots clés et les idées principales.
- Surlignez les marqueurs de relation d'une autre couleur.
- Placez entre crochets les citations et les exemples que vous voulez retenir.
- Résumez chaque paragraphe dans la marge ou sur une feuille.
- Dégagez le plan du texte.
- Ne surchargez pas votre texte de notes et de couleurs.

Après la lecture

Évaluez votre lecture en vous posant les questions suivantes.

- Est-ce que ce texte est facile ou difficile?
- S'il est difficile, qu'est-ce que je peux faire pour mieux le comprendre?
- Est-ce que je peux répondre aux questions de compréhension?

RÉPONDRE À UNE QUESTION DE COMPRÉHENSION

Voici les différentes étapes à respecter pour répondre à une question de compréhension.

Étapes	Application
Comprendre la question posée en soulignant les mots clés.	Selon Alain Bouchard, est-ce que la science sera capable d'expliquer le mystère du pouvoir de certains voyants?
Chercher les éléments de réponse dans le texte et les souligner.	*Alain Bouchard croit que la science finira par venir à bout des zones grises entourant le « pouvoir » de certains voyants.* Dominique FORGET, *Industrie de l'ésotérisme: cultiver le scepticisme* (p. 23).
Construire la réponse en reprenant une partie de la question et en utilisant des phrases simples, mais complètes.	Oui, selon Alain Bouchard, la science réussira à expliquer le mystère lié au pouvoir de certains voyants.

Lisez le texte suivant et répondez aux questions.

Les employés de la société de transport public de la ville ont décidé d'envoyer un rapport à la direction pour attirer l'attention sur leurs conditions de travail.

Une équipe composée de quelques employés a été chargée de rédiger ce rapport qui contient cinquante pages. Le document insiste sur le nombre trop élevé d'heures de travail, le stress et l'insuffisance des ressources matérielles et humaines. Il a déjà été signé par deux-mille employés et sera transmis à la direction la semaine prochaine, lors d'une réunion qui aura lieu au siège social de la société.

Les signataires du rapport s'attendent à ce que la direction analyse la situation et prenne des mesures pour améliorer leurs conditions de travail.

a) Qu'est-ce que les employés de la société de transport public ont décidé de faire ?

_____

_____

b) Qui sont les auteurs de ce rapport ?

_____

_____

c) À qui ce rapport s'adresse-t-il ?

_____

_____

d) Pourquoi ont-ils rédigé ce rapport ?

_____

_____

e) Quels sont les problèmes soulevés par le rapport ?

_____

_____

_____

f) Combien d'employés ont déjà signé le rapport ?

_____

_____

g) Quand est-ce que le rapport sera transmis à la direction ?

_____

_____

h) Comment la direction devrait-elle réagir ?

_____

_____

_____

i) Où la réunion aura-t-elle lieu ?

_____

_____

THÉORIE ET STRATÉGIES

STRATÉGIES DE RECHERCHE DOCUMENTAIRE

RECHERCHER DE L'INFORMATION

Avant d'écrire un texte ou de faire un exposé oral, il est nécessaire de se documenter, c'est-à-dire de consulter divers documents pour y recueillir des informations sur le sujet choisi. La documentation se fait en plusieurs étapes :

- Déterminer le but de la recherche (pourquoi ai-je besoin de me renseigner ?).
- Déterminer le sujet et les informations à rechercher.
- Consulter des sources variées et fiables (encyclopédies, dictionnaires, livres, revues spécialisées, Internet, etc.). Privilégier les documents récents. (Voir *Reconnaitre une source fiable dans Internet*, ci-dessous.)
- Utiliser des stratégies pour trouver plus facilement les informations recherchées :
  - Dans les livres et les revues, s'aider des tables des matières et des index pour mieux repérer les informations pertinentes.
  - Dans Internet, utiliser différents moteurs de recherche pour trouver plus facilement les informations recherchées. (Voir *Faciliter sa recherche dans Internet*, p. 89.)
- Lire attentivement, retenir les informations intéressantes, prendre des notes. Ne pas copier les phrases telles quelles, mais les reformuler dans ses propres mots. Si on cite des passages, les mettre entre guillemets et en indiquer la source. (Voir *Introduire une citation*, p. 89.)
- Sélectionner les informations, garder seulement ce qui répond aux besoins de la recherche.
- Faire des tableaux ou des schémas pour mettre de l'ordre dans les informations et les regrouper par aspects. Comparer l'information recueillie avec celle des autres sources. (Voir *Grille d'évaluation des documents consultés*, p. 92.)
- Faire une bibliographie des documents consultés. (Voir *Rédiger une référence bibliographique et une bibliographie*, p. 90.)

RECONNAITRE UNE SOURCE FIABLE DANS INTERNET

Dans Internet, il faut toujours vérifier l'adresse du site consulté. Privilégier les sites officiels, ceux dont l'adresse se termine par :
- .gouv.ca ; .gc.ca (gouvernement canadien) ;
- .gouv.qc.ca (gouvernement québécois) ;
- .edu (établissement d'enseignement supérieur) ;
- umontreal.ca, ulaval.ca (universités canadiennes) ;
- radio-canada.ca, inrs.ca (institutions canadiennes reconnues).

Les sites dont l'adresse se termine par .org (organisme) sont aussi à vérifier attentivement, car depuis quelque temps, n'importe qui peut créer un tel site.

FACILITER SA RECHERCHE DANS INTERNET

Un outil de recherche indispensable dans Internet est le moteur de recherche.

Exemples de moteurs de recherche :
- Google (général) ;
- Yahoo (général) ;
- Google scholar (universitaire) ;
- Flickr (spécialisé en photos).

Les moteurs de recherche « lisent » toutes les pages Web et les classent en fonction des mots contenus dans la page.

Pour rendre la recherche efficace, il est important de savoir choisir des mots clés pertinents et précis qui seront contenus dans le texte de la page recherchée.

Évitez les déterminants dans la mesure du possible.

Exemple : Pour rechercher la liste des pays qui font partie de l'Organisation internationale de la francophonie, on peut taper « pays francophones » ou « pays » et « francophonie ».

Pour affiner la recherche, utilisez plusieurs termes séparés par l'opérateur ET.

Exemple : Pour faire une recherche sur la violence dans les jeux vidéo, on peut taper : « jeu » ET « vidéo » ET « violence ». Les pages affichées contiendront les mots *jeu*, *vidéo* et *violence*.

INTRODUIRE UNE CITATION

P. 116 G » **La citation textuelle.** Les paroles de l'auteur sont reproduites telles quelles.

Une citation de moins de trois lignes est placée dans le texte et encadrée par des guillemets français « ».

Exemple : Selon Hubert Reeves, « l'influence de l'espèce humaine sur les forêts du globe ne date pas d'hier ».

Une citation de plus de trois lignes est écrite à simple interligne et placée en retrait, sans guillemets.

Exemple :

L'exploitation des gaz de schiste suscite beaucoup de controverse concernant les possibles effets à court et à long terme sur l'environnement du Québec. Le journaliste Alexandre Shields du Devoir attire l'attention sur l'insuffisance de données quant aux impacts sur la pollution atmosphérique, la contamination de l'eau, la santé et les milieux de vie :

> *Dans un rapport produit à la demande du ministère de la Santé, l'Institut national de la santé publique du Québec constate page après page que les informations sont tout simplement insuffisantes pour bien évaluer les différents risques inhérents à l'exploitation du gaz de schiste, et ce, alors même que les ténors de l'énergie fossile insistent jour après jour pour dire que les activités de leur industrie sont tout à fait sécuritaires.*

Tiré de : Alexandre SHIELDS, « Gaz de schiste : trop de risques non évalués, dit la Santé publique », *Le Devoir*, 15 janvier 2011.

THÉORIE ET STRATÉGIES

Si la citation est trop longue, elle peut être coupée, le passage enlevé étant remplacé par des points de suspension entre crochets [...].

Exemples : « L'emploi des mots, les psychologues nous le répètent depuis longtemps, influence nos prises de position et notre comportement. »

« L'emploi des mots [...] influence nos prises de position et notre comportement. »

La citation d'idée. L'essentiel de la pensée d'un auteur est résumé, le nom de cet auteur étant obligatoirement mentionné dans le texte.

Exemples : Dans son livre, Hubert Reeves affirme : « La déforestation a des répercussions nocives sur l'atmosphère. » (citation textuelle)

Tout comme Hubert Reeves l'affirme dans son livre, la déforestation a un impact négatif sur l'atmosphère. (citation d'idée)

La source. Qu'il s'agisse d'une citation d'idée ou d'une citation textuelle, il faut indiquer la source.

À la fin de la citation, placer un chiffre surélevé ([1]).

Au bas de la page, donner la référence bibliographique complète, en indiquant :

- le prénom et le NOM DE L'AUTEUR,
- le *titre du livre*, en italique (ou souligné, si écrit à la main),
- le lieu de publication,
- la maison d'édition,
- la collection, s'il y a lieu,
- l'année de publication,
- la page où apparait le passage cité.

Exemple : Selon Hubert Reeves, « l'influence de l'espèce humaine sur les forêts du globe ne date pas d'hier[1] ».

RÉDIGER UNE RÉFÉRENCE BIBLIOGRA-PHIQUE ET UNE BIBLIOGRAPHIE

La référence bibliographique est l'ensemble des indications bibliographiques concernant un ouvrage. Dans une référence bibliographique, certains éléments sont obligatoires, mais leur ordre dans la référence peut varier. L'important est d'avoir un ordre et de s'y tenir. La disposition ci-dessous est l'une des plus courantes.

La référence bibliographique d'un livre

- NOM DE L'AUTEUR, Prénom.
- *Titre : Sous-titre,* en italique (souligné, si écrit à la main),
- Lieu de publication,
- Maison d'édition,
- coll. « Nom de la collection » (s'il y a lieu),
- année de publication,
- nombre de pages.

Exemple : REEVES, Hubert. *Chroniques du ciel et de la vie*, Paris, Éditions du Seuil, coll. « Points », 2005, 201 p.

---

1. Hubert REEVES, *Chroniques du ciel et de la vie*, Paris, Éditions du Seuil, coll. « Points », 2005, p. 31.

S'il y a deux ou trois auteurs, les prénoms du deuxième et du troisième sont placés avant leur nom.

Exemple : BEAUDET, Céline et Isabelle CLERC. *Stratégies d'argumentation et impact social : le cas des textes utilitaires*, Québec, Éditions Nota bene, coll. « Rédiger », 2005, 155 p.

Si le livre compte plus de trois auteurs, employer la mention *et coll.*, qui signifie « et collaborateurs ».

Exemple : DOLTO, Catherine, et coll. *Dico ado : Les mots de la vie*, Paris, Gallimard Jeunesse, coll. « Giboulées », 2001, 514 p.

La référence bibliographique d'un article

- NOM DE L'AUTEUR, Prénom.
- « Titre de l'article »,
- *Nom du périodique*,
- volume, numéro,
- date,
- pages de l'article.

Exemple : CLOUTIER, Jean-Pierre. « La publicité sur le Web en question », *Planète Internet*, vol. 8, n° 2, septembre 2007, p. 13-18.

La référence bibliographique d'un site Web

- NOM DE L'AUTEUR (ou NOM DE L'ORGANISME), Prénom.
- « Titre de l'article »,
- *Titre de la page d'accueil* (s'il y a lieu),
- [type de support],
- <adresse du site> (date de consultation).

Exemple : INDUSTRIE CANADA. « Initiative stratégique pour l'aérospatiale et la défense », [en ligne], <www.oti.ic.gc.ca> (consulté le 13 mars 2012).

L'ensemble des références bibliographiques d'un ouvrage constitue sa bibliographie

- Placer la bibliographie à la fin du travail.
- Classer les références bibliographiques dans l'ordre alphabétique du nom d'auteur.
- Rédiger chaque référence bibliographique à simple interligne.
- Séparer les références bibliographiques par un double interligne.

GRILLE D'ÉVALUATION
DES DOCUMENTS CONSULTÉS

Titre : _____

Auteur : _____

Source : _____

Idées principales retenues	Exemples, citations illustratives

Ce texte est-il en lien avec un autre de mes textes ?

☐ Oui   Le(s)quel(s) ? _____

☐ Non

Ce texte présente-t-il un point de vue similaire à celui présenté dans un autre texte ?

☐ Oui   Au(x)quel(s) ? _____

☐ Non

Ce texte présente-t-il un point de vue opposé à celui présenté dans un autre texte ?

☐ Oui   Au(x)quel(s) ? _____

☐ Non

Ce texte complète-t-il l'information contenue dans un autre texte ?

☐ Oui   Le(s)quel(s) ? _____

☐ Non

STRATÉGIES POUR RÉUSSIR UNE PRÉSENTATION ORALE

PLANIFIER SA PRÉSENTATION ORALE

Analyser la situation de communication

Avant de faire une présentation orale, il est essentiel de vous poser les questions suivantes.

- QUEL est votre SUJET?
- À QUI vous adresserez-vous? (À un grand groupe, à une petite équipe, à votre professeur? Quel est l'âge de votre auditoire, son intérêt, sa connaissance du sujet?)
- QUELLE est votre INTENTION de communication? (Convaincre, informer, expliquer?)
- COMBIEN DE TEMPS doit durer votre présentation? (Prévoyez du temps pour prendre contact avec votre auditoire et répondre à ses questions.)
- OÙ aura lieu la présentation? (En classe, au laboratoire de langues?)
- QUAND aura lieu la présentation? (Prévoyez assez de temps de préparation pour recueillir un maximum d'information sur le sujet, l'organiser et vous entrainer devant un miroir ou des amis.)
- COMMENT présenterez-vous votre sujet? (Voix, supports visuels: photos, diaporamas, cartes, musique, etc.)

P. 79-80 TS » ### Structurer la présentation

Le contenu de la présentation doit être organisé à la manière d'un texte écrit:

- Introduction;
- Développement du sujet sous forme d'idées principales et d'idées secondaires;
- Conclusion.

Prévoir des stratégies pour capter l'intérêt de l'auditoire

Utilisez des formules pour interpeler votre auditoire. (Ex.: Vous êtes-vous déjà demandé...? Avez-vous déjà pensé à...?)

Pensez à des exemples, à des définitions, à des comparaisons pour rendre votre présentation claire.

Prévoyez une ou deux anecdotes personnelles et un ton varié pour rendre votre présentation dynamique et maintenir l'intérêt de l'auditoire.

THÉORIE ET STRATÉGIES

PRÉPARER UNE PRÉSENTATION POWERPOINT

Pour une présentation orale de 4 minutes, prévoyez un diaporama de 10 diapositives maximum.

Familiarisez-vous d'avance avec l'appareil audiovisuel que vous utiliserez au moment de votre présentation orale pour éviter de tâtonner.

Chaque diapositive doit contenir cinq ou six lignes maximum, un titre clair, un message essentiel. N'y insérez pas de texte continu.

Chaque diapositive doit contenir une seule idée, illustrée par un seul exemple. Ne surchargez pas le support.

Critères d'une diapositive réussie :

- claire;
- lisible;
- cohérente;
- simple.

Choix des couleurs :

- contraste entre le texte et l'arrière-plan : fond foncé avec texte pâle ou fond très pâle avec texte foncé ;
- présence de couleurs complémentaires;
- trois couleurs maximum par diapositive;
- préférence pour des fonds unis plutôt que dégradés.

Type et taille de la police :

- de préférence Arial ou Tahoma ;
- taille de 32 et plus;
- police uniforme.

Disposition du texte et des images :

- utilisation de puces en début de ligne;
- alignement du texte à gauche;
- uniformisation de l'énumération (noms ou verbes);
- ajout d'images si nécessaire;
- juste équilibre entre le texte et les images.

Exemple d'énumération inacceptable	Exemples d'énumérations acceptables
Voici par quels moyens la nervosité peut être diminuée : • La personne doit être bien préparée. • La personne doit penser positivement. • La personne doit respirer profondément.	**Énumération de verbes** Moyens pour diminuer la nervosité : • être bien préparé • penser positivement • respirer profondément
	Énumération de groupes du nom Moyens pour diminuer la nervosité : • bonne préparation • pensée positive • respiration profonde

PRENDRE LA PAROLE DEVANT LA CLASSE

Vous pouvez utiliser un **aide-mémoire** (si votre professeur vous le permet), c'est-à-dire des fiches sur lesquelles vous notez schématiquement la **structure** de la présentation (les grandes lignes de l'introduction et de la conclusion, le développement divisé en sections à l'aide de titres et d'intertitres ; les idées importantes notées sous forme de courtes phrases, de mots clés).

Pour être utiles, vos fiches doivent être claires, concises, faciles à utiliser. Elles doivent vous permettre de conserver le contact visuel avec votre auditoire.

Si vous faites une présentation PowerPoint, vous pouvez imprimer le diaporama avec des notes sur ce que vous allez dire pour chaque diapositive.

Évitez de lire un texte ou de l'apprendre par cœur.

Si vous faites une présentation PowerPoint, ne lisez pas le texte à l'écran, regardez plutôt votre auditoire.

Présentez vos propos clairement et de façon organisée (évitez les répétitions et les détails inutiles, employez des marqueurs de relation pour faire des transitions entre les aspects abordés).

Parlez assez fort pour bien vous faire entendre.

Prononcez distinctement les mots.

Maintenez un débit approprié.

Variez votre intonation pour accentuer les éléments importants de votre présentation.

Portez attention à votre posture et à votre gestuelle.

Regardez régulièrement vos auditeurs et adaptez votre présentation en fonction de leurs réactions.

Invitez les auditeurs à poser des questions et interagissez avec eux.

Avant de faire votre présentation devant votre auditoire, entrainez-vous devant un miroir ou devant des amis en vous chronométrant.

Expressions utiles pour une présentation orale	
Introduire un sujet, un thème	Je voudrais vous parler de... J'aimerais présenter / examiner / analyser / traiter... Il serait utile d'examiner...

Présenter le plan	Je vais voir d'abord..., je proposerai ensuite...
	J'aborderai / je traiterai... les points suivants...
	    les problèmes suivants...
	    les aspects suivants...
	    les questions suivantes...

Situer le sujet	Ce phénomène / cet aspect / ce problème... fait partie de... fait penser à...
Appuyer ses propos	Les chiffres montrent que... Les recherches prouvent que... Selon les recherches / les statistiques... On peut voir / comprendre / tirer la conclusion que... Comme l'affirme X : « ... » Fin de la citation.

Expressions utiles pour une présentation orale	
Mettre en évidence	J'aimerais souligner que... J'insiste sur le fait que... J'aimerais attirer votre attention sur...
Faire une transition	L'aspect suivant... Ensuite... Passons maintenant à... Abordons maintenant...
Ouvrir une parenthèse	Entre parenthèses, j'ajouterais que... J'aimerais aussi ajouter que...
Fermer une parenthèse	Je reprends... Pour revenir à...
Résumer	Pour résumer... En résumé...
Conclure	En conclusion... Pour terminer... Je conclus / je termine par... Finalement...

STRATÉGIES DE RÉVISION ET DE CORRECTION

STRATÉGIES DE RÉVISION D'UN TEXTE

Prévoir assez de temps pour réviser le texte.

En effectuer plusieurs lectures.

À chaque lecture, se concentrer sur un seul aspect à vérifier.

Autant que possible, commencer par les aspects qui concernent le contenu et l'organisation du texte, puis progresser vers les phrases et les mots.

Souligner les erreurs dont on est certain et celles qui sont à vérifier.

Démarche générale

Aspects à vérifier	Étapes à suivre	Ressources à utiliser
Le contenu du texte (CT)	Vérifier que le texte est conforme au type de texte (informatif ou narratif) demandé. S'assurer que les idées, les informations et le déroulement des évènements sont liés au sujet.	Feuille de consignes Plan du texte *Caractéristiques du texte informatif*, p. 77 *Caractéristiques du texte narratif*, p. 82

Aspects à vérifier	Étapes à suivre	Ressources à utiliser
L'organisation du texte (OT)	Vérifier que le texte est bien structuré en paragraphes.	Plan du texte *Modèle de plan* (texte informatif), p. 80 *Exemple de plan* (texte narratif), p. 84
	Vérifier que les marqueurs de relation sont bien choisis.	*Les marqueurs de relation*, p. 74 Dictionnaire de langue
La structure des phrases (S)	Repérer tous les verbes conjugués et les encercler.	Guide de conjugaison Dictionnaire de langue
	Vérifier si les verbes sont employés avec les bonnes prépositions.	Grammaire
	S'assurer de la présence de toutes les marques de négation.	*Les marqueurs de négation*, p. 112
La ponctuation (P)	S'assurer qu'il n'y a pas de virgule entre le sujet et le prédicat ni entre le verbe et ses compléments.	*La ponctuation*, p. 115
	S'assurer qu'il y a une virgule après un CP placé en début de phrase.	
	S'assurer qu'il y a une virgule après chaque élément d'une énumération.	
	Vérifier la ponctuation dans les citations (le deux-points, les guillemets et les crochets).	*Introduire une citation*, p. 89
Les groupes du nom (GN)	Souligner les noms.	*Méthode d'autocorrection des GN et des GV*, p. 98
	Mettre entre crochets [ ] les groupes du nom (GN).	Grammaire
	Indiquer le genre et le nombre au-dessus du noyau du GN.	
	S'assurer que les déterminants et les adjectifs (ou les participes passés employés seuls) sont bien accordés en genre et en nombre avec le noyau du GN.	
Les groupes du verbe (GV)	Encercler les verbes conjugués.	*Méthode d'autocorrection des GN et des GV*, p. 98
	Encadrer les GN par *c'est... qui* ou *ce sont... qui* pour repérer le sujet.	Guide de conjugaison
	Remplacer le GN sujet par un pronom.	Grammaire
	Relier par une flèche ce pronom au verbe conjugué.	
	Vérifier que le verbe est accordé en nombre et en personne avec ce pronom.	*L'accord entre le sujet et le verbe*, p. 168
	Prêter une attention particulière au son « é » : • *–er* (verbe à l'infinitif) ; • *–é* (participe passé des verbes en *–er*) ; • *–ez* (verbes conjugués à la 2e personne du pluriel).	*La graphie du son « é »*, p. 191
	S'assurer que l'accord du participe passé est bien fait avec le sujet si le verbe est conjugué avec l'auxiliaire *être*.	*L'accord du participe passé employé avec l'auxiliaire* être, p. 156

THÉORIE ET STRATÉGIES

Aspects à vérifier	Étapes à suivre	Ressources à utiliser
L'orthographe d'usage (O)	Encercler les homophones et faire les manipulations nécessaires pour vérifier l'orthographe. Vérifier tous les mots dont on n'est pas certain de l'orthographe dans le dictionnaire. Tracer clairement les accents et les traits d'union. Vérifier si des mots prennent la majuscule.	*Les homophones*, p. 184 Logiciel de traitement de texte Dictionnaire de langue
Le vocabulaire (V)	Remplacer les mots qui sont répétés fréquemment par des synonymes. Remplacer les mots généraux ou vagues par des termes plus précis. Remplacer les anglicismes par les termes français corrects.	Dictionnaire de langue Dictionnaire de synonymes Logiciel de traitement de texte Dictionnaire d'anglicismes *Les anglicismes*, p. 194

MÉTHODE D'AUTOCORRECTION DES GN ET DES GV

1 Souligner les noms.

Exemple: Les gouts sophistiqués de ma copine reposent sur des lectures bien choisies.

2 Mettre entre crochets **[ ]** les groupes du nom.

Exemple: **[** Les gouts sophistiqués **]** de **[** ma copine **]** reposent sur **[** des lectures bien choisies **]**.

3 Indiquer le genre et le nombre au-dessus du noyau des GN et s'assurer que les déterminants et les adjectifs sont accordés en genre et en nombre avec le noyau des GN.

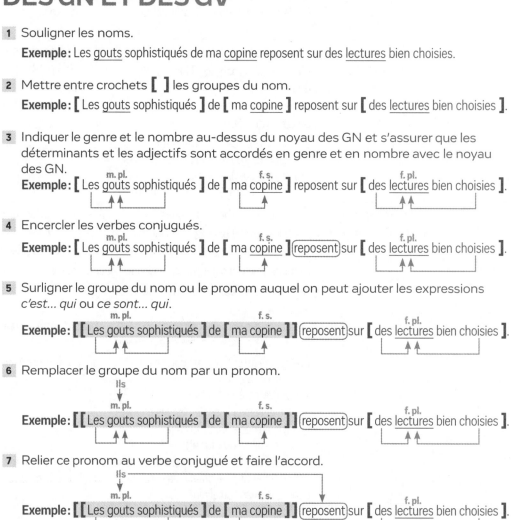

4 Encercler les verbes conjugués.

5 Surligner le groupe du nom ou le pronom auquel on peut ajouter les expressions *c'est... qui* ou *ce sont... qui*.

6 Remplacer le groupe du nom par un pronom.

7 Relier ce pronom au verbe conjugué et faire l'accord.

GRILLE DE RÉVISION

La lecture de cette grille doit se faire verticalement.

Contenu (CT) et organisation du texte (OT)

☐ Titre choisi en lien avec le contenu du texte

☐ Contenu du texte clair, aspects et sous-aspects développés de manière logique

☐ Texte bien structuré : parties évidentes, découpage en paragraphes bien fait

☐ Marqueurs de relation bien choisis

Fonctionnement de la langue

STRUCTURE DES PHRASES (S)

☐ Présence d'un verbe conjugué dans chacune des phrases

☐ Ordre des mots

☐ Emploi des bonnes prépositions

☐ Emploi du *ne* de négation, au besoin

PONCTUATION (P)

☐ Emploi interdit de la virgule entre le sujet et le prédicat, et entre le verbe et ses compléments

☐ Détachement par une virgule du CP placé en tête de phrase

☐ Virgule dans les énumérations

☐ Deux-points, guillemets, crochets dans les citations

GROUPE DU NOM (GN)

☐ Marques du genre et du nombre du nom

☐ Accord du déterminant avec le nom

☐ Accord de l'adjectif et du participe passé employé seul avec le nom

☐ Choix du pronom personnel

☐ Accord en genre et en nombre du pronom avec son antécédent

GROUPE DU VERBE (GV)

☐ Accord du prédicat avec le sujet

☐ Distinction entre le participe passé (*é*), le verbe à l'infinitif (*er*) et le verbe conjugué à la 2e personne du pluriel (*ez*)

☐ Accord du participe passé avec le sujet (*être*)

ORTHOGRAPHE D'USAGE (O)

☐ Homophones

☐ Consonnes doubles, lettres muettes, etc.

☐ Accents, traits d'union

☐ Majuscules

VOCABULAIRE (V)

☐ Répétitions inutiles

☐ Imprécisions

☐ Emploi incorrect d'un mot

☐ Anglicismes

EXEMPLE DE TEXTE RÉVISÉ ET CORRIGÉ

Texte annoté selon la grille de révision

Exemple:

Dans mon opinion elle a du mal comprendre sur le téléphone l'address de l'apartment de leur amis. En effet, toute le groupe s'est retrouvée avec leur baggages à l'autre bout de la ville devant un hangard

1 Première lecture: organisation du texte (OT)

Dans mon opinion elle a du mal comprendre sur le téléphone l'address de l'apartment de leur amis. ~~En effet~~ (OT) C'est pourquoi/Ainsi, toute le groupe s'est retrouvée avec leur baggages à l'autre bout de la ville devant un hangard

2 Deuxième lecture: structure des phrases (S) et ponctuation (P)

Dans mon opinion (P), elle a du mal comprendre ~~sur le~~ (S) au téléphone l'address de l'apartment de leur amis. ~~En effet~~ (OT) C'est pourquoi/Ainsi, toute le groupe s'est retrouvée avec leur baggages (P), à l'autre bout de la ville (P), devant un hangard (P).

3 Troisième lecture: groupes du nom (GN) et groupes du verbe (GV)

Dans mon opinion (P), elle a du mal comprendre ~~sur le~~ (S) au téléphone l'address de l'apartment de leur**s** (GN) amis. ~~En effet~~ (OT) C'est pourquoi/Ainsi, tout **e** (GN) le groupe s'est retrouvé **e** (GV) avec ~~leur~~ (GN) ses baggages (P), à l'autre bout de la ville (P), devant un hangard (P).

4 Quatrième lecture: orthographe d'usage (O)

Dans mon opinion (P), elle a ~~du~~ (O) dû mal comprendre ~~sur le~~ (S) au téléphone l'~~address~~ (O) adresse de l'~~apartment~~ (O) appartement de leurs (GN) amis. ~~En effet~~ (OT) C'est pourquoi/Ainsi, tout **e** (GN) le groupe s'est retrouvé **e** (GV) avec ~~leur~~ (GN) ses ~~baggages~~ (O) bagages (P), à l'autre bout de la ville (P), devant un ~~hangard~~ (O) hangar (P).

5 Cinquième lecture: vocabulaire (V)

~~Dans mon opinion~~ (V) À mon avis/Selon moi (P), elle a ~~du~~ (O) dû mal comprendre ~~sur le~~ (S) au téléphone l'~~address~~ (O) adresse de l'~~apartment~~ (O) appartement de leurs (GN) amis. ~~En effet~~ (OT) C'est pourquoi/Ainsi, tout **e** (GN) le groupe s'est retrouvé **e** (GV) avec ~~leur~~ (GN) ses ~~baggages~~ (O) bagages (P), à l'autre bout de la ville (P), devant un ~~hangard~~ (O) hangar (P).

Votre mise au propre:

À mon avis/Selon moi, elle a dû mal comprendre au téléphone l'adresse de l'appartement de leurs amis. C'est pourquoi/Ainsi, tout le groupe s'est retrouvé avec ses bagages, à l'autre bout de la ville, devant un hangar.

SAVOIR UTILISER SON DICTIONNAIRE FRANÇAIS

Dans un dictionnaire, les mots sont présentés en ordre alphabétique. Le premier et le dernier mot définis dans une double page s'appellent les *mots repères*. Ils sont répétés en haut de chaque page afin de faciliter la recherche.

Pour bien utiliser un dictionnaire, il est important de savoir quelles informations contient une notice. En voici un exemple :

FUREUR[1] [fyRŒR][2] **n.**[3] **f.**[4] – xᵉ ✧ latin *furor* ▪ **1**[5] LITTÉR. Folie poussant à des actes de violence. — Délire inspiré. ➤ **enthousiasme, exaltation, inspiration, possession, transport.**[6] *Fureur poétique, prophétique.*[7] ▪ **2**[5] Passion sans mesure, créant un état voisin de la folie. *«Il aimait les femmes à la fureur»*[7] **VOLTAIRE.** ➤ **folie.**[6] *La fureur de vivre, de discuter.* ➤ **frénésie, rage.** — LOC. **FAIRE FUREUR :** connaître un grand succès auprès du public (cf. FAM. Casser* la baraque, faire un malheur*). *Mode, chanson, nouveauté qui fait fureur.*[7] ▪ **3**[5] Colère folle, sans mesure. *Accès, crise de fureur.*[7] ➤ **courroux.**[6] *Entrer, être, mettre en fureur.*[7] ➤ **enrager.**[6] *Une fureur noire.*[7] — Colère qu'engendre et entretient l'action violente. *Attaquer, se battre avec fureur.*[7] ➤ **acharnement, furie, impétuosité, violence.**[6] ▪ **4**[5] (CHOSES) Caractère d'extrême violence. *La fureur des éléments déchaînés, des combats.*[7] ▪ **5** AU PLUR. Mouvement de folle colère. *Entrer dans des fureurs inexprimables.* — Mouvement de violence. *«toutes les fureurs de l'imagination»*[7] **FRANCE.** ▪ **CONTR.** Raison, 1 sens (bon). 1 Calme, douceur.[8] ▪ **HOM.** Führer.

Petit Robert de la Langue Française, 2016.

EXERCICES

1 Dans la notice précédente, associez le bon exposant [●] à la définition qui convient.

a) La classe grammaticale du mot ☐
b) L'entrée ☐
c) Les synonymes du mot ☐
d) Le genre du mot ☐

e) Les exemples ☐
f) La prononciation (en alphabet phonétique) ☐
g) Les différents sens du mot ☐
h) Les antonymes du mot ☐

2 Voici des abréviations qu'on retrouve dans la notice précédente. Vous trouverez la liste complète de toutes les abréviations au début de votre dictionnaire. Associez chaque abréviation de la colonne de gauche à la bonne définition.

a) LOC. ☐   1 Un mot qui se prononce de la même façon que ce mot.

b) CONTR. ☐   2 Une façon plus courante ou familière d'utiliser un mot.

c) HOM. ☐   3 Les antonymes d'un mot.

d) FAM. ☐   4 Une expression fréquente contenant le mot.

e) LITTÉR. ☐   5 L'emploi du mot au pluriel.

f) AU PLUR. ☐   6 Une façon plus recherchée ou littéraire d'utiliser un mot.

SAVOIR UTILISER SON DICTIONNAIRE BILINGUE (français-anglais /anglais-français)

Les entrées des dictionnaires bilingues sont composées de deux langues : on y retrouve la langue dans laquelle vous effectuez votre recherche et la traduction.

Voici un exemple d'informations que vous trouverez dans une entrée de dictionnaire bilingue[1].

expression dans la langue de la recherche

traduction de l'expression

entrée

signe de reprise de l'entrée

différentes classes grammaticales du mot (adj. et n.)

symbole en phonétique internationale

variations de sens du mot

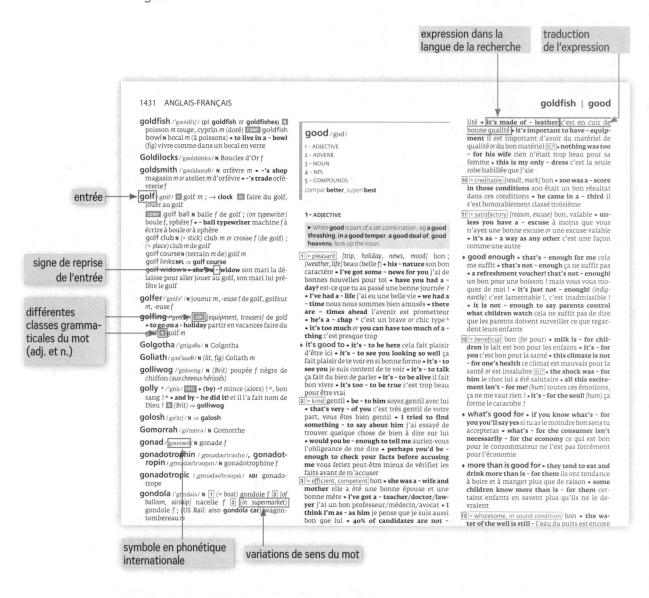

Quelques abréviations fréquemment utilisées dans les dictionnaires :

adj.	→ adjectif	n.	→ nom	qqn	→ quelqu'un
adv.	→ adverbe	plur.	→ pluriel	sing.	→ singulier
fém.	→ féminin	pron.	→ pronom	v. intr.	→ verbe intransitif
masc.	→ masculin	qqch.	→ quelque chose	v. tr.	→ verbe transitif

---

1. *Le Robert & Collins* © 2013 HarperCollins and Dictionnaires.

En vous fiant aux informations présentées dans l'entrée ci-dessous :

a) Dites quelle est la classe grammaticale du mot.

Il s'agit d'un _____

b) Relevez deux traductions possibles. _____

_____

c) Peut-on utiliser l'orthographe suivante pour

écrire ce mot : « boku » ? _____

_____

> **beaucoup** [boku] *adv* (*lire etc*) a lot, a great deal; **aimer b.** to like very much; **s'intéresser b. à** to be very interested in; **b. de** (*livres etc*) many, a lot *ou* a great deal of; (*courage etc*) a lot *ou* a great deal of, much; **pas b. d'argent**/*etc* not much money/*etc*; **j'en ai b.** (*quantité*) I have a lot; (*nombre*) I have many; **b. plus/moins** much more/less; many more/fewer; **b. trop** much too much; much too many; **de b.** by far; **b. sont** . . . many are . . . .

d) Comment traduit-on l'expression « beaucoup trop » en anglais ? _____

e) Comment dit-on *many are* en français ? _____

f) Comment dit-on *a lot of books* en français ? _____

SAVOIR UTILISER SON RÉPERTOIRE DE VERBES

Le répertoire de verbes (*Bescherelle* ou autre) est utilisé pour trouver la conjugaison des verbes ; toutefois, pour bien maitriser cet outil, il faut connaitre certaines procédures d'utilisation.

- Les verbes sont placés en ordre alphabétique à la fin du répertoire de conjugaison.
- Tous les verbes ne sont pas présents dans le répertoire de conjugaison : il arrive donc qu'on cherche un verbe et qu'on ne le voie pas conjugué. Il faut alors se fier au verbe modèle pour orthographier correctement le verbe que l'on souhaite conjuguer.
- Le nombre écrit à côté du verbe recherché correspond généralement au numéro du tableau où est conjugué le verbe recherché ou son modèle. Attention ! Le numéro donné ne correspond pas à la page du répertoire. Les numéros qui indiquent les tableaux sont situés en haut des pages.
- En français, les verbes se divisent en racine et en finale verbale. On parle aussi de radical et de terminaison. Quand on conjugue un verbe qui n'a pas son propre tableau, on se réfère aux différentes formes que prend le verbe modèle.

   Par exemple, le verbe *aimer* sert de modèle à plusieurs verbes. Si vous cherchez le verbe *apprivoiser*, vous serez dirigé vers la conjugaison du verbe *aimer*.

   Verbe *aimer* au futur simple :   Verbe *apprivoiser* au futur simple :

   J'aimer-ai / Nous aimer-ons   J'apprivoiser-ai / Nous apprivoiser-ons

   Radical-terminaison   Radical-terminaison

Fiez-vous aux informations présentées dans le tableau ci-après pour répondre aux questions suivantes.

a) Trouvez le participe passé du verbe grossir : _____

b) Conjuguez le verbe réussir à la 3e pers. du plur. au présent de l'indicatif : _____

c) Conjuguez le verbe choisir à la 3e pers. du plur. à l'imparfait : _____

d) Faites une phrase avec le verbe finir à la 2e pers. du sing. de l'impératif : _____

_____

P. 144-168 **G** » **e)** Dans le tableau, dessinez une étoile (*) à côté des temps de verbe qui sont étudiés dans ce cahier.

f) À quel mode ces temps appartiennent-ils ? _____

Conjugaison du verbe *finir* (modèle pour les verbes réguliers finissant en *-ir*)			
Indicatif (incluant l'ancien mode conditionnel)			
Présent	**Passé composé**	**Imparfait**	**Plus-que-parfait**
je fin**is** tu fin**is** il fin**it** nous fin**issons** vous fin**issez** ils fin**issent**	j'ai fini tu as fini il a fini nous avons fini vous avez fini ils ont fini	je fin**issais** tu fin**issais** il fin**issait** nous fin**issions** vous fin**issiez** ils fin**issaient**	j'avais fini tu avais fini il avait fini nous avions fini vous aviez fini ils avaient fini
Passé simple	**Passé antérieur**	**Conditionnel présent**	**Conditionnel passé**
je fin**is** tu fin**is** il fin**it** nous fin**îmes** vous fin**îtes** ils fin**irent**	j'eus fini tu eus fini il eut fini nous eûmes fini vous eûtes fini ils eurent fini	je fin**irais** tu fin**irais** il fin**irait** nous fin**irions** vous fin**iriez** ils fin**iraient**	j'aurais fini tu aurais fini il aurait fini nous aurions fini vous auriez fini ils auraient fini
Futur simple	**Futur antérieur**	**Futur proche**	
je fin**irai** tu fin**iras** il fin**ira** nous fin**irons** vous fin**irez** ils fin**iront**	j'aurai fini tu auras fini il aura fini nous aurons fini vous aurez fini ils auront fini	je **vais** finir tu **vas** finir il **va** finir nous **allons** finir vous **allez** finir ils **vont** finir	
Subjonctif			
Présent	**Passé**	**Imparfait**	**Plus-que-parfait**
que je fin**isse** que tu fin**isses** qu'il fin**isse** que nous fin**issions** que vous fin**issiez** qu'ils fin**issent**	que j'aie fini que tu aies fini qu'il ait fini que nous ayons fini que vous ayez fini qu'ils aient fini	que je fin**isse** que tu fin**isses** qu'il fin**ît** que nous fin**issions** que vous fin**issiez** qu'ils fin**issent**	que j'eusse fini que tu eusses fini qu'il eût fini que nous eussions fini que vous eussiez fini qu'ils eussent fini
Impératif		**Participe**	
Présent	**Passé**	**Présent**	**Passé**
fin**is** fin**issons** fin**issez**	aie fini ayons fini ayez fini	fin**issant**	fini fini**e** fin**is** fin**ies**
Infinitif		**Gérondif**	
Présent	**Passé**	**Présent**	**Passé**
fin**ir**	avoir fini	en fin**issant**	en ayant fini

UTILISER UN LOGICIEL DE CORRECTION

Pour corriger un texte écrit avec l'aide d'un logiciel de traitement de texte, vous devez repérer l'icone qui vous permet de passer en mode correction. Sur la plupart des ordinateurs, vous le trouverez sous l'onglet *Révision* dans un bandeau situé dans le haut de votre écran.

Cliquez ensuite sur l'icone qui va activer le mode révision de votre logiciel de traitement de texte. Dans certains traitements de texte, voici à quoi ressemble cet icone :

Une fois votre logiciel de correction activé, une boite de dialogue s'ouvre. Si votre logiciel repère une faute dans votre texte, il vous l'indiquera. Voici la manière dont cela se présente :

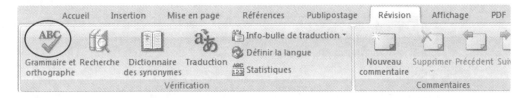

Dans le premier encadré, votre logiciel indique en rouge ce qu'il considère comme une erreur. Dans l'encadré en dessous, il vous propose des remplacements.

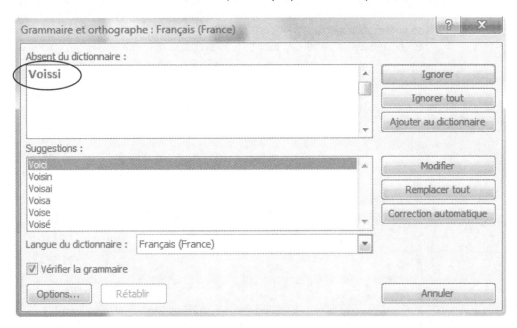

À noter : comme le logiciel de traitement de texte ne connait pas le sens que vous voulez donner au mot qu'il a repéré, il ne peut que vous faire des suggestions de corrections ; il vous revient donc de vérifier si les suggestions de modification sont appropriées ; si ce n'est pas le cas, vous devez corriger le mot vous-même.

Dans le cas où l'une des suggestions vous convient, surlignez-la en bleu avec votre curseur, et cliquez ensuite sur le bouton *Modifier* situé dans la colonne de droite.

Si le mot que vous avez écrit est dans une orthographe correcte, mais qu'il n'est pas reconnu par votre logiciel de correction (c'est souvent le cas des noms propres, par exemple), cliquez sur *Ignorer* ou sur *Ignorer toujours* et votre logiciel ne vous signalera plus ce mot.

Si vous le souhaitez, vous pouvez changer la langue du dictionnaire de votre logiciel de correction en modifiant la langue inscrite dans le troisième encadré de la boite de dialogue.

Aussi, en plus de vous permettre de corriger l'orthographe de votre texte, le logiciel de correction vous donne accès à une option effectuant la vérification de la grammaire de votre texte. Pour activer cette option, cochez *Vérifier la grammaire*. Cette inscription est située au bas et à la gauche de la boite de dialogue.

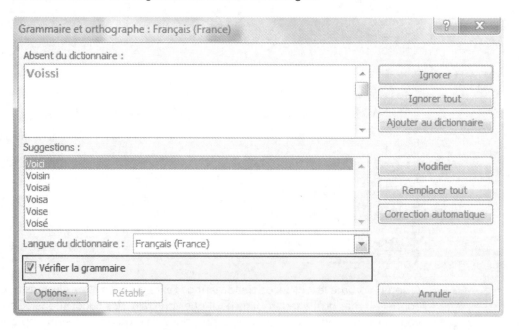

Finalement, sous l'onglet *Révision*, vous avez également accès à un dictionnaire des synonymes ainsi qu'à un dictionnaire effectuant des traductions. Vous n'avez qu'à surligner les expressions dont vous cherchez le synonyme ou que vous souhaitez traduire.

GRAMMAIRE

La grammaire est un formidable moyen d'organiser le monde comme on voudrait qu'il soit.

– Delphine de Vigan, *No et moi*, Éditions Jean-Claude Lattès, 2007

LA PHRASE

LES CONSTITUANTS DE LA PHRASE DE BASE

Dites si les phrases suivantes sont complètes (C) ou incomplètes (I).

a) Les sciences comme la chimie, la biologie et la physique. _____

b) Depuis qu'elle travaille au grand air, Sophie est heureuse. _____

c) Frédéric est passionné par l'architecture et le design urbain. _____

d) Pour gagner la coupe Stanley, les Canadiens ne doivent pas. _____

e) Tous les matins, il se réveille en pensant à elle. _____

f) Il ne faut jamais que. _____

g) Le plus grand défi de sa vie au sommet de cette montagne. _____

h) Va au centre du gymnase avec le ballon. _____

i) Vite à l'arrière de l'autobus. _____

La phrase de base est constituée au minimum d'un sujet (S) et d'un prédicat (Préd).

Le prédicat est constitué au minimum d'un verbe conjugué. Dans le prédicat, le verbe conjugué peut être complété d'un complément direct (CD) ou indirect (CI) ou les deux.

La phrase de base peut être complétée par un complément de phrase (CP), mais ce dernier est facultatif.

Sujet	Prédicat	Complément de phrase
L'enfant	dort.	
L'enfant de monsieur Young	parle / **trois langues**. CD	
L'enfant de monsieur Young	écrit / **à son ami** / CI	toutes les semaines.
L'enfant de monsieur Young	écrit / **un courriel** / **à son ami** / CD CI	toutes les semaines.

P. 115 **G** ⟩⟩ Dans la phrase de base, le complément de phrase se place généralement après le prédicat. Il peut aussi se mettre en tête de phrase. Si le CP est placé en tête de phrase, il est suivi d'une virgule.

Si le CP est au milieu de la phrase, il est encadré par des virgules.

Exemples : Il y a 36 élèves **dans la classe**. → **Dans la classe**, il y a 36 élèves.

→ Il y a, **dans la classe**, 36 élèves.

Distinction entre la phrase syntaxique et la phrase graphique

La phrase syntaxique est une phrase de base qui se compose de deux unités syntaxiques obligatoires (S + Préd).

La phrase graphique se définit comme une suite de mots commençant par une majuscule, se terminant par un point et contenant au moins une phrase syntaxique.

Exemples : Les élections auront lieu le 8 mai.
une phrase graphique = une phrase syntaxique

Les élections auront lieu le 8 mai et Radio-Canada couvrira
une phrase graphique = deux phrases syntaxiques
la campagne électorale.

LES TYPES DE PHRASES : DÉCLARATIF ET INTERROGATIF

ANTICIPATION

Dites si les phrases suivantes sont déclaratives ou interrogatives en mettant le signe de ponctuation adéquat (. ou ?) à la fin de chaque phrase.

a) Je m'assoyais toujours dans la dernière rangée, près de la fenêtre

b) Tes parents vont-ils accepter que tu abandonnes tes études

c) Le photocopieur et l'imprimante ne fonctionnent plus depuis deux jours

d) Est-ce que nous pourrons nous inscrire dans l'équipe de basketball du collège

e) Êtes-vous au courant des dernières découvertes sur le fonctionnement du cerveau

f) Le directeur m'a demandé si je voulais aller au congrès à Londres

g) On se demande pourquoi il faut attendre à demain

h) Son prochain roman sortira-t-il cet automne

i) J'aimerais savoir combien coute cet équipement de camping

NOTIONS THÉORIQUES

Une phrase ne peut être que d'un type à la fois.

Les types de phrases		
Définition	**Caractéristiques**	**Exemples**
Phrase déclarative Phrase utilisée pour communiquer une information, un fait ou une opinion.	À l'écrit, la phrase déclarative se termine généralement par un point (.), mais peut aussi se terminer par un point-virgule (;) ou une virgule (,). Elle respecte la structure de la phrase de base : S + Préd + CP facultatif.	Vous venez à la réunion. Vous venez à la réunion ; par contre, votre collègue ne vient pas. Vous venez à la réunion, vous prenez des notes, puis vous faites un résumé pour vos collègues.

GRAMMAIRE

Les types de phrases		
Définition	**Caractéristiques**	**Exemples**

Phrase interrogative Phrase transformée à partir de la phrase de base et utilisée pour poser une question.	La phrase interrogative se termine par un point d'interrogation (?) :
	 • L'interrogation totale (réponse par oui ou par non)
	 La phrase est transformée à l'aide de deux procédés :
	   1 Par l'emploi du marqueur d'interrogation *est-ce que* placé devant la phrase de base ;
	   2 Par l'inversion verbe-sujet. Le sujet et le verbe sont inversés si :
	     • le sujet est un pronom ;
	     • le pronom reprend le sujet après le verbe.
	 Particularité : Si le verbe se termine par *a* ou *e*, on ajoute un *t* qui améliore le son entre deux traits d'union.
	 • L'interrogation partielle (autre réponse que oui ou non)
	 La phrase est transformée à l'aide de deux procédés :
	   1 La phrase commence par un marqueur d'interrogation comme *qui, que (qu'), quoi, où, quand, combien de, pourquoi, quel/quelle/quels/quelles* et il y a inversion du verbe et du sujet.
	   2 La phrase commence par un marqueur d'interrogation qu'on fait suivre de *est-ce que* ou *est-ce qui*. Il n'y a alors pas d'inversion du verbe et du sujet.
		Est-ce que ces livres sont disponibles à la bibliothèque **?**
		
		 Sont-**ils** disponibles à la bibliothèque **?**
		 Ces livres sont-ils disponibles à la bibliothèque **?**
		
		 Trouve-t-il la réponse **?**
		 Y **a-t-il** quelqu'un **?**
		
		 Où va-t-elle **?**
		 Quel cours Robert suit-il **?**
		
		 Quand *est-ce que* ton frère a trouvé la réponse **?**
		 Quel cours *est-ce que* Robert suit **?**
		 Qui est-ce qui parle **?**

EXERCICES

1 Mettez les mots ci-dessous en ordre pour faire des phrases de base bien construites. Le signe de ponctuation à la fin de la phrase indique s'il s'agit d'une phrase déclarative ou interrogative.

a) Nouvel peut ordinateur un acheter on ?

_____

b) Appartement loueront Félix pas cette Olivia et cet année ne.

_____

c) Les pas jours se ne suivent se mais ressemblent. (Proverbe)

_____

d) Gagneront coupe cette les ils Canadiens la année Stanley ?

_____

e) Banque un commis à erreur une la employé grave vieil a.

_____

2 Voici des compléments de phrase (CP). Ils indiquent le temps, le lieu, le but, la manière.

   1 Choisissez le complément de phrase qui convient le mieux à chacune des phrases suivantes.

   2 Dites ce qu'il indique.

> en Afrique du Nord   à 8 h 30 tous les matins   en surfant sur Internet
> pour participer au Marathon de Montréal

a) Mes cours commencent _____

b) Julien et Jeanne s'entraineront _____

c) Maïka et Jacob ont vécu dans une grande maison _____

d) Ils se tenaient au courant de tout _____

3 Transformez les phrases déclaratives suivantes en phrases interrogatives. (2 réponses)
Exemple : Jessica finit son travail de recherche ce soir.
           Jessica finit-elle son travail de recherche ce soir ?
           Est-ce que Jessica finit son travail de recherche ce soir ?

a) Vous irez au cinéma ce soir.

_____

_____

b) Tu es inscrite sur les réseaux sociaux.

_____

_____

c) Il va au collège en vélo.

_____

_____

d) Vanessa a 18 ans aujourd'hui.

_____

_____

e) Les photos de Thierry ont gagné le premier prix.

_____

_____

4 Imaginez la réponse aux questions suivantes. Répondez en reprenant une partie de la question, en ajoutant de l'information et en utilisant des phrases complètes.
Exemple : Ces travailleurs perdront-ils leur emploi ?
           Non, ils ne perdront pas leur emploi, le gouvernement a pris les mesures nécessaires.
           Oui, ils perdront leur emploi, la compagnie transfère son usine au Nouveau-Brunswick.

a) Est-ce que les sciences t'intéressent ?

Non, _____

Oui, _____

GRAMMAIRE

b) Prenez-vous des vacances cet hiver ?

Non, _____

Oui, _____

c) Est-ce que Simon et Clara ont retrouvé leurs clés ?

Non, _____

Oui, _____

d) Les Alouettes de Montréal gagneront-ils la coupe Grey cette année ?

Non, _____

Oui, _____

e) Consultez-vous souvent les ouvrages de référence comme les dictionnaires ?

Non, _____

Oui, _____

LES FORMES DE PHRASES : POSITIVE ET NÉGATIVE

Les formes de phrases	
Théorie	**Exemples**
Voici deux formes de phrases : **1** Positive **2** Négative	Elle aime le français. Elle n'aime pas le français.

Théorie		Exemples
Définition	**Caractéristiques**	
Phrase positive Phrase de base qui sert à affirmer quelque chose.	La phrase positive ne contient aucun marqueur de négation.	Nous rendons visite à notre grand-mère chaque année.
Phrase négative Phrase transformée qui sert à exprimer une négation, un refus ou une interdiction.	La phrase négative exprime généralement le contraire de la phrase positive correspondante. Cette phrase est transformée à l'aide d'un marqueur de négation formé de l'adverbe négatif *ne* (*n'*) et d'un autre mot négatif (*pas, plus, rien, aucun, personne, jamais,* etc.) : *ne* (*n'*) + verbe/auxiliaire + *pas, plus, rien, jamais*	Nous **ne** rendons **pas** visite à notre grand-mère chaque année. Nous **ne** rendons **plus** visite à notre grand-mère chaque année. Nous **n'**avons **jamais** rendu visite à notre grand-mère.

Les marqueurs de négation

[**ANTICIPATION**]

Soulignez les marqueurs de négation. Indiquez si les phrases sont positives (P) ou négatives (N).

a) Vous ne m'avez jamais dit que vous étiez musicien. _____

b) Xavier et Sophie lui ont promis de venir à son anniversaire. _____

c) Mon ami Victor n'a pas d'emploi depuis le mois de juin. _____

d) Alex n'a rien mangé depuis hier matin ; il n'a plus d'argent. _____

e) La banque où il travaillait a licencié 23 employés. _____

NOTIONS THÉORIQUES

Le marqueur de négation sert à transformer une phrase positive en phrase négative. Il est formé de deux éléments, le plus souvent deux adverbes : *ne.. pas*, *ne… plus*, *ne… rien*, *ne… jamais*.

En général, les deux mots du marqueur de négation encadrent le verbe ou l'auxiliaire si le verbe est conjugué à un temps composé (passé composé) : *ne (n')* + verbe / auxiliaire + *pas*, *plus*, *rien*, *jamais*.

Exemples : Je **ne** vois **pas** l'article dont tu me parles.

Elles **ne** sont **jamais** venues me voir.

Les principaux marqueurs de négation		
Marqueurs de négation	Temps simples	Temps composé
	Présent, futur, imparfait	Passé composé
ne… pas ne… plus ne… rien ne… jamais	Je **ne** parle **pas**. Tu **ne** travailleras **plus**. Il **ne** voulait **rien**. Nous **ne** partions **jamais**.	Vous **n'**avez **pas** répondu. Tu **n'**as **plus** le temps.

Si, dans la phrase positive, les déterminants indéfinis *un*, *une*, *des* ou les déterminants partitifs *du*, *de la*, *des* introduisent un nom complément direct (CD), ces déterminants se transforment en *de (d')*, dans une phrase négative.

Phrase positive	Phrase négative
un, une, des	de, d'
du, de la, de l', des	de, d'

Exemples : Elle a **un** emploi. → Elle n'a pas **d'**emploi.

Tu veux **de la** reconnaissance. → Tu ne veux pas **de** reconnaissance.

Il a toujours **du** temps à perdre. → Il n'a jamais **de** temps à perdre.

Elles mangent **des** noix. → Elles ne mangent pas **de** noix.

Vous cherchez **une** caissière. → Vous ne cherchez pas **de** caissière.

Dans la phrase négative, lorsque le verbe est accompagné d'un pronom personnel complément direct (*me*, *te*, *le*, *la*, *nous*, *vous*, *les*) ou complément indirect :

- Le marqueur de négation encadre le bloc pronom complément et verbe aux temps simples comme le présent, l'imparfait et le futur simple.

  Exemples : Marie *leur* dit de vendre la maison. → Marie **ne** *leur* dit **pas** de vendre la maison.

  Ils *la* voyaient toujours. → Ils ne *la* voyaient jamais.

  Nous *le* rencontrerons demain. → Nous ne *le* rencontrerons pas demain.

- Le marqueur de négation encadre le bloc pronom complément et auxiliaire (*avoir* ou *être*) aux temps composés comme le passé composé.

  Exemples : Vous *lui* avez parlé hier. → Vous **ne** *lui* avez **pas** parlé hier.

  Elles *les* ont achetés ce matin. → Elles **ne** *les* ont **pas** achetés ce matin.

1 Transformez les phrases positives suivantes en phrases négatives.

a) Elles vont au cinéma tous les samedis. _____

b) Tu as vendu ta maison. _____

c) Nous étudiions à Vancouver. _____

d) Jessy participera au tournoi. _____

e) Vous avez accepté leurs conditions. _____

2 Mettez les phrases suivantes à la forme négative. Attention à la transformation du déterminant en gras.

a) Elle veut **une** pomme. _____

b) Joseph a **du** temps à perdre. _____

c) Vous mangez **des** légumes. _____

d) Tu demandes **de la** confiture. _____

e) Vous leur avez offert **un** cadeau. _____

3 Mettez les phrases suivantes à la forme négative.

a) Je lui dis toute la vérité. _____

b) Cette fille, Léa la connaissait. _____

c) Antoine leur a téléphoné hier soir. _____

d) Ces films, je les ai vus. _____

e) Le marathon, il l'a couru en six heures. _____

4 Répondez aux questions suivantes par une phrase négative.

a) Vas-tu souvent au gymnase ?

_____

b) Y a-t-il encore de la place sur ce vol ?

_____

c) Est-ce que Camille nous dira tout ?

_____

d) Léa travaillait-elle toujours le samedi ?

_____

e) Avez-vous encore faim ?

_____

f) As-tu tout raconté à tes amis ?

_____

5 Transformez les phrases négatives suivantes en phrases positives.

a) Je ne leur ai pas répondu.

_____

b) Jeanne ne lui a jamais fait confiance.

_____

c) Cet aéroport ne reçoit plus de passagers.

d) Les journaux ne dévoileront rien sur cette affaire.

e) Martin et Grégoire n'ont pas beaucoup réfléchi depuis leur accident.

LA PONCTUATION

[ANTICIPATION]

1 Nommez les signes de ponctuation suivants.

a) « » _____   d) : _____

b) ? _____   e) • _____

c) — _____   f) , _____

2 Utilisez les signes de ponctuation ci-dessus dans les phrases suivantes.

a) Pierre m'a dit Je ne veux pas étudier en physique nucléaire je veux étudier en bioécologie

b) Quand viendras-tu me voir
Je viendrai demain après mon travail Es-tu libre
Oui nous pourrions aller manger au restaurant voir un film
et terminer la soirée chez moi

[NOTIONS THÉORIQUES]

La virgule (,)

Théorie	Exemples
Elle s'emploie : • entre les éléments d'une énumération ; Attention ! On ne met pas de virgule devant la conjonction *et* si celle-ci se trouve entre les deux derniers éléments de l'énumération.	Cette réunion a été **longue, difficile, épuisante**. **Rose, Sofia, Nathan, toi et moi** participerons à cette expérience.
• après le complément de phrase placé au début de la phrase ;	**Au congrès de San Francisco,** tu seras la plus jeune chercheuse. **Du haut de ses huit ans,** il réclamait le droit de veiller tard. **Hier,** Mathieu a fait du ski ; aujourd'hui, il va à la chasse.
Attention ! Le complément de phrase placé à la fin de la phrase n'est pas séparé par une virgule.	Il allait escalader le mont Saint-Hilaire **dès l'arrivée du printemps**.
• généralement, devant les conjonctions de coordination *mais* et *car*.	Elle est riche, **mais** elle n'est pas heureuse. (opposition) Il n'est pas venu, **car** il est malade. (cause)

Le deux-points (:)

Théorie	Exemples
Il s'emploie : • pour annoncer une citation ou les paroles de quelqu'un dans le discours direct ; • pour introduire une énumération ;	L'avocat a dit : « Mon client n'est pas coupable, il est la victime. » Voici mes sports favoris : le tennis, le vélo, la natation et le ski. Jacob avait plusieurs choix : travailler, étudier ou voyager. Voici les recommandations du comité : **1** Former un comité pour étudier la question ; **2** Faire un sondage auprès de la population ; **3** Préparer une campagne publicitaire sur le sujet.
• pour introduire une explication (on peut alors remplacer le « : » par *parce que*).	Tu n'avances pas dans ton travail : tu es sans cesse dérangé. Marie refuse de signer le contrat : le salaire n'est pas assez élevé.

Le point (.)

Théorie	Exemples
Il s'emploie : • pour indiquer la fin d'une phrase graphique ;	Les nouvelles technologies lui font encore peur. Les nouvelles technologies lui font peur, elle veut suivre un cours.
• pour indiquer qu'il manque des lettres dans un mot abrégé.	M. Langlois habite au 342, boul. René-Lévesque, app. 9.
Attention ! On ne met pas de point : • si l'abréviation contient la dernière lettre du mot,	Docteur = Dr Madame = Mme
• aux abréviations de mesure : temps, poids, longueur, etc.	Elle est née à 14 **h** 30 ; elle pesait 3 **kg** et mesurait 54 **cm** à la naissance.

Les guillemets (« »)

Théorie	Exemples
Ils s'emploient : • pour encadrer une citation ou les paroles dans le discours direct ;	Il m'a dit : « Que faites-vous ici ? » Je lui ai répondu : « J'attends le directeur. » Dans son éditorial, Louis-Charles Roy affirme : « Le problème de la démographie au Québec aura de sérieuses conséquences sur les jeunes générations. »
• pour mettre l'accent sur un mot, une expression ou pour encadrer une expression étrangère.	Les médecins appellent cela « la dépression postpartum ». Le « *heavy metal* » est en régression au Québec. L'orthographe des prénoms est de plus en plus farfelue ; il suffit de penser à « Vyrgynye » ou encore à « Maxhimm ».

Le point d'interrogation (?)

Théorie	Exemples
Il s'emploie à la fin d'une question directe.	Pouvez-vous me répondre rapidement **?**
	Pourquoi le taux de natalité est-il si bas au Québec **?**
	Est-ce que le directeur sera là **?**
Attention ! On ne met pas de « ? » après une question indirecte.	Je me demande qui va la remplacer.
	Nous voulons savoir ce que tu veux faire après le cégep.

Le tiret (–)

Théorie	Exemples
Il s'emploie pour indiquer le changement d'interlocuteur dans un dialogue.	« Je ne vous crois pas, dit Michel.
	— Je vous apporterai la preuve, répliqua David.
	— Le plus tôt sera le mieux.
	— Vous aurez les documents sur votre bureau demain à la première heure. »

EXERCICES

1 Mettez la ponctuation dans les phrases suivantes.

a) Dans cette bande dessinée le personnage principal avait des sourcils épais des yeux perçants un nez gros comme une patate et un menton pointu

b) Est-ce que vous avez acheté tout le matériel

Voici ce que j'ai trouvé les chevalets les papiers-calques les pinceaux et la peinture Il me manque les toiles les brosses et les crayons-feutres

c) Dans son dernier roman Hermann Laqueduc écrit Quand l'aube a pointé à l'est du mont Cameroun les randonneurs ont entamé la dernière montée vers le sommet

d) L'expression *patate sucrée* est un calque de sweet potato En français ce sont des patates douces

e) Hier Natasha ne s'est pas présentée à son rendez-vous chez l'optométriste elle était très malade Ce matin elle lui a téléphoné pour s'excuser et pour prendre un autre rendez-vous

2 Remettez dans l'ordre les mots suivants pour créer des phrases. Ajoutez la ponctuation nécessaire. Le symbole / indique la fin d'une phrase ou la juxtaposition d'une phrase.

a) année finir tu est-ce vas études que cette tes / dans je non ans terminerai deux les

_____

_____

b) visiter Mexique nous le Guatemala le voulons le et Honduras / mais pas nous n' Panama au irons

_____

_____

c) toujours mon disait professeur / négliger ne la pas faut poésie il / elle de humaine la sel le est pensée

_____

_____

3 Réécrivez le dialogue ci-dessous en le ponctuant correctement. Mettez les majuscules pour indiquer le début des phrases.

voici la transcription de l'interrogatoire de madame Dubois madame Dubois qu'est-ce qui vous est arrivé hier soir trois individus sont entrés chez moi ils m'ont saisie brutalement et m'ont attachée à une chaise que s'est-il passé après je ne sais plus j'ai entendu un grand bruit puis je me suis évanouie quand je me suis réveillée ils n'étaient plus là qui vous a délivrée c'est Fidelo mon bon gros chien Labrador qui a hurlé jusqu'à ce que les voisins réagissent ce sont eux qui vous ont alertés qu'est-ce qu'ils ont pris voici la liste mes bijoux en or une somme de 145 $ un iPad et deux téléphones portables avec le peu d'indices que vous nous donnez il ne sera pas facile d'épingler ces individus de les trainer devant la justice et de retrouver les objets qu'ils vous ont volés

_____

_____

_____

_____

_____

_____

_____

_____

_____

_____

_____

_____

_____

_____

_____

_____

_____

_____

LES CLASSES DE MOTS

Il y a huit classes de mots, dont cinq sont variables et trois sont invariables.

Tableau récapitulatif des classes de mots		
	Classe	**Exemples**
Variables	1 Le nom	Un **ami**, un **chien**, une **lampe**, **Québec**, la **joie**
	2 Le déterminant	**Une** table est réservée. **Ta** sœur est jolie. **Aucun** étudiant n'a échoué à l'examen.
	3 L'adjectif	J'ai une amie **formidable**. Elle a un regard **triste**. Le Québec a beaucoup de ressources **naturelles**.
	4 Le pronom	Ces enfants jouent ; **ils** sont heureux. Ses amis sont très gentils et **le** sont toujours. **Je me** souviens de l'histoire **qu'il m'**a racontée. L'étudiant **qui** est parti reviendra demain.
	5 Le verbe	Hier, il **est parti** de chez lui vers 15 h. (passé) Aujourd'hui, il **part** de chez lui vers midi. (présent) Demain, il ne **partira** pas de chez lui ; c'**est** samedi ! (futur)
Invariables	6 La conjonction	Bob **et** Kate sont amis, **car** ils s'entendent bien. Je terminerai le travail **après que** tu seras parti.
	7 La préposition	**À** l'école, elle laisse son téléphone **dans** son sac **pour** rester concentrée. Ma tante habite **en face de** chez moi **depuis** toujours.
	8 L'adverbe	Elle regarde **souvent** ses textos ; elle en reçoit **beaucoup**. Il a vendu sa maison **rapidement**.

LE NOM

[ANTICIPATION]

Soulignez les noms dans le texte suivant[1].

Les boissons énergisantes sont populaires auprès des jeunes, qui les perçoivent comme étant naturelles et bonnes pour la santé. Elles sont facilement disponibles au dépanneur, à l'épicerie, en pharmacie et dans les gymnases. Mais les quantités de caféine qu'elles contiennent dépassent largement les doses qu'un individu peut absorber. Elles peuvent avoir un impact sur la santé si elles sont prises en trop grande quantité.

[NOTIONS THÉORIQUES]

On utilise le nom pour nommer des réalités comme les personnes, les animaux, les objets, les lieux et les sentiments. Pour désigner une réalité dans un sens général, on utilise le nom commun. Celui-ci est précédé d'un déterminant. Pour désigner une réalité unique, on utilise le nom propre.

---

1. Le texte de cet exercice est inspiré de l'émission *L'épicerie*, « Les boissons énergisantes », *Radio-Canada*, 28 février 2003, www.radio-canada.ca/actualite/lepicerie/docArchives/2003/02/28/enquete.html.

Exemples : Noms communs

Noms communs	Noms propres
le pays	la Tanzanie
la ville	Toronto
la montagne	le mont Royal
la fille	Isabelle

Le nom est donneur d'accord : les déterminants et les adjectifs reçoivent leur genre (masc. ou fém.) et leur nombre (sing. ou plur.) du nom qu'ils accompagnent.

Exemple : cette enquête criminel**le** (enquête = fém. sing.)

Si le nom est le sujet d'un verbe, ce verbe (ou l'auxiliaire) reçoit la troisième personne et le nombre du nom sujet.

Exemple : Le nouv**el** enquêteur questionn**ait** le témoin. (enquêteur = 3ᵉ pers. sing.)

Si le nom est le sujet d'un verbe conjugué avec l'auxiliaire *être*, le participe passé reçoit le genre et le nombre du nom sujet.

Exemple : Ces crimes sont dénonc**és** dans les journaux. (crimes = masc. plur.)

Le genre du nom

Le nom est masculin ou féminin. Le dictionnaire indique le genre du nom (masc. ou fém.) immédiatement après la classe (n.).

Généralement, le féminin des noms s'obtient en ajoutant un -e au nom masculin. Si le nom se termine déjà par un -e au masculin, il reste invariable au féminin.

Exemples : un artisan → une artisan**e**   un juge → une juge
un am**i** → une am**ie**   un journaliste → une journaliste

Cas particuliers de la terminaison au féminin		
Terminaison au masculin →	**Terminaison au féminin**	**Exemples**
-c →	-que	un laï**c** → une laï**que**
-en →	-enne	un pharmaci**en** → une pharmaci**enne**
-on	-onne	un champi**on** → une champi**onne**
-er →	-ère	un écoli**er** → une écoli**ère**
-et →	-ette	un cad**et** → une cad**ette**
-el →	-elle	un crimin**el** → une crimin**elle**
-f →	-ve	un veu**f** → une veu**ve**
-p		un lou**p** → une lou**ve**
-e →	-esse	un comt**e** → une comt**esse**
-x →	-se	un épou**x** → une épou**se**
	-sse	un rou**x** → une rou**sse**
-eur →	-euse	un coiff**eur** → une coiff**euse**
	-eure	un chôm**eur** → une chôm**euse**
		un min**eur** → une min**eure** (suit la règle générale)
-teur →	-teuse	un con**teur** → une con**teuse**
	-trice	un ac**teur** → une ac**trice**
	-teure	un au**teur** → une au**teure** (suit la règle générale)

Les terminaisons et le genre des noms

Masculin

En général, les noms ayant les terminaisons suivantes sont masculins.

Terminaison	Exemples	Quelques exceptions
-age	un lang**age**, un nu**age**, un apprentiss**age**	une pl**age**, une im**age**, une p**age**
-eau	un mant**eau**, un mart**eau**, un pann**eau**	une **eau**, une p**eau**
-ide	un ac**ide**, un suic**ide**, un herbic**ide**	
-ier	un pap**ier**, un mét**ier**, un ceris**ier**, un poir**ier**	
-is	un av**is**, un comm**is**, un perm**is**	une sour**is**
-isme	un anglic**isme**, un organ**isme**	
-ment	un gouverne**ment**, un apparte**ment**	
-on	un avi**on**, un ball**on**, un espi**on**	une leç**on**, une chans**on**, une faç**on**
-oir	un mir**oir**, un trott**oir**, un s**oir**	
-ort	un transp**ort**, un p**ort**, un conf**ort**	la m**ort**
-phone	un télé**phone**, un homo**phone**	
-scope	un micro**scope**, un horo**scope**	
-teur	un ordina**teur**, un mo**teur**, un interrup**teur**	

Quelques noms qui sont masculins	
Les jours	un lundi, un vendredi, un dimanche...
Les mois	mai, juillet, octobre, décembre (un décembre doux)...
Les saisons	un été, un printemps, un automne, un hiver...
Les langues	le français, le russe, le polonais...
Les métaux	le fer, le zinc, l'or (blanc), l'argent (brillant)...

Féminin

En général, les noms ayant les terminaisons suivantes sont féminins.

Terminaisons	Exemples	Quelques exceptions
-ade / -ode / -ude	une promen**ade**, une péri**ode**, une ét**ude**	un st**ade**, un gr**ade**, un c**ode**, un prél**ude**
-aille / -ille / -olle / -ulle	une bat**aille**, une v**ille**, une gr**ille**, une c**olle**, une b**ulle**	un gor**ille**, un m**ille** (mesure impériale)
-aine	une douz**aine**, une sem**aine**, une migr**aine**	un dom**aine**
-ance / -ence	une ambul**ance**, une expéri**ence**	un sil**ence**
-aison / -ison	une m**aison**, une s**aison**, une trah**ison**	un v**ison**, un b**ison**
-esse	une adr**esse**, une jeun**esse**, une vit**esse**	
-ette	une d**ette**, une ved**ette**, une manch**ette**	un squel**ette**
-ie / -sie	une compagn**ie**, une cop**ie**, la jalous**ie**	un parapl**uie**, un gén**ie**
-oire	une hist**oire**, la mém**oire**, la gl**oire**	un access**oire**, un pourb**oire**
-té	une beau**té**, une san**té**, une universi**té**	un cô**té**, un comi**té**

Terminaisons	Exemples	Quelques exceptions
-tion / -sion	une solu**tion**, une excep**tion**, une inva**sion**	un bas**tion**
-ure	une avent**ure**, une coup**ure**, une mes**ure**	un parj**ure**, un murm**ure**

Quelques noms qui sont féminins	
Les sciences	la phonétique, l'astrolonomie, la biologie, la génétique, l'histoire, la physique, la chimie...

Le nombre du nom

Généralement, le pluriel des noms s'obtient en ajoutant un *-s* à la fin du nom. Si le nom se termine déjà par un *-s*, un *-x* ou un *-z* au singulier, il reste invariable au pluriel.

Exemples : un spécialiste → des spécialiste**s**   un échantillon → des échantillon**s**

un pay**s** → des pay**s**   un succè**s** → des succè**s**

un inde**x** → des inde**x**   un lyn**x** → des lyn**x**

un ne**z** → des ne**z**   un ri**z** → des ri**z**

Cas particuliers de la terminaison plurielle			
Singulier	→	Pluriel	Exemples
-au *-eau* *-eu*	→ 	*-aux* *-eaux* *-eux*	un boy**au** → des boy**aux** un noy**au** → des noy**aux** une **eau** → des **eaux** un cad**eau** → des cad**eaux** un av**eu** → des av**eux** un chev**eu** → des chev**eux** Exceptions : Suivent la règle générale avec *-s* : sarr**aus**, pn**eus**, ém**eus**
-al	→	*-aux*	un m**al** → des m**aux** un journ**al** → des journ**aux** un hôpit**al** → des hôpit**aux** un chev**al** → des chev**aux** Exceptions : Suivent la règle générale avec *-s* : b**als**, festiv**als**, carnav**als**, récit**als**, rég**als**, cérémoni**als**, chac**als**
-ou	→	*-ous*	Suivent la règle générale avec *-s* un f**ou** → des f**ous** un c**ou** → des c**ous** Exceptions : p**oux**, jouj**oux**, hib**oux**, gen**oux**, ch**oux**, caill**oux**, bij**oux**
-ail	→	*-ails*	Suivent la règle générale avec *-s* un chand**ail** → des chand**ails** un port**ail** → des port**ails** un dét**ail** → des dét**ails** un r**ail** → des r**ails** Exceptions : un b**ail** → des b**aux** un trav**ail** → des trav**aux** un télétrav**ail** → des télétrav**aux**

Cas de certains noms qui changent partiellement ou totalement de forme au pluriel					
Singulier	→	Pluriel	Singulier	→	Pluriel
un œil	→	des yeux	madame	→	mesdames
un ciel	→	des cieux	monsieur	→	messieurs
un aïeul	→	des aïeux (ancêtres) des aïeuls (grands-parents)	un bonhomme	→	des bonshommes

Cas de certains noms qui ne s'emploient qu'au pluriel
les alentours, les archives, les décombres, les fiançailles, les frais, les funérailles, les honoraires, les mœurs, les obsèques, les pourparlers, les représailles, les ténèbres

1 Complétez les phrases suivantes avec un nom de métier que vous mettez au masculin ou au féminin selon le cas.

> éducateur   auteur   urbaniste   conteur   animateur   avocat
> bibliothécaire   généticien   infirmier   vendeur   diététicien

a) Audrey présente l'émission *Bonjour Matin* sur 100,5 FM ; elle est _____

b) Thomas élabore le plan directeur de la ville de Laval ; il est _____

c) Catherine défend les personnes à faible revenu à l'Aide juridique ; elle est _____

d) Sabrina aide les gens à perdre du poids ; elle est _____

e) Laura a déjà publié trois romans ; elle est _____

f) Toutes les fins de semaine, Marie travaille à la boutique Sports d'ici ; elle est _____

g) Émilie travaille au Centre de la petite enfance (CPE) Mont-Royal ; elle est _____

h) Kevin accueille les lecteurs et leur prête des livres ; il est _____

i) Clara raconte des histoires à des auditoires passionnés ; elle est _____

j) Jeanne fait des recherches sur l'hérédité ; elle est _____

k) Ariane travaille à l'hôpital Marie-Enfant ; elle est _____

2 Mettez les phrases suivantes au féminin.

a) Mon frère est comédien tandis que mon père est pharmacien.

_____

b) Je suis écrivain et j'écris surtout des romans policiers pour les garçons.

_____

c) Les religieux ont cédé la direction du collège à des laïcs en 1967.

_____

d) Depuis quelques semaines, un loup attaque les coqs de ce fermier.

_____

e) On ne dit plus : « Voici mon époux », mais « Voici mon conjoint ».

_____

f) L'enquêteur a questionné pendant des heures le jeune criminel.

_____

g) Dans la publicité, il y avait un roux, un blond et un brun.

_____

h) As-tu lu le dernier livre de ce romancier ? Il parle d'un veuf qui cherche le bonheur.

_____

i) Il gagnera ! Il sera champion de boxe des poids plume selon ce journaliste.

_____

j) Paul est le cadet de sa famille ; ce n'est pas un écolier dynamique, mais son professeur l'aime bien.

_____

_____

GRAMMAIRE

3 Mettez le texte suivant au pluriel. N'oubliez pas d'accorder les déterminants, les adjectifs et les verbes qui reçoivent leur accord du nom.

Le cheval de Julien est magnifique. Son œil est perçant et son cou est long. Il incline sa tête pour nous saluer. Mais il est malheureux lorsqu'il y a un caillou dans son sabot. Quand Julien ouvre le portail, il s'élance dans le champ. La première chose qu'il fait, c'est de planter son nez dans l'herbe fraiche. Puis il plonge son museau dans l'eau douce de la rivière Yamaska. Pour Julien, son cheval est un véritable cadeau.

_____

_____

_____

_____

_____

_____

4 À l'aide de votre dictionnaire et du tableau *Les terminaisons et le genre des noms* (p. 121 et 122), dites si les noms suivants sont masculins ou féminins en mettant *un* ou *une* devant le nom.

a) _____ opinion

b) _____ image

c) _____ aéroport

d) _____ méthode

e) _____ squelette

f) _____ maladie

g) _____ attitude

h) _____ bananier

i) _____ action

j) _____ murmure

k) _____ rançon

l) _____ automne

m) _____ épisode

n) _____ entaille

o) _____ escadron

p) _____ incendie

q) _____ université

r) _____ adresse

s) _____ écriture

t) _____ homicide

5 Le nom est donneur d'accord. Dans les phrases suivantes, les noms soulignés sont écrits correctement. Déterminez le genre et le nombre des noms soulignés, puis vérifiez si les déterminants, les adjectifs et les verbes ont bien reçu leurs accords de ces noms ; corrigez-les s'il y a lieu.

Exemple : Le nouveau <u>stations</u> de métro va jusqu'à Montréal-Est.
fém. plur.
Les nouvelles stations de métro vont jusqu'à Montréal-Est.

a) Les jolis <u>hirondelles</u> bleus construisent leur nid au printemps.

_____

b) Nous avons pris une <u>avion</u> régionale qui se rendait à Sept-Îles en trois heures.

_____

c) Les cinquante <u>autobus</u> jaune de cette <u>commission</u> scolaires sont vieilles.

_____

d) Xavier raconte toujours des <u>histoires</u> monstrueux qui nous fait peur.

_____

e) Le <u>rencontre</u> sportif de mercredi est remis à la semaine prochaine.

_____

f) Le <u>tartes</u> à la citrouille de ma grand-mère était délicieux.

g) Cette convention collective protège l'<u>employés</u> municipal de Trois-Rivières.

h) À la télévision, les <u>émissions</u> culturels est très populaires.

i) Il faut retirer le fin <u>pellicule</u> de plastique sur la boite.

j) Les <u>journaux</u> internationales parle beaucoup du <u>crise</u> financier.

LE DÉTERMINANT

[ANTICIPATION]

Soulignez les déterminants dans le texte suivant.

Chaque année, nous passons une partie de nos vacances en Gaspésie. Le frère de mon amie fait de l'escalade, sa sœur aime le vélo de montagne et moi, j'adore faire du canot-camping. Alors, nous nous donnons rendez-vous au mois de juillet à Matane et passons quelques semaines à faire les activités que nous aimons. Cette expérience est toujours très agréable et le retour dans la région nous réserve tous les étés des surprises.

[NOTIONS THÉORIQUES]

Le déterminant accompagne le nom et donne une information sur ce nom. Il existe différentes sortes de déterminants.

Exemples : Son sac. **Un** sac. **Ce** sac. **Quel** sac !

Le déterminant est toujours placé devant le nom ; il peut cependant être séparé de celui-ci par d'autres mots.

Exemples : Les plus belles vacances. **Quelle** agréable surprise !

Il est essentiel dans la phrase ; il ne peut être effacé.

Exemple : Amis passent vacances à Cuba. (Incorrect) → **Mes** amis passent **leurs** vacances à Cuba.

Le déterminant est variable : il prend le genre (masculin ou féminin) et le nombre (singulier ou pluriel) du nom qu'il accompagne.

Exemples : Une surprise. **Le** vélo. **Des** vacances.

GRAMMAIRE

Le déterminant défini

Pour accompagner un nom qui est une réalité connue et incontestable, on utilise le déterminant défini.

Au singulier, *le* ou *la* devient *l'* devant un mot commençant par une voyelle ou un *h* muet, mais non devant un nom commençant par un *h* aspiré.

Exemples : **L'**ordinateur et **l'**homme (h muet) sont devenus inséparables.

Tous les Canadiens adorent **le** hockey (h aspiré).

Les déterminants définis		
Féminin singulier	**Masculin singulier**	**Masculin et féminin pluriel**
la, l'	le, l'	les

Les déterminants définis contractés	
Préposition + déterminant défini	**= Déterminant défini contracté**
à + le / à + les	au / aux
de + le / de + les	du / des

Attention ! *L'* et *la* ne se contractent pas : *à l', à la, de l', de la*

Les déterminants définis contractés au masculin	
Masculin singulier	**Masculin pluriel**
au, du	aux, des

Exemple : Avant de prendre cette décision, pense aussi **aux** autres : à la famille, **au** responsable **du** projet et **aux** parents **des** étudiants.

Les déterminants définis contractés au féminin	
Féminin singulier (non contracté)	**Féminin pluriel**
à la, à l'	aux
de la, de l'	des

Exemple : J'ai rencontré Kate **à la** fête **de la** musique. Elle parlait **à l'**amie de mon frère et **aux** filles qui l'accompagnaient **de l'**impossibilité pour les artistes de vivre de leur art.

1 Mettez les déterminants définis appropriés dans le texte suivant.

À _____ ¹entrée de _____ ² agora, _____ ³ billets pour _____ ⁴ spectacle étaient déjà en vente. _____ ⁵ étudiants de deuxième année rangeaient _____ ⁶ sièges et préparaient _____ ⁷ scène. Pris de panique, Karim décida d'aller expliquer _____ ⁸ coordonnateurs _____ ⁹ projet qu'il était trop nerveux pour prendre _____ ¹⁰ risque de monter sur scène et qu'il voulait rentrer chez lui avant _____ ¹¹ début _____ ¹² spectacle. Pourtant, quand il croisa _____ ¹³ regards _____ ¹⁴ parents de sa petite amie qui attendaient dans _____ ¹⁵ hall, il changea d'avis et se dirigea vers _____ ¹⁶ coulisses.

Ce soir-là, _____ ¹⁷ jeu de Karim a été tout à fait à _____ ¹⁸ hauteur _____ ¹⁹ attentes _____ ²⁰ metteur en scène et _____ ²¹ spectateurs. Et Nadia était très fière de lui.

2 À l'aide du dictionnaire, mettez le déterminant approprié (*le, la, l', les*) devant les noms suivants.

a) _____ publicité   f) _____ garage   k) _____ Alouettes   p) _____ peur

b) _____ physique   g) _____ plage   l) _____ avion   q) _____ arts

c) _____ mathématiques   h) _____ entourage   m) _____ équipe   r) _____ réalité

d) _____ honte   i) _____ héros   n) _____ gymnase   s) _____ côté

e) _____ héroïne   j) _____ Canadiens   o) _____ solution   t) _____ silence

3 Complétez le dialogue suivant avec des déterminants définis, contractés ou non.

— *Entre _____ ¹ physique, _____ ² histoire, _____ ³ chimie, _____ ⁴ informatique et _____ ⁵ arts, qu'est-ce qui vous intéresse ?*

— *Je m'intéresse beaucoup à _____ ⁶ chimie, à _____ ⁷ informatique et _____ ⁸ arts.*

— *Pour approfondir vos connaissances sur l'univers de _____ ⁹ chimie, de _____ ¹⁰ informatique et _____ ¹¹ arts, venez nous rencontrer vendredi après-midi _____ ¹² club « Cyberarts », _____ ¹³ rez-de-chaussée _____ ¹⁴ pavillon Penfield _____ ¹⁵ collège.*

Le déterminant indéfini

[**NOTIONS THÉORIQUES**]

Le déterminant indéfini accompagne un nom dont la réalité n'est pas connue ou dont la quantité n'est pas précisée. Il peut aussi exprimer la négation, l'unité ou la totalité.
Exemples : Un projet. **Une** amie. **Des** idées.

Les déterminants indéfinis qui indiquent la négation	
Masculin singulier	**Féminin singulier**
aucun	aucune
nul	nulle
pas un	pas une

Les déterminants indéfinis qui indiquent l'unité ou la totalité			
Masculin singulier	**Féminin singulier**	**Masculin pluriel**	**Féminin pluriel**
un	une	des	des
chaque	chaque		
tel	telle	tels	telles
n'importe quel	n'importe quelle	n'importe quels	n'importe quelles
tout, tout le	toute, toute la	tous, tous les	toutes, toutes les

Accord des déterminants indéfinis indiquant une quantité non précisée			
Accord avec le nom		**Invariables**	
Masculin pluriel	**Féminin pluriel**		
certains	certaines	assez de	plusieurs
différents	différentes	beaucoup de	quelques
divers	diverses	bien des	tant de
maints	maintes	des	trop de
		peu de	

Un, *une* ou *des* dans une phrase positive devient *de* (*d'*) dans une phrase négative.

Phrase positive → Phrase négative		Exemples
un une → des	de (d')	Elle a un emploi. → Elle n'a pas **d'**emploi. Luc fait une promenade. → Luc ne fait pas **de** promenade. Ils ont acheté des livres. → Ils n'ont pas acheté **de** livres.
Un, *une*, *des* ne changent pas après le verbe *être* à la forme négative.		Est-ce un roman ? → Non, ce n'est pas **un** roman.

des devant un adjectif	Exemples
Devant un *adjectif* au pluriel, le déterminant indéfini *des* est souvent remplacé par *de* (*d'*).	Elle travaille avec des adultes. → Elle travaille avec **de** *jeunes* adultes. Il chante des chansons. → Il chante **de** *belles* chansons. Tu donnes des réponses. → Tu donnes **de** *courtes* réponses.

▍EXERCICES

1 Voici la conversation d'un groupe d'amis à la cafétéria. Complétez leur conversation avec les formes convenables de déterminants indéfinis *un*, *une* ou *des*, *de*.

Jake — Aujourd'hui, j'ai envie de manger _____ ¹ sandwich aux œufs et _____ ² soupe.

Daniel — Moi, je vais prendre _____ ³ quiche, _____ ⁴ café et _____ ⁵ dessert.

Sabrina — Bonne idée, _____ ⁶ tasse de café te réveillera. Tu as dormi pendant le cours d'histoire.

Daniel — Au moins, je n'ai pas envoyé _____ ⁷ messages pendant que le prof parlait des Grecs…

Sabrina — Ce ne sont pas _____ ⁸ messages que j'ai envoyés. J'ai juste regardé l'heure sur mon téléphone. Bon, moi, je vais prendre _____ ⁹ thé et _____ ¹⁰ crêpes au jambon. Je ne veux pas _____ ¹¹ plat gras aujourd'hui. Et je veux aussi _____ ¹² fruits et _____ ¹³ bouteille d'eau.

2 Composez une phrase avec les déterminants indéfinis suivants.

a) Beaucoup de _____

b) Chaque _____

3 Dans les phrases suivantes, encerclez la forme correcte.

  a) Nous avons passé (des / de) vacances merveilleuses.

  b) Ils ont regardé (des / de) bons films cette année.

  c) Mes amis n'ont pas (des / de) voiture.

  d) Ils rencontrent toujours (des / de) gens intéressants.

  e) Ce ne sont pas (des / de) professeurs, ce sont des étudiants.

  f) Ils racontent (des / d') histoires incroyables.

Le déterminant partitif

Le déterminant partitif est un déterminant indéfini. Il accompagne un nom qui exprime une réalité que l'on ne peut compter. Il indique que l'on prend une partie non déterminée du nom qu'il accompagne.

Exemple : Ils mangeront **de la** pizza ce soir. **De la** → une partie non déterminée de pizza.

Les déterminants partitifs		
Féminin singulier	**Masculin singulier**	**Masculin et féminin pluriel**
de la, de l'	du, de l'	des

Devant un complément direct (CD), *du*, *de la*, *de l'* ou *des* dans une phrase positive devient *de* (*d'*) dans une phrase négative et après une expression qui précise la quantité.

Phrase positive → Phrase négative		Exemples	
du de la de l' des	de (d')	Ils ont ajouté **du** ketchup. Tu veux **de la** soupe ? Achète **de l'**huile. Il mange **des** céréales.	→ Ils n'ont pas ajouté **de** ketchup. → Tu ne veux pas **de** soupe ? → N'achète pas **d'**huile. → Il ne mange pas **de** céréales.
Expression qui précise la quantité		**Exemples**	
du de la de l' des	un peu de beaucoup de une cuillère d' un kilo de	Il mange **du** fromage. Tu veux **de la** tarte ? Ajoute **de l'**origan. Samuel achète **des** prunes.	→ Il mange un peu **de** fromage. → Tu veux beaucoup **de** tarte ? → Ajoute une cuillère **d'**origan. → Samuel achète un kilo **de** prunes.

1 Mettez les déterminants partitifs appropriés dans les phrases suivantes.

  a) Pour composer une histoire, il faut _____ inspiration, _____ patience et _____ temps.

  b) Dans cette recette, il faut _____ farine, _____ huile et _____ fruits.

  c) Ils ont bu _____ jus d'orange et leur frère a pris _____ bière.

  d) Aujourd'hui, je prends _____ poulet et _____ frites.

  e) Pour ta fête, je préparerai _____ salade, _____ pizza et _____ gâteaux.

  f) Ton père apportera _____ pain, _____ fromage, _____ jambon et _____ vin.

2 Complétez le texte suivant avec *du, de la, de l', des, de* ou *d'*.

Christina veut se garder en bonne forme, alors elle fait _____ ¹ *gymnastique trois fois par semaine. Elle ne mange plus* _____ ² *pain ni* _____ ³ *viande. Elle boit beaucoup* _____ ⁴ *eau et un peu* _____ ⁵ *vin à table, mais jamais* _____ ⁶ *bière. Au diner, elle prend toujours* _____ ⁷ *salade nature :* _____ ⁸ *laitue,* _____ ⁹ *ognons,* _____ ¹⁰ *cèleri et* _____ ¹¹ *tomates assaisonnées de trois gouttes d'huile. Avant de se coucher, elle fait un peu* _____ ¹² *yoga et boit* _____ ¹³ *eau.*

Le déterminant démonstratif

[NOTIONS THÉORIQUES]

Le déterminant démonstratif accompagne un nom qui exprime une réalité déjà nommée et montrée du doigt.

Exemples : J'achète **ce** stylo.   →   Le stylo que je montre du doigt.

Nous aménagerons **cet** espace.   →   L'espace que nous désignons.

Il faut annoncer **cette** nouvelle.   →   La nouvelle que l'on a nommée.

Ils lisent **ces** livres.   →   Les livres que je montre du doigt.

Les déterminants démonstratifs		
Féminin singulier	**Masculin singulier**	**Féminin et masculin pluriel**
cette	ce, cet	ces

Exemples : Ce garçon fréquente **cette** école entourée de **ces** arbres.
             Cet homme donne vie à **ces** légendes.

Il y a deux déterminants masculins singuliers : *ce* et *cet*.

- *Ce* est utilisé devant les noms masculins commençant par une consonne ou un *h* aspiré.
  Exemple : Ce crocodile et **ce** hibou (*h* aspiré)

- *Cet* est utilisé devant les noms masculins commençant par une voyelle ou un *h* muet.
  Exemple : Cet hippopotame (*h* muet) et **cet** éléphant (voyelle)

[EXERCICES]

1 Dans les phrases suivantes, soulignez le déterminant démonstratif correct.

   a) Je préfère écouter (ce / cette) disque.

   b) (Ce / Ces) histoires sont passionnantes.

   c) (Cet / Cette) étudiante dynamique réussit très bien tous ses cours.

   d) Il a fait (cet / cette) sculpture dans son cours d'arts plastiques.

   e) (Cet / Cette) ordinateur demande une mise à jour.

   f) (Ce / Cette) compagnie a créé (ce / cet) nouvel avion.

   g) (Ce / Ces) matin, on a fermé toutes (cette / ces) rues.

   h) Mon ami adore (cet / cette) œuvre d'art.

2 Mettez les déterminants démonstratifs qui conviennent dans les phrases suivantes.

a) _____ ouvrier est très passionné.

b) _____ artistes sont fameux.

c) _____ ingénieur travaille chez Bombardier.

d) _____ enseignante adore ses élèves.

e) _____ professeur propose de beaux projets à ses étudiants.

f) _____ physicien fait des expériences intéressantes.

g) _____ informaticienne sait tout sur les ordinateurs.

h) _____ gens sont généreux.

i) _____ médecins connaissent de bons traitements.

j) _____ conteur relate des histoires sensationnelles.

Le déterminant possessif

[NOTIONS THÉORIQUES]

Le déterminant possessif accompagne un nom qui désigne une réalité avec laquelle on a une relation d'appartenance ou de possession.

Exemples : **Ma** bicyclette est rouge.

Tes amis t'ont invité au cinéma.

Leur voyage a été plein de péripéties.

Les déterminants possessifs varient selon la personne qui possède : 1re pers., 2e pers., 3e pers. du singulier ou du pluriel et selon le nombre et le genre de l'objet possédé.

Exemples : **Je** demanderai l'autorisation à **mon** supérieur.

Tu demanderas la permission à **ta** directrice.

Nous solliciterons l'avis de **nos** amis.

Elles solliciteront l'opinion de **leurs** parents.

Les déterminants possessifs			
	Un objet / une personne		**Plusieurs objets / personnes**
Personnes qui possèdent	**Féminin singulier**	**Masculin singulier**	**Féminin et masculin plur.**
1re sing. à moi	ma (mon*)	mon	mes
2e sing. à toi	ta (ton*)	ton	tes
3e sing. à lui / à elle	sa (son*)	son	ses
1re plur. à nous	notre	notre	nos
2e plur. à vous	votre	votre	vos
3e plur. à eux / à elles	leur	leur	leurs

* Les déterminants possessifs *mon, ton, son* s'utilisent devant les noms masculins singuliers, mais aussi devant les noms féminins singuliers qui commencent par une voyelle ou un *h* muet.

Exemples : mon **e**xpérience   ton **h**istoire   son **a**venture
(fém. sing.)   (fém. sing.)   (fém. sing.)

1 Encerclez le déterminant possessif qui convient dans les phrases suivantes.

a) Serge, peux-tu me donner (ton / ta) adresse et (ton / ta) nouveau numéro de téléphone ?

b) Je raconte tout à (ma / mon) mère : (ma / mon) journée, (ma / mes) amours, (ma / mes) peines.

c) Maximilian vient d'Allemagne. Il nous a fait un exposé sur (son / sa) pays, (son / sa) histoire et (son / sa) culture.

d) Brad et Cindy sont nés à Halifax. Ils nous parlent souvent de (leur / leurs) ville natale et nous montrent des photos de (leur / leurs) parents.

e) Sandrine oublie toujours de faire (son / ses) devoirs et me demande de l'aider.

f) (Mon / Ma) amie est très créative et très forte en informatique. (Son / Ses) jeux vidéo ont impressionné le jury du dernier concours de création.

2 Dans les phrases suivantes, mettez le déterminant possessif qui convient.

a) Cette caméra est à moi. C'est _____ caméra.

b) Ces disques sont à toi. Ce sont _____ disques.

c) Ces journaux ne sont pas à eux. Ce ne sont pas _____ journaux.

d) Cette revue est à ma mère. C'est _____ revue.

e) Ces bandes dessinées sont à moi. Ce sont _____ bandes dessinées.

f) Cette écharpe n'est pas à elle. Ce n'est pas _____ écharpe.

g) Ce film n'est pas à lui. Ce n'est pas _____ film.

h) Ces idées ne sont pas à vous. Ce ne sont pas _____ idées.

i) Ces vêtements sont à nous. Ce sont _____ vêtements.

j) Cette valise est à vous. C'est _____ valise.

k) Ce sac est à eux. C'est _____ sac.

Complétez le texte suivant avec des déterminants démonstratifs ou possessifs.

— Je me demande quoi acheter pour _____ [1] père. Pour _____ [2] mère, j'ai acheté _____ [3] livre et _____ [4] trousse de maquillage.

— Regarde _____ [5] bandes dessinées ou _____ [6] album de photos.

— Oui, bonne idée, les bandes dessinées sont _____ [7] lecture préférée.

— As-tu déjà choisi le cadeau pour _____ [8] amoureux ?

— Ah ! _____ [9] année, j'ai décidé de l'inviter à un concert donné par _____ [10] chanteur préféré. Il adore _____ [11] musique et je suis certaine qu'il appréciera _____ [12] genre de spectacle complexe.

— Et pour _____ [13] grands-parents ?

— Pour _____ [14] grands-parents ? Regarde, pour _____ [15] grand-mère, j'ai acheté _____ [16] boucles d'oreilles et _____ [17] collier et pour _____ [18] grand-père, _____ [19] cravate.

— J'espère que tu ne m'as pas oubliée, moi, _____ [20] meilleure amie...

L'ADJECTIF

Soulignez les 15 adjectifs dans le texte suivant.

Le crapaud de la canne à sucre[2]

« Il est gros, pataud, le dos couvert de pustules, avec les yeux qui lui sortent de la tête, il est franchement repoussant, néfaste, inutile… » Il est redoutable. Cet horrible crapaud est devenu l'ennemi public des agriculteurs australiens. L'Australie l'a introduit dans le nord du Queensland pour combattre les hannetons en 1935. Depuis, il s'est multiplié à une vitesse vertigineuse. Il n'est même pas assez habile pour remplir la mission qu'on lui a confiée : il est trop gros et incapable de sauter pour attraper les hannetons qui, eux, volent. Aujourd'hui, il s'attaque à tout ce qui bouge et détruit la faune locale. Les Australiens veulent s'en débarrasser depuis des années, mais n'y arrivent pas.

NOTIONS THÉORIQUES

L'adjectif est utilisé pour donner une qualité ou un défaut à un nom ou pour en préciser le sens. Il peut être placé avant ou après le **nom**.

Exemples : un **bon** ami

une correspondance assez **volumineuse**

la **deuxième** enveloppe

un **jeune** entrepreneur **dynamique**

Cet informaticien semble **génial**.

L'accord de l'adjectif

Les adjectifs sont receveurs d'accord : ils reçoivent leur genre (masc. ou fém.) et leur nombre (sing. ou plur.) du nom qu'ils accompagnent et qu'ils complètent.

Exemples : une lettre **personnelle** (fém. sing.)

Les pharmaciennes sont **absentes**. (fém. plur.)

les **vingtièmes** championnats **mondiaux** (masc. plur.)

L'accord du participe passé employé seul : l'adjectif participe

Le participe passé (PP) employé seul, c'est-à-dire sans auxiliaire, reçoit son genre et son nombre du nom qu'il complète, comme un adjectif.

Exemples : En rentrant, elle trouve les portes fermé**es**, mais les fenêtres ouvert**es**.

Nous sommes à l'heure avancé**e** de l'Est.

---

2. Le texte de cet exercice est inspiré de J. MARLÈNE, *Australie, Biodiversité*, 29 janvier 2010, http://lewebpedagogique.com/environnement/author/marlene/page/10.

Le genre de l'adjectif

En général, on ajoute un -e pour former le féminin des adjectifs.

Exemples : bavard → bavard**e**   urbain → urbain**e**

équilibré → équilibré**e**   noir → noir**e**

joli → joli**e**   mauvais → mauvais**e**

loyal → loyal**e**   petit → petit**e**

Les adjectifs se terminant déjà par un -e au masculin sont identiques au féminin.

Exemples : agréabl**e**   honnêt**e**

calm**e**   magnifiqu**e**

drôl**e**   sincèr**e**

facil**e**   tranquill**e**

Cas particuliers de la formation du féminin de l'adjectif				
Masculin	→	**Féminin**	**Exemples**	
-en	→	-enne	anci**en** →	anci**enne**
			quotidi**en** →	quotidi**enne**
-on	→	-onne	b**on** →	b**onne**
			mign**on** →	mign**onne**
-er	→	-ère	famili**er** →	famili**ère**
			enti**er** →	enti**ère**
			lég**er** →	lég**ère**
			passag**er** →	passag**ère**
-et	→	-ette	coqu**et** →	coqu**ette**
			mu**et** →	mu**ette**
	→	-ète	concr**et** →	concr**ète**
			inqui**et** →	inqui**ète**
-ot	→	-otte	s**ot** →	s**otte**
			vieill**ot** →	vieill**otte**
	→	-ote	idi**ot** →	idi**ote**
-el	→	-elle	essenti**el** →	essenti**elle**
			sensu**el** →	sensu**elle**
-il	→	-ille	gent**il** →	gent**ille**
	→	-ile	civ**il** →	civ**ile**
-ou	→	-olle	f**ou** →	f**olle**
			m**ou** →	m**olle**
-oux	→	-ouse	jal**oux** →	jal**ouse**
	→	-ousse	r**oux** →	r**ousse**
	→	-ouce	d**oux** →	d**ouce**
-eux	→	-euse	séri**eux** →	séri**euse**
			spaci**eux** →	spaci**euse**
-eur	→	-euse	ment**eur** →	ment**euse**
			trich**eur** →	trich**euse**
	→	-eure	meill**eur** →	meill**eure**
			supéri**eur** →	supéri**eure**
-eau	→	-elle	b**eau** →	b**elle**
-eil	→	-eille	par**eil** →	par**eille**
			verm**eil** →	verm**eille**

Cas particuliers de la formation du féminin de l'adjectif					
Masculin	→	**Féminin**	**Exemples**		
-if	→	-ive	agress**if**	→	agress**ive**
			craint**if**	→	craint**ive**
			créat**if**	→	créat**ive**
			v**if**	→	v**ive**
-euf	→	-euve	n**euf**	→	n**euve**
-c	→	-che	blan**c**	→	blan**che**
			fran**c**	→	fran**che**
			se**c**	→	sè**che** (ajout d'un accent)
	→	-que	publi**c**	→	publi**que** (sauf grec, grecque)
-s	→	-sse	épai**s**	→	épai**sse**
			la**s**	→	la**sse**
	→	-se	conci**s**	→	conci**se**
			préci**s**	→	préci**se**

Le nombre de l'adjectif

Généralement, le pluriel des adjectifs s'obtient en ajoutant un -s à la fin.

Exemples: un message important → des messages important**s**

une rencontre secrète → des rencontres secrète**s**

un pantalon bleu → des pantalons bleu**s**

Les adjectifs qui se terminent déjà par un -s ou un -x au singulier sont identiques au pluriel.

Exemples: un homme confu**s** → des hommes confu**s**

un animal peureu**x** → des animaux peureu**x**

Cas particuliers de la terminaison plurielle de l'adjectif					
Singulier	→	**Pluriel**	**Exemples**		
-au	→	-aux	esquim**au**	→	esquim**aux**
-eau	→	-eaux	jum**eau**	→	jum**eaux**
			nouv**eau**	→	nouv**eaux**
-eu	→	-eux	hébr**eu**	→	hébr**eux**
-al	→	-aux	géni**al**	→	géni**aux**
			provinci**al**	→	provinci**aux**
			spéci**al**	→	spéci**aux**
			soci**al**	→	soci**aux**
-al	→	-als	Suivent la règle générale en -s : ban**als**, banc**als**, fat**als**, nav**als** et nat**als**
-al	→	-als -aux	Acceptent les deux terminaisons : fin**als** ou fin**aux**, idé**als** ou idé**aux**, glaci**als** ou glaci**aux**, boré**als** ou boré**aux**, austr**als** ou austr**aux**

Certains adjectifs peuvent être employés comme adverbes ; dans ce cas d'emploi, ils sont invariables. Ils accompagnent souvent un verbe et forment ainsi une expression : *couter cher, travailler fort, voir grand, marcher droit, parler fort, manger gras, peser lourd, parler bas*.

Exemples: Ces perles coutent **cher**.

Ces jeunes hommes marchent **droit**.

Ces pierres pèsent **lourd**.

La place de l'adjectif

En général, l'adjectif se place après le nom. Mais certains adjectifs se placent avant le nom. Les adjectifs suivants sont placés :

avant le nom		après le nom		
Numéraux, ordinaux	**Fréquents et courts**	**Couleur ou forme**	**Relation ou catégorie**	**Adjectifs participes, adjectifs verbaux**
cinq	autre	bleu	solaire	connu
cinquième	beau	vert	statique	redouté
dix	bon	gris	régional	fatigué
dixième	grand	rouge	municipal	entendu
	gros	ovale	fédéral	mouvant
	jeune	carré	polonais	gagnant
	joli	rond	français	
	mauvais	courbe	québécois	
	meilleur			
	petit			
	pire			
	vieux			
	nouveau			

Les adjectifs *dernier* et *prochain* se placent :

avant le nom → pour les séries	**après le nom** → pour les dates
le dernier train	mardi dernier
le dernier roman	la semaine dernière
la prochaine élection	l'été prochain
le prochain film	en mai prochain

Attention ! Les adjectifs *beau*, *vieux* et *nouveau* deviennent *bel*, *vieil* et *nouvel* devant un nom masculin commençant par une voyelle ou un *h* muet (*h* qu'on ne prononce pas).

Exemples : un ~~vieux~~ ordinateur → un vieil **o**rdinateur

un ~~vieux~~ hippopotame → un vieil **h**ippopotame

un ~~beau~~ appartement → un bel **a**ppartement

un ~~beau~~ harmonica → un bel **h**armonica

un ~~nouveau~~ avion → un nouvel **a**vion

un ~~nouveau~~ hippodrome → un nouvel **h**ippodrome

EXERCICES

1 À l'aide de votre dictionnaire et du tableau *Les terminaisons et le genre des noms*, (p. 121 et 122) vérifiez si le nom est masculin ou féminin, puis accordez correctement le déterminant et l'adjectif dans les phrases suivantes.

a) Un___ ascenseur (vitré) _____

b) Un___ aventure (périlleux) _____

c) Un___ appartement (neuf) _____

d) Un___ ressource (naturel) _____

e) Un___ action (concret) _____

f) Un___ tâche (titanesque) _____

g) Un___ fillette (bavard) _____

h) Un___ avion (régional) _____

i) Un___ étudiante (poli) _____

i) Un___ amie (attentif) _____

2 Dans les phrases suivantes, écrivez correctement les adjectifs.

a) De (nouveau) _____ rumeurs

b) De (vieil) _____ journaux

c) De (meilleur) _____ idées

d) De (beau) _____ histoires

e) De (gros) _____ citrouilles

f) Des élections (municipal) _____

g) Des pays (natal) _____

h) Des teintures (roux) _____

i) Des insultes (personnel) _____

j) Des maisons (ancien) _____

3 Accordez les adjectifs dans le texte suivant.

Chloé avait mis sa jupe (brun) _____ [1] et sa chemise (vert) _____ [2]. Elle avait enfilé des bottes (noir) _____ [3] et avait posé sur ses cheveux (blond) _____ [4] une (joli) _____ [5] (petit) _____ [6] casquette (bleu) _____ [7]. Elle avait les yeux légèrement (maquillé) _____ [8] et ses (long) _____ [9] cheveux étaient (retenu) _____ [10] par un élastique. La température était (doux) _____ [11]. Elle est sortie et elle avançait sur la route d'un pas (léger) _____ [12]. Elle était (heureux) _____ [13], car elle venait d'apprendre une (bon) _____ [14] nouvelle : jeudi (dernier) _____ [15], Éva, sa (meilleur) _____ [16] amie, avait décroché la (premier) _____ [17] place au concours (régional) _____ [18] de la chanson (québécois) _____ [19]. Ce soir-là, les deux amies allaient fêter cet évènement d'une manière (original) _____ [20].

4 Dans les phrases suivantes, placez l'adjectif avant ou après le nom en gras. Accordez-le correctement.

a) (financier) La _____ **crise** _____ touche beaucoup de pays.

b) (prochain) La _____ **saison** _____ théâtrale commence le 18 septembre.

c) (beau) L'année passée, nous n'avons pas eu un _____ **hiver** _____ .

d) (dernier) Les _____ **jugements** _____ de la Cour suprême m'ont choquée.

e) (courbe) Thomas dessinait-il des _____ **lignes** _____ sur sa feuille ?

f) (vieux) Un _____ **hindou** _____ habite au deuxième étage de mon immeuble.

g) (mouvant) C'est une région où il n'y a pas beaucoup de _____ **sables** _____ .

h) (essentiel) Utilisez-vous des _____ **huiles** _____ ?

LE PRONOM PERSONNEL

ANTICIPATION

Lisez le courriel suivant. Indiquez au-dessus des pronoms personnels en gras le mot qu'ils remplacent.

Salut Sacha,

*Célia, ma meilleure amie, est en train de réaliser un reportage sur le plagiat chez les étudiants du collégial. **Elle me** montre chaque jour son travail. **Je la** trouve très courageuse et **je lui** ai dit à plusieurs reprises que ce film **lui** apportait beaucoup de joie et **la** rendait unique. **Je lui** ai aussi promis de **l'**aider à **le** publier. **Je** sais que **tu** connais plein de gens dans le milieu, penses-**tu** pouvoir **nous** aider?*

Alice

NOTIONS THÉORIQUES

Le pronom personnel est utilisé pour remplacer un mot ou un groupe de mots qui a déjà été mentionné ou qui est connu. Le mot ou le groupe de mots remplacé est l'antécédent.

Exemple: Le moniteur de ski a parlé aux enfants.
Il leur a expliqué comment descendre la pente.

Le pronom personnel joue un rôle important dans le texte. Il évite de répéter un mot ou un groupe de mots.

Exemple: Ma mère téléphone à mon frère. Ma mère demande à mon frère si mon frère veut venir au cinéma avec **ma mère et moi**.
Ma mère téléphone à mon frère. Elle lui demande s'il veut venir au cinéma avec **nous**.

Les formes et les fonctions des pronoms personnels

Personne	Sujet	Complément direct (CD)	Complément indirect (CI)
1re sing.	je	me, moi	me, moi
2e sing.	tu	te, toi	te, toi
3e sing.	il, elle, on	le, la, se	lui, elle, soi, se
1re plur.	nous	nous	nous
2e plur.	vous	vous	vous
3e plur.	ils, elles	les, se	leur, eux, elles, se

Théorie	Exemples
Le pronom personnel est un mot variable : sa forme change selon le genre (masculin ou féminin), le nombre (singulier ou pluriel), la personne (1re, 2e ou 3e) et la fonction dans la phrase (sujet, CD, CI, etc.).	Les étudiantes ont manifesté ce matin. **Elles** réclamaient plus de professeurs. Jean embrasse ses parents. **Il les** embrasse.
À la 3e personne, c'est l'antécédent (le noyau du GN) qui donne le genre et le nombre au pronom.	[La directrice] a parlé [aux *professeurs*]. → **Elle leur** a parlé.
Le pronom personnel est donneur d'accord :	
• Le verbe se conjugue en personne (1re, 2e ou 3e) et en nombre (singulier ou pluriel) avec le pronom personnel sujet.	**Elles** ne dis**ent** pas la vérité. **Vous** nous remerci**ez**. **Tu** manger**as** au restaurant.
• L'adjectif qui se rattache à un pronom personnel sujet reçoit son accord de ce pronom.	**Elles** sont attentiv**es** et motiv**ées**.
• Le participe passé conjugué avec *être* reçoit son accord du pronom personnel sujet.	**Elles** étaient parti**es** deux semaines. **Ils** sont revenu**s** au bout de trois jours.

Particularités de certains pronoms personnels

Les pronoms personnels précédés d'une préposition (*à, de, pour, sur*, etc.)	Exemples
Après une préposition, on utilise le pronom personnel sous sa forme tonique : *moi, toi, soi, lui, elle, nous, vous, eux, elle*.	Messieurs, le directeur s'adresse *à* **elles** et non *à* **vous**. (CI) Il faut parler *d'***eux** dans les médias. La direction compte *sur* **nous**. (CI) *Pour* **lui**, je ferais n'importe quoi. *Sans* **elle**, je ne pourrais réussir. (CP)

Le pronom *vous* et le vouvoiement	Exemples
Le pronom personnel *vous* désigne généralement plusieurs personnes (pluriel de *tu*), mais il peut désigner une seule personne dans les formules de politesse quand le vouvoiement est exigé. Il prend alors le genre de l'antécédent.	*Madame Joly*, **vous** serez reçu**e** avec enthousiasme par nos étudiants. (fém. sing.) *Albert*, que diriez-**vous** si la direction **vous** offrait le poste de directeur général ? (masc. sing.)

Le pronom *lui*	Exemples
L'antécédent du pronom *lui* peut aussi bien être masculin que féminin lorsque le pronom est placé avant le verbe (ou après, lorsque le verbe est conjugué au mode impératif).	Je permets *à ton fils* de venir à la maison. Je **lui** permets de venir à la maison. Tu fais plaisir *à Maria*. Tu **lui** fais plaisir.
Lorsque le pronom *lui* est utilisé sous sa forme tonique (et qu'il est donc placé après le verbe), son antécédent est nécessairement masculin ; on emploie le pronom *elle* lorsque l'antécédent est féminin.	*Ma sœur* aime beaucoup **son professeur de français**. Elle parle toujours de **lui**. (antécédent masculin) Ma mère s'appelle *Martine*. Je pense souvent à **elle**. (antécédent féminin)
Le pronom personnel *leur* (CI) se place toujours avant le verbe et ne prend jamais la marque du pluriel, même s'il représente plusieurs personnes.	Cédric, Justin et Charles ont travaillé dans les champs de l'Estrie tout l'été. Ce travail **leur** a permis d'économiser assez d'argent pour partir en voyage pendant un an.
Il ne faut pas le confondre avec le déterminant possessif (*leur, leurs*), qui marque la possession et qui accompagne un nom.	Nous ne connaissons pas **leur** projet, mais **leurs** parents ne sont pas inquiets.

L'ordre des pronoms devant le verbe

sujet (+ ne/n') +	1er rang me (m'), te (t'), se (s'), nous, vous	2e rang le (l'), la (l'), les	3e rang lui, leur	+ verbe / auxiliaire (+ pas) (+ participe passé)
Exemples	Ma copine, je **te la** présente ce soir. Elles ne **nous** ont pas téléphoné. Les livres, nous **les** avons vendus. Tu ne **la lui** vends pas. Il **le leur** a acheté.			

Inspiré de : Mélanie AMIOT, « Quelques pistes pour enseigner aux allophones », *Correspondance*, vol. 12, n° 3, février 2007. http://correspo.ccdmd.qc.ca/Corr12-3/Pistes.html.

Aux temps simples (présent, imparfait, futur), les marqueurs de négation se placent avant et après le bloc formé des pronoms personnels compléments + le verbe.

Exemples : Je ne les **connais** pas. Tu ne me la **présentes** pas. Nous ne te le **dirons** pas.

Au passé composé, les marqueurs de négation se placent avant et après le bloc formé des pronoms personnels compléments + l'auxiliaire (*avoir* ou *être*).

Exemples : Il ne lui **a** jamais téléphoné. Vous ne la leur **avez** pas vendue cher.

Je ne les **ai** plus revus.

EXERCICES

1 Dans les phrases suivantes, remplacez les mots soulignés par le pronom personnel sujet approprié. N'oubliez pas de mettre la majuscule si le mot commence la phrase.

a) Amanda (_____) fait son stage dans une pharmacie de son quartier.

b) Ton livre (_____) est sur le bureau de Monique.

c) Christian et son frère (_____) ont mis au point un nouveau jeu vidéo.

d) Karine, ses amis et moi (_____) avons passé l'été à Tadoussac.

e) Les baleines (_____) constituent une grande attraction dans cette région-là.

f) Avant de passer à table, mes frères et ma mère (_____) prennent un apéritif.

g) Les vols à destination de Rome (_____) ont eu du retard.

h) Les étudiantes (_____) ont réclamé plus de cours de yoga.

i) Ta copine et toi (_____) avez choisi d'être maitres-nageuses.

j) Ton professeur de physique (_____) vient de publier un roman de science-fiction.

2 Dans les phrases suivantes, inscrivez au-dessus des mots soulignés s'il s'agit d'un déterminant (D), d'un pronom personnel sujet (S), complément direct (CD) ou complément indirect (CI).

a) Je te parle de mes projets.

b) Ce livre me semble intéressant.

c) Leur fille leur raconte toutes ses aventures.

d) Vous nous faites confiance.

e) Je <u>vous</u> conseille d'être prudents.

f) <u>Ils</u> <u>se</u> parlent souvent de <u>leurs</u> sorties.

g) <u>Notre</u> entraineur <u>lui</u> parle calmement.

3 Dans le texte ci-dessous, pour éviter la répétition du nom *David*, remplacez-le par un pronom. Réécrivez les deux paragraphes.

David est étudiant en sciences. David aime beaucoup étudier et ses parents étaient très contents, car ils voyaient déjà David en médecine.

Cette semaine, j'ai vu David à la bibliothèque en train de lire un gros livre sur la civilisation grecque. J'ai demandé à David quelles étaient ses intentions. David m'a répondu : « Ça y est. J'ai réussi à convaincre mes parents. Je vais faire des études d'anthropologie. »

_____

_____

_____

_____

_____

_____

4 Dans la colonne de droite, soulignez les noms qui peuvent remplacer les pronoms personnels compléments en gras de la colonne de gauche.

a) Je **les** connais depuis plusieurs années.	ces garçons / ce garçon
b) Tu **le** parles bien.	le français / la langue française
c) Elle **les** réussit toujours.	son examen / ses examens
d) Nous **l'**appelons régulièrement.	ma mère / nos amis
e) Elle **la** regarde très attentivement.	la fille / le livre
f) Il **le** cherche depuis une semaine.	ce dossier / cette revue
g) Vous **la** voyez à l'entrée du théâtre.	cette actrice / cet acteur

5 Réécrivez chaque phrase ci-dessous en remplaçant le CD souligné par le bon pronom.

a) J'ai vu <u>ce film</u> deux fois. _____

b) Tu dois relire <u>ces articles</u>. _____

c) Est-ce que tu peux me passer <u>cette robe</u> ? _____

d) Est-ce que tu connais son <u>voisin Cédric</u> ? _____

e) Nous avons déjà croisé <u>cette femme</u>. _____

6 Réécrivez chaque phrase ci-dessous en remplaçant le CI souligné par le bon pronom.

a) Tu parles trop souvent <u>à tes amis</u>. _____

b) Elle offre un cadeau <u>à son patron</u>. _____

c) Ils vendront leur maison <u>à ce jeune couple</u>. _____

d) Est-ce que vous faites confiance <u>à ces gens</u> ? _____

e) On demande <u>aux spectateurs</u> d'éteindre leurs téléphones. _____

7 Dans le texte ci-dessous, choisissez la forme correcte du pronom personnel.

Carmen fait du bénévolat dans une garderie. Elle adore les enfants. Chaque vendredi, elle (les / leur) raconte des histoires et (les / leur) accompagne au parc. Les enfants (la / lui) trouvent drôle et gentille et viennent (la / lui) dire bonjour dès qu'ils (la / lui) voient. À la fin de la journée, ils (la / lui) serrent dans leurs bras, lui déposent un baiser sur les joues et (la / l') invitent à revenir (les / leur) voir.

8 Remplacez les mots en gras ci-dessous par le pronom personnel CD ou CI approprié.

a) Je connais **ce professeur** depuis deux ans. Je _____ connais depuis deux ans.

b) Julie appelle **son frère** tous les soirs. Julie _____ appelle tous les soirs.

c) Ces enfants n'obéissent pas **à leurs parents**. Ces enfants ne _____ obéissent pas.

d) Je n'aime pas du tout **ce projet**. Je ne _____ aime pas du tout.

e) Nous ne posons jamais de questions **à cette dame**. Nous ne _____ posons jamais de questions.

f) Diana m'a donné **son stylo**. Diana me _____ a donné.

9 Réécrivez les phrases suivantes comme dans l'exemple.

Exemple : Je vois mes parents demain. → Je les vois demain.

a) Karim demande **à Sarah** son adresse. _____

b) Silvia présente **son petit ami** à sa sœur. _____

c) Silvia présente son petit ami **à sa sœur**. _____

d) Tu connais **mes professeurs de sciences** ? _____

e) Je ne regarde pas **la télévision** tous les jours. _____

f) Il dit bonjour **à ses voisins** le matin. _____

10 Complétez le courriel ci-dessous avec les pronoms compléments convenables.

Bonjour Christine,

Je ne _____ ¹ réponds qu'aujourd'hui, parce que j'ai été très occupée.

Tu _____ ² as demandé de _____ ³ informer s'il reste des places pour la sortie au mont Saint-Sauveur. J'ai rencontré le moniteur hier et je lui ai posé la question. Il _____ ⁴ a répondu qu'il pouvait _____ ⁵ accepter dans notre groupe, mais qu'il devait d'abord _____ ⁶ connaitre et _____ ⁷ présenter aux autres étudiants. Tu vas voir. Ils sont tellement drôles ! Ils ne _____ ⁸ gênent pas pour raconter tout ce qui leur passe par la tête. De plus, ils vont _____ ⁹ aider, car ils sont très forts en ski.

À très bientôt !

Laura

LE VERBE

1 Les groupes du verbe (GV) ont été encadrés par deux crochets : [ ]. Soulignez le verbe de chaque GV.

Un nouveau type de gomme à mâcher [vient d'être inventé] : il [s'agit d'une gomme à mâcher biologique et biodégradable]. Cette gomme [ne colle pas sur l'asphalte de nos routes] et elle [ne contient aucun agent conservateur ni colorant]. Quand elle [est déshydratée], ce qui [ne prend que quelques semaines], cette gomme idéale [se transforme en poudre]. Les services de nettoyage des villes [ont de bonnes raisons de se réjouir] car, grâce à cette invention, le nettoyage des gommes à mâcher sur les trottoirs [va peut-être devenir une chose du passé]. La conception de cette gomme nommée Chicza [se fait au Mexique, grâce à la sève d'un arbre] que l'on [retrouve en Amérique centrale et dans le Yucatán].[3]

2 Donnez l'infinitif des verbes noyaux soulignés dans l'exercice précédent et classez-les dans le tableau suivant.

Les verbes réguliers		Les verbes irréguliers
en *-er*	en *-ir* (issant)	en *-ir* (ant), en *-re*, en *-oir* et *aller*

Le groupe du verbe (GV)

Le GV peut contenir un verbe seul ou un verbe accompagné d'une ou de plusieurs expansions.

Exemples : Verbe seul

L'autobus [**part**]. [**Cours**] !
GNsujet   GV   GV

Verbe + expansion(s)

Ma sœur [**manque** *son train*].
GN

Ma sœur [*me* **manque** *beaucoup*].
Pron   GAdv

Ma sœur [**est** *toujours sociable et agréable*].
GAdj

Ma sœur [*me* **fait** *rire*].
Pron   GVInf

---

3. Le texte de cet exercice est inspiré de Jean-François SCHWAB, « La gomme à mâcher biodégradable qui ne colle pas au bitume ! », *L'actualité*, 2 novembre 2009, www.lactualite.com/sante-et-science/science/a-gomme-a-macher-biodegradable-qui-ne-colle-pas-au-bitume.

GRAMMAIRE

Les verbes réguliers et les verbes irréguliers

	Précisions	Exemples
Verbes réguliers	Tous les verbes en -*er* (excepté le verbe *aller*)	aim**er**, parl**er**, demand**er**, etc.
	Tous les verbes en -*ir,* qui font -*issant* au participe présent. **Exemple :** finir → finissant	chois**ir**, bât**ir**, nourr**ir**, réfléch**ir**, un**ir**, franch**ir**, garant**ir**, obé**ir**, sais**ir**, grand**ir**, maigr**ir**, mur**ir**, raccourc**ir**, roug**ir**, blanch**ir**, vieill**ir**, etc.
Verbes irréguliers	Tous les verbes en -*re*, -*oir* et -*ir* qui ne font pas -*issant* au participe présent et le verbe *aller*.	abatt**re**, nait**re**, êt**re**, mett**re**, fond**re**, rend**re**, peind**re**, croi**re**, boi**re**, produi**re**, voul**oir**, pouv**oir**, ass**oir**, av**oir**, sav**oir**, ven**ir**, part**ir**, obten**ir**, ment**ir**, ouvr**ir**, **aller**, etc.

Les conjugaisons
Le présent de l'indicatif

[ANTICIPATION

Conjuguez les verbes suivants au présent de l'indicatif.

Vous (vouloir) _____ [1] savoir ce que vos enfants (faire) _____ [2] avec leur téléphone portable ? Vous (se demander) _____ [3] à qui votre conjoint (parler) _____ [4] à deux heures du matin ? La société américaine Taser, celle qui (être) _____ [5] connue pour ses pistolets électriques, (venir) _____ [6] d'inventer une application pour les téléphones portables. Grâce à cette application, vous (pouvoir) _____ [7] transférer sur votre propre téléphone toutes les informations qui (entrer) _____ [8] ou qui (sortir) _____ [9] d'un autre appareil. On (appeler) _____ [10] cette invention le Mobile Protector et la compagnie (prétendre) _____ [11] qu'elle (pouvoir) _____ [12] aider les parents à protéger leurs enfants.[4]

[NOTIONS THÉORIQUES

LA FORMATION DU PRÉSENT DE L'INDICATIF

	Les verbes réguliers					
	en -*er*			en -*ir* (-*issait*, -*issant*)*		
	parler	**étudier**	**créer**	**finir**	**saisir**	**grandir**
je / j'	parl **e**	étudi **e**	cré **e**	fin **is**	sais **is**	grand **is**
tu	parl **es**	étudi **es**	cré **es**	fin **is**	sais **is**	grand **is**
il / elle / on	parl **e**	étudi **e**	cré **e**	fin **it**	sais **it**	grand **it**
nous	parl **ons**	étudi **ons**	cré **ons**	fin **issons**	sais **issons**	grand **issons**
vous	parl **ez**	étudi **ez**	cré **ez**	fin **issez**	sais **issez**	grand **issez**
ils / elles	parl **ent**	étudi **ent**	cré **ent**	fin **issent**	sais **issent**	grand **issent**

* Comme *agir, bâtir, choisir, nourrir, réfléchir, rougir, vieillir*, etc.

---

4. Texte inspiré de Valérie BORDE, « 35 interventions qui vont tout changer », *L'actualité*, 8 décembre 2010, www.lactualite.com/science/35-inventions-qui-vont-tout-changer.

Les verbes irréguliers*								
	rendre	**mettre**	**naitre**	**pouvoir**	**savoir**	**venir**	**partir**	**aller**
je	rends	mets	nais	peux	sais	viens	pars	vais
tu	rends	mets	nais	peux	sais	viens	pars	vas
il / elle / on	rend	met	nait	peut	sait	vient	part	va
nous	rendons	mettons	naissons	pouvons	savons	venons	partons	allons
vous	rendez	mettez	naissez	pouvez	savez	venez	partez	allez
ils / elles	rendent	mettent	naissent	peuvent	savent	viennent	partent	vont

	être	**avoir**	**faire**	**dire**	**rire**	**vaincre**	**craindre**	**peindre**
je / j'	suis	ai	fais	dis	ris	vaincs	crains	peins
tu	es	as	fais	dis	ris	vaincs	crains	peins
il / elle / on	est	a	fait	dit	rit	vainc	craint	peint
nous	sommes	avons	faisons	disons	rions	vainquons	craignons	peignons
vous	êtes	avez	faites	dites	riez	vainquez	craignez	peignez
ils / elles	sont	ont	font	disent	rient	vainquent	craignent	peignent

* Pour les autres verbes irréguliers, consultez *L'art de conjuguer* de Bescherelle, édition 2006 ou suivantes.

Les verbes pronominaux					
Verbes qui commencent par une consonne			**Verbes qui commencent par une voyelle**		
se promener			**s'étirer**		
je	**me**	promène	je	**m'**	étire
tu	**te**	promènes	tu	**t'**	étires
il / elle / on	**se**	promène	il / elle / on	**s'**	étire
nous	**nous**	promenons	nous	**nous**	étirons
vous	**vous**	promenez	vous	**vous**	étirez
ils / elles	**se**	promènent	ils / elles	**s'**	étirent

Quelques particularités des verbes au présent de l'indicatif selon la terminaison		
Terminaisons à l'infinitif	**Particularités**	**Exemples**
-cer	*c* → *ç* devant une terminaison commençant par *o* Attention ! Jamais de cédille devant le *e* ou le *i*.	je lance, nous lan**ç**ons, ils lancent
-ger	*g* → *ge* devant une terminaison commençant par *o*	on mange, nous man**ge**ons, ils mangent
-yer	*y* → *i* devant un *e* muet (qu'on ne prononce pas)	j'emplo**ie**, tu envo**ies**, il se no**ie**, ils essu**ient**
	Attention ! Les verbes en *-ayer* peuvent conserver le *y* ou changer celui-ci en *i*.	je pa**ie**/pa**ye**, ils pa**ient**/pa**yent**
-é_er *-e_er*	*é* → *è* (préférer, espérer, compléter, céder)	je préf**è**re, tu esp**è**res
	e → *è* (lever, promener, acheter, amener) devant une syllabe muette	on se l**è**ve, elles ach**è**tent, tu g**è**les
	Attention ! Les verbes *jeter* et *appeler* (et les mots de leur famille) doublent le *t* ou le *l* devant un *e* muet.	tu je**tt**es, on appe**ll**e, elles se rappe**ll**ent, ils reje**tt**ent
-vrir *-llir* *-frir*	Au présent, certains verbes, comme *ouvrir, couvrir, recouvrir, cueillir, accueillir, recueillir, offrir* et *souffrir*, se conjuguent comme les verbes en *-er* aux trois pers. du sing. et à la 3e pers. du plur.	j'ouvr**e**, tu cueill**es**, on offr**e**, elles souffr**ent**

LA FORME NÉGATIVE DU PRÉSENT DE L'INDICATIF

Emplois	Forme affirmative	Forme négative
Devant un verbe qui commence par une consonne	Je parle espagnol.	Je **ne** parle **pas** espagnol.
Devant un verbe qui commence par une voyelle	Il apprend le mandarin.	Il **n'**apprend **pas** le mandarin.
Devant un verbe pronominal qui commence par une consonne	Tu te lèves tôt.	Tu **ne** te lèves **jamais** tôt.
Devant un verbe pronominal qui commence par une voyelle	Ils s'appellent souvent.	Ils **ne** s'appellent **pas** souvent.

Attention! On ne sépare jamais le pronom complément du verbe: on place les deux adverbes de négation avant et après le bloc formé par le pronom et le **verbe**.

Exemples: Ils ne s'**appellent** pas.

Tu ne te **lèves** jamais tôt.

LA FORME INTERROGATIVE DU PRÉSENT DE L'INDICATIF

Voici trois formes d'interrogations.

1 Avec intonation montante: Tu vas chez elle?
(du grave vers l'aigu) Elle va chez elle?

2 Avec *est-ce que*: **Est-ce que** tu vas chez elle?
Est-ce qu'elle va chez elle?

3 Avec inversion du sujet: Vas-tu chez elle?
Va-t-elle chez elle?

Attention! On ajoute un *t* qu'on encadre de deux traits d'union entre le verbe et le sujet inversés si le verbe se termine par une voyelle et que le sujet commence aussi par une voyelle (va-elle manger → va-**t**-elle manger).

L'EMPLOI DU PRÉSENT DE L'INDICATIF

Emplois	Exemples
Pour exprimer un fait qui a lieu au moment où l'on parle.	Mario **mange** des pommes de terre. Johanne **visite** la ville de Santiago.
Pour exprimer un fait toujours vrai.	La Terre **est** ronde. Il **neige** en hiver.
Pour exprimer un fait habituel.	Le samedi, je **lis** le journal. Dans le métro, je **fais** des sudokus.
Pour exprimer un fait qui se réalisera dans peu de temps.	On **se parle** plus tard. Je te **vois** au cinéma tantôt.
Pour exprimer un fait historique; c'est le présent historique.	En 1492, Christophe Colomb **découvre** l'Amérique. En 1976, les Jeux olympiques d'été **se tiennent** à Montréal.
Comme temps principal dans un récit, c'est le présent de narration.	Francine **a** peur, alors elle **se met** à courir. Elle **franchit** la porte, elle **sort** et se **retourne**.

1 Mettez au présent de l'indicatif les verbes suivants.

a) Il (marcher) _____ vite.

b) Nous (aimer) _____ aller au restaurant.

c) Tu (penser) _____ souvent à ta copine.

d) Vous (chercher) _____ des informations.

e) Elles (regarder) _____ une comédie romantique.

f) On (apprécier) _____ un service courtois.

g) Elle (imaginer) _____ se marier avec lui.

h) Ils (parler) _____ tout le temps.

i) Je (manquer) _____ de temps.

2 Mettez au présent de l'indicatif les verbes suivants.

a) changer   Tu _____ d'avis. Nous _____ d'avis.

b) payer   On _____ la facture. Vous _____ la facture.

c) jeter   Je _____ ce déchet. Nous _____ ce déchet.

d) acheter   Elle _____ le journal. Vous _____ le journal.

e) préférer   Tu _____ le cinéma. Vous _____ le cinéma.

f) lancer   Il _____ la balle. Nous _____ la balle.

g) amener   On _____ sa fille. Vous _____ sa fille.

h) exagérer   Elle _____ toujours. Nous _____ toujours.

i) considérer Je _____ son argument. Vous _____
son argument.

j) manger   Nous _____ un hamburger. Elles _____
un hamburger.

3 Mettez au présent de l'indicatif les verbes suivants et associez le verbe au bon complément.

a) s'appeler   Il _____   **1** dans le parc.

b) se lever   Nous _____   **2** à l'intersection.

c) s'inquiéter   Je _____   **3** dans son lit.

d) se promener   On _____   **4** les mains.

e) s'habiller   Vous _____   **5** de tes notes en français.

f) s'essuyer   Tu _____   **6** chaudement en hiver.

g) se coucher   Elle _____   **7** quand ils voyagent.

h) s'arrêter   Nous _____   **8** trop tôt.

i) se reposer   Ils _____   **9** si tu dis la vérité.

j) se demander   Je _____   **10** Yann.

GRAMMAIRE

4 Mettez les verbes suivants au présent de l'indicatif.

a) dormir : nous _____

b) mentir : vous _____

c) rôtir : nous _____

d) mourir : vous _____

e) rougir : nous _____

f) tenir : vous _____

g) choisir : nous _____

h) venir : vous _____

i) partir : nous _____

5 Mettez les verbes suivants au présent de l'indicatif.

Vous en (avoir) _____ [1] assez des problèmes de trafic ? Vous (aller) _____ [2] être heureux d'apprendre qu'on (venir) _____ [3] d'inventer un nouveau type d'autobus : le 3D Express Coach. On le (décrire) _____ [4] comme un bus surélevé qui (se conduire) _____ [5] à une vitesse de 40 km/h. Chaque wagon (pouvoir) _____ [6] transporter trois-cents usagers, ce qui (réduire) _____ [7] la congestion. Ce type de réseau (prendre) _____ [8] peu de temps à construire. La ville de Pékin (devoir) _____ [9] commencer des travaux d'aménagement prochainement et les citoyens (se réjouir) _____ [10] d'être les premiers usagers à accueillir ce nouveau mode de transport dans leur ville.[5]

6 Mettez les verbes suivants au présent de l'indicatif.

Nous n'(avoir) _____ [1] plus rien en commun : quand nous (se parler) _____ [2], nous (employer) _____ [3] des mots insultants, quand nous (se voir) _____ [4], nous (s'agacer) _____ [5]. Nous (se fuir) _____ [6]. Tu n'(acheter) _____ [7] plus rien pour moi, tu ne m'(offrir) _____ [8] plus de cadeaux à mon anniversaire, tu ne m'(amener) _____ [9] plus au restaurant, tu n'(ouvrir) _____ [10] plus la porte de la voiture pour moi. Tu ne m'(appeler) _____ [11] plus le jour pour me dire que tu m'(aimer) _____ [12]. Quand nous (passer) _____ [13] un moment ensemble, tu (s'ennuyer) _____ [14]. Nous (changer) _____ [15].

7 Mettez les verbes suivants au présent de l'indicatif.

(Aimer, interrogation avec inversion) _____ [1] vous les sensations fortes ? Quand vous (se rendre) _____ [2] au cinéma, vous (s'attendre, interrogation avec inversion) _____ [3] à ressentir physiquement les émotions vécues par les personnages ? Vous (se dire) _____ [4] probablement que non, puisque vous (avoir, forme négative) _____ [5] encore essayé la nouvelle veste créée par Philips. Cette veste « émotionnelle » (transmettre) _____ [6] aux spectateurs les émotions vécues par les personnages. Par exemple, si votre héroïne (vivre) _____ [7]

5 et 6 : Texte inspiré de Valérie BORDE, « 35 interventions qui vont tout changer », *L'actualité*, 8 décembre 2010, www.lactualite.com/science/35-inventions-qui-vont-tout-changer.

une expérience angoissante, votre veste (rétrécir) _____ [8] et (se contracter)

_____ [9] sur votre poitrine. Elle (ressentir) _____ [10] un stress

intense et elle (pouvoir, forme négative) _____ [11] bouger ? Votre veste

(créer) _____ [12] une pression sur votre ventre et elle (serrer) _____ [13]

votre estomac. Comment (croire, interrogation avec inversion) _____ [14]

que la veste (réagir) _____ [15] si votre héroïne (mourir) _____ [16] ?

C'(être) _____ [17] ce que vous (aller) _____ [18] découvrir en essayant cette

nouvelle veste.[6]

L'imparfait

[ANTICIPATION]

Mettez les verbes suivants à l'imparfait.

Quand j'(avoir) _____ [1] ton âge, j'(être) _____ [2] très prudente, car je (ne

pas vouloir) _____ [3] qu'on découvre mes trucs. Je (placer) _____ [4]

astucieusement mes mains et les gens (ne plus pouvoir) _____ [5] voir ce que

j'en (faire) _____ [6] . Pour déconcentrer mon auditoire, parfois je (crier) _____ [7]

et je lui (demander) _____ [8] de répéter, et alors, tous nous (crier) _____ [9]

ensemble. Ces subterfuges (viser) _____ [10] à détourner l'attention des spectateurs.

Quand je (sentir) _____ [11] qu'ils me (regarder) _____ [12] tous dans

les yeux, je (changer) _____ [13] la balle de place. Ensuite, ils (essayer)

_____ [14] de la trouver, mais ils (ne pas pouvoir) _____ [15] . On (dire)

_____ [16] que j'(avoir) _____ [17] beaucoup de talent comme magicienne.

C'est avec l'argent gagné avec la magie que nous (payer) _____ [18] le loyer, ton

père et moi, pendant nos études.

[NOTIONS THÉORIQUES]

LA FORMATION DE L'IMPARFAIT

Les terminaisons des verbes conjugués à l'imparfait sont toujours les mêmes :

je / j'	→ ais*
tu	→ ais*
il / elle / on	→ ait*
nous	→ ions
vous	→ iez
ils / elles	→ aient*

* Toutes ces terminaisons se prononcent de la même façon : [ɛ] ; seule l'orthographe est différente.

Pour former le radical des verbes conjugués à l'imparfait, il faut retrouver le radical de ce verbe quand il est conjugué avec le pronom *nous* au présent de l'indicatif.

Exemple : Le verbe *faire* : nous fais~~ons~~ → le radical est : **fais**

je	**fais** ais	nous	**fais** ions
tu	**fais** ais	vous	**fais** iez
il	**fais** ait	ils	**fais** aient

Attention ! Une seule exception à cette règle : pour le verbe *être*, le radical est *ét-*.

j'	**ét**	ais
tu	**ét**	ais
il / elle / on	**ét**	ait
nous	**ét**	ions
vous	**ét**	iez
ils / elles	**ét**	aient

Quelques particularités des verbes à l'imparfait selon la terminaison		
Terminaisons à l'infinitif	Particularités	Exemples à l'imparfait
-cer	*c → ç* devant une terminaison commençant par *a* Attention ! Jamais de cédille devant le *e* ou le *i*.	j'avan**ç**ais, tu pla**ç**ais, on se ber**ç**ait, nous commencions, vous effaciez, ils grima**ç**aient
-ger	*g → ge* devant une terminaison commençant par *a*	je/tu diri**ge**ais, il voya**ge**ait, nous déménagions, elles na**ge**aient
-ier *-yer*	À l'imparfait, certains verbes, comme *crier*, *photocopier*, *étudier* et *payer*, conservent le *i* ou le *y* du radical devant les terminaisons *-ions* et *-iez*.	je criais, nous cri**i**ons, il étudiait, vous étud**ii**ez On payait Nous pa**y**ions

P. 112-113 G »

LA FORME NÉGATIVE DE L'IMPARFAIT

Emplois	Forme affirmative	Forme négative
Devant un verbe qui commence par une consonne	Je parlais espagnol.	Je **ne** parlais **pas** espagnol.
Devant un verbe qui commence par une voyelle	Il apprenait le mandarin.	Il **n'**apprenait **pas** le mandarin.
Devant un verbe pronominal qui commence par une consonne	Tu te levais tôt.	Tu **ne** te levais **jamais** tôt.
Devant un verbe pronominal qui commence par une voyelle	Ils s'appelaient souvent.	Ils **ne** s'appelaient **pas** souvent.

Attention ! On ne sépare jamais le pronom complément du verbe : on place les deux adverbes de négation <u>avant</u> et <u>après</u> le bloc formé par le pronom et le verbe.

Exemple : Ils <u>ne</u> s'**appelaient** pas souvent.

LA FORME INTERROGATIVE DE L'IMPARFAIT

Voici trois formes d'interrogations.

1 Avec intonation montante: (du grave vers l'aigu)   Tu marchais dans le parc ? Ils marchaient dans le parc ?

2 Avec *est-ce que* :   **Est-ce que** tu portais ton manteau ? **Est-ce qu'**elle portait son manteau ?

3 Avec inversion du sujet :   Prenait-il son temps ? Prenaient-ils leur temps ?

L'EMPLOI DE L'IMPARFAIT

Emplois	Précisions	Exemples
Faire une description d'une situation du passé.	État physique ou psychologique, circonstances, contexte, conditions météorologiques, etc.	Il **pleuvait**. Nous **étions** fatigués. La forêt nous **entourait**. C'**était** horrible.
Donner une explication relative à une situation du passé.	Raison ou cause des évènements. Astuce : L'utilisation des termes *parce que* ou *car* implique généralement des explications.	Nous **étions** fatigués parce que nous **avions** faim. Malgré tout, nous **marchions**, car nous **voulions** retrouver notre chemin.
Référer à une action répétitive ou à une habitude du passé.	Action qui s'est reproduite un certain nombre de fois dans le passé.	Toutes les heures, nous **arrêtions** quelques minutes pour nous reposer. Nous **venions** ici tous les ans quand j'**étais** petite.
Établir la cohésion temporelle.	Action qui était en train de se réaliser quand une autre, exprimée au passé composé, l'a interrompue.	Nous **marchions** quand nous avons entendu un bruit derrière nous. Nous **étions** silencieux lorsque la lumière est apparue.

EXERCICES

1 Mettez les verbes suivants au présent et à l'imparfait.

Verbe	Présent	Imparfait
faire	nous _____	je _____
vouloir	nous _____	on _____
dire	nous _____	ils _____
aller	nous _____	nous _____
mettre	nous _____	vous _____
prendre	nous _____	elle _____
connaitre	nous _____	tu _____
voir	nous _____	nous _____
étudier	nous _____	vous _____
être	nous _____	il _____
payer	nous _____	vous _____
réussir	nous _____	je _____
ouvrir	nous _____	on _____
manger	nous _____	elles _____

2 Mettez les verbes suivants à l'imparfait.

Dans mon rêve, elle (avoir) _____ [1] l'air d'une déesse. Elle (porter)

_____ [2] une robe qui (mettre) _____ [3] ses formes en valeur. Elle

(danser) _____ [4], elle (changer) _____ [5] constamment de position

et elle (être) _____ [6] toujours gracieuse. Tu (avancer) _____ [7]

vers elle et elle t'(appeler) _____ [8]. Tu (dire) _____ [9] que tu

(devoir) _____ [10] partir, mais elle (ne pas entendre) _____ [11].

La musique (jouer) _____ [12] très fort et vous (crier) _____ [13].

À la fin, vous (essayer) _____ [14] de vous faire des signes, mais il y

(avoir) _____ [15] trop de nuages : vous (ne plus voir) _____ [16]

rien. Vous (disparaitre) _____ [17] lentement.

3 Mettez les verbes suivants à l'imparfait.

Quand j'(être) _____ [1] petite, ma grand-mère nous (raconter) _____ [2]

souvent des histoires de son passé, à mon frère et à moi. Tandis qu'elle (se rappeler)

_____ [3] sa jeunesse, nous (étudier) _____ [4] son beau visage

encore jeune. Nous (essayer) _____ [5] de retenir tout ce qu'elle (dire)

_____ [6]. Elle nous (expliquer) _____ [7] que, quand elle (avoir)

_____ [8] une vingtaine d'années, elle (s'ennuyer) _____ [9]

rapidement. Aussi, elle (changer) _____ [10] souvent de travail et elle

(déménager) _____ [11] dans des villes différentes. C'est ainsi qu'elle

(voyager) _____ [12]. Elle nous (répéter) _____ [13] souvent :

« Il faut que vous profitiez de votre jeunesse pour expérimenter des choses. »

Le passé composé

Mettez les verbes suivants au passé composé.

a) Vous (rire) _____ .

b) Il (ne pas partir) _____ .

c) Nous (se regarder) _____ .

d) Catherine (venir) _____ .

e) Tu (courir) _____ .

f) Élisabeth, tu (naitre) _____ en mai.

g) Je (ne pas lire) _____ .

h) Elles (se présenter) _____ .

i) Les étudiants (aller) _____ à Toronto.

j) Sa sœur (mourir) _____ .

k) Les enfants (crier) _____ .

[**NOTIONS THÉORIQUES**]

LA FORMATION DU PASSÉ COMPOSÉ

Le passé composé est un temps de verbe utilisé pour référer à des évènements qui ont eu lieu dans le passé. Il s'agit d'un temps de verbe composé puisqu'il est constitué de deux parties :

1re partie : l'auxiliaire *avoir* ou *être*, conjugué au présent de l'indicatif.

2e partie : le participe passé (PP) du verbe à conjuguer.

Le choix de l'auxiliaire

La majorité des verbes au passé composé se conjuguent avec l'auxiliaire *avoir*.

Exemples : j'ai mangé, nous avons couru, ils ont marché, etc.

Cependant, dix-sept verbes se composent généralement avec l'auxiliaire *être*. Leur participe passé s'accorde alors en genre et en nombre avec le sujet.

La plupart de ces verbes désignent des actions qui impliquent un mouvement, un déplacement du sujet, excepté le verbe *rester*.

Pour mémoriser ces verbes, voici l'astuce de **MRS DR VANDERTRAMPP**. Chacune des lettres de cette expression représente un verbe qui doit généralement être conjugué avec l'auxiliaire *être* au passé composé.

À noter : Les verbes dérivés de ces verbes (*re / par* + verbe) s'utilisent également avec l'auxiliaire *être* : remonter, ressortir, redescendre, parvenir, etc.

Le passé composé avec *être* : la maison de **MRS DR VANDERTRAMPP**

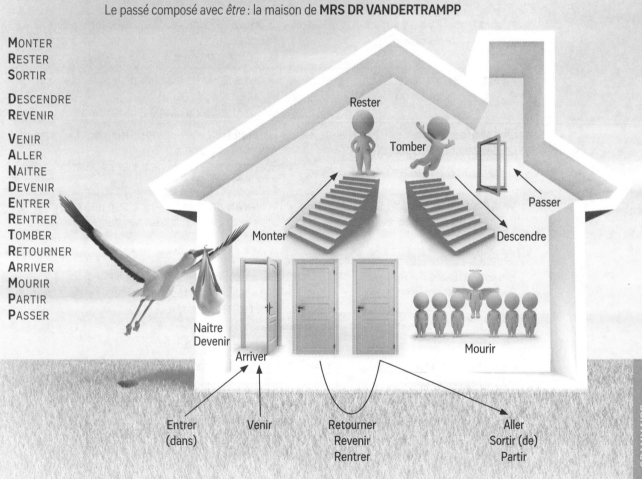

MONTER
RESTER
SORTIR

DESCENDRE
REVENIR

VENIR
ALLER
NAITRE
DEVENIR
ENTRER
RENTRER
TOMBER
RETOURNER
ARRIVER
MOURIR
PARTIR
PASSER

À noter : Parmi les dix-sept verbes de mouvement identifiés ci-dessus, six doivent se conjuguer avec l'auxiliaire *avoir* s'ils sont suivis d'un complément direct (CD).

Il s'agit des verbes : (re)monter   (re)descendre
(re)passer   (re)tourner
(r)entrer   (res)sortir

Le complément direct (CD) d'un verbe se trouve en posant les questions *qui ?* ou *quoi ?* après le verbe.

Exemples : J'ai entré <u>ma voiture</u> dans le garage.
$\qquad\qquad\quad$ CD

Q. : $\qquad$ J'**ai** entré **quoi** ? R. : ma voiture. → CD : ma voiture
$\qquad\qquad$ Je vais donc utiliser l'auxiliaire *avoir* dans cette phrase.

Exemples : Elle est rentrée chez elle.
Q. : $\qquad$ Elle **est** rentrée **où** ? R. : chez elle. → pas de CD
$\qquad\qquad$ Je vais donc utiliser l'auxiliaire *être* dans cette phrase.

Si l'un de ces verbes est suivi d'un autre type de complément (répondant aux questions *où ? quand ? comment ? pourquoi ?*, etc.) ou s'il n'est suivi d'aucun complément, on doit continuer d'utiliser l'auxiliaire *être*.

Le choix de l'auxiliaire	
***Être* : où, quand, pourquoi, etc.**	***Avoir* : qui ou quoi**
Nous **sommes** montés au cinquième étage. Q. : Nous sommes montés **où** ?	Nous **avons** monté les cinq étages à pied. Nous **avons** monté les escaliers. Q. : Nous avons monté **quoi** ?
Ils **sont** entrés il y a cinq minutes. Q. : Ils sont entrés **quand** ?	Ils **ont** entré leurs parapluies dans le magasin. Ils **ont** entré leur mot de passe dans l'ordinateur. Q. : Ils ont entré **quoi** ?
On **est** descendus[7] au lac. Q. : On est descendus **où** ?	On **a** descendu les marches pour se rendre au lac. On **a** descendu la pente. Q. : On a descendu **quoi** ?
Elles **sont** sorties pour danser au centre-ville. Q. : Elles sont sorties **pourquoi** ?	Elles **ont** sorti leurs cartes de leur portefeuille pour les montrer aux portiers. Elles **ont** sorti le chien dans la cour avant de partir. Q. : Elles ont sorti **quoi** ?
Vous **êtes** passés devant la file d'attente. Q. : Vous êtes passés **où** ?	Vous **avez** passé trente minutes dans cette file. Vous **avez** passé votre examen de français avec succès. Q. : Vous avez passé **quoi** ?
Elle **est** retournée d'où elle vient. Q. : Elle est retournée **où** ?	Elle **a** retourné son livre à la bibliothèque. Elle **a** retourné son sourire au jeune homme. Q. : Elle a retourné **quoi** ?

Les verbes pronominaux

Au passé composé, les verbes pronominaux se construisent toujours avec l'auxiliaire *être*.

Exemple : *se lever*

$\qquad$ Je me suis levé(e). $\qquad$ Nous nous sommes levé(e)s.
$\qquad$ Tu t'es levé(e). $\qquad\quad$ Vous vous êtes levé(e)(s).
$\qquad$ Il s'est levé. $\qquad\qquad$ Ils se sont levés.
$\qquad$ Elle s'est levée. $\qquad\quad$ Elles se sont levées.
$\qquad$ On s'est levé(e)(s).

---

7. Quand on peut remplacer le pronom *on* par *nous*, le participe passé employé avec *être* se met au pluriel et s'accorde en genre avec les mots que *on* remplace.

Le participe passé

Certaines règles générales permettent de former un participe passé (PP) en se basant sur la forme infinitive du verbe.

Ainsi, plusieurs participes passés des verbes en...

-er	donnent	*-é*	**Exemple :** mang**é**, appel**é**, parl**é**, étudi**é**, etc.
-ir ou *-vre*	donnent	*-i*	**Exemple :** fin**i**, réuss**i**, chois**i**, dorm**i**, suiv**i**, etc.
-oir ou *-re*	donnent	*-u*	**Exemple :** p**u**, v**u**, s**u**, voul**u**, l**u**, b**u**, etc.

Ce sont des règles générales ; pour plus de précision, référez-vous au tableau ci-dessous et à *L'art de conjuguer* de Bescherelle, édition 2006 ou suivantes.

Dictionnaire du participe passé

1	*-er*	→	*-é*	**10**	*-dre*	→	*-u*
	parl**er**		parl**é**		atten**dre**		attend**u**
	all**er**		all**é**		enten**dre**		entend**u**
					per**dre**		perd**u**
2	*-ir* et *-vre*	→	*-i*		répon**dre**		répond**u**
	fin**ir**		fin**i**				
	dorm**ir**		dorm**i**	**11**	*-indre*	→	*-int*
	sui**vre**		suiv**i**		jo**indre**		jo**int**
					pe**indre**		pe**int**
3	*-ir*	→	*-ert*		pla**indre**		pla**int**
	ouvr**ir**		ouv**ert**				
	offr**ir**		off**ert**	**12**	*-ettre* et *-endre*	→	*-is*
					m**ettre**		m**is**
4	*-ir*	→	*-u*		pr**endre**		pr**is**
	ven**ir**		ven**u**				
	ten**ir**		ten**u**	**13**	*-attre*	→	*-u*
	cour**ir**		cour**u**		b**attre**		batt**u**
5	*-ire*	→	*-it*	**14**	*-aitre*	→	*-u*
	écr**ire**		écr**it**		conn**aitre**		conn**u**
	d**ire**		d**it**				
				15	**AUTRES**		
6	*-uire*	→	*-uit*		être		été
	c**uire**		c**uit**		faire		fait
	cond**uire**		cond**uit**		mourir	→	mort
					naitre		né
7	*-aire*	→	*-u*		rire		ri
	pl**aire**		pl**u**		vivre		vécu
8	*-ire* et *-oire*	→	*-u*				
	l**ire**		l**u**				
	b**oire**		b**u**				
9	*-oir*	→	*-u*				
	av**oir**		e**u**				
	dev**oir**		d**û**				
	fall**oir**		fall**u**				
	pleuv**oir**		pl**u**				
	pouv**oir**		p**u**				
	sav**oir**		s**u**				
	v**oir**		v**u**				
	voul**oir**		voul**u**				

On peut donc classer ainsi les différentes terminaisons du participe passé (si on exclut les verbes classés dans la catégorie « autres » du tableau précédent) :

Terminaison du PP	-é	-i	-is	-u	-it	-uit	-int	-ert
Terminaison(s) des verbes à l'infinitif	-er	-ir -vre	-ettre -endre	-ir -oir -aire -ire -oire -attre -dre -aitre	-ire	-uire	-indre	-ir

P. 112-113 G » **LA FORME NÉGATIVE DU PASSÉ COMPOSÉ**

Emplois	Forme affirmative	Forme négative
Avec l'auxiliaire *avoir*	J'ai parlé à ma mère. Nous avons joué au hockey.	Je **n'**ai **pas** parlé à ma mère. Nous **n'**avons **pas** joué au hockey.
Avec l'auxiliaire *être*	Il est allé au cinéma. Elles sont parties en voyage.	Il **n'**est **pas** allé au cinéma. Elles **ne** sont **pas** parties en voyage.
Avec un verbe pronominal	Tu t'es levé tôt. Ils se sont appréciés.	Tu **ne** t'es **pas** levé tôt. Ils **ne** se sont **pas** appréciés.

Attention ! On ne sépare jamais le pronom complément de l'auxiliaire : on place les deux adverbes de négation <u>avant</u> et <u>après</u> le bloc formé par : le pronom et l'auxiliaire.

Exemple : Ils <u>ne</u> se sont <u>pas</u> appréciés.

LA FORME INTERROGATIVE DU PASSÉ COMPOSÉ

Voici trois formes d'interrogations.

1 Avec intonation montante : (du grave vers l'aigu)

Elle est restée chez elle ?
Ils sont restés chez elle ?

2 Avec *est-ce que* :

Est-ce que tu es allé chez elle ?
Est-ce qu'elles sont allées chez elle ?

3 Avec inversion du sujet :

A-t-elle changé ses vêtements chez elle ?
S'est-elle changée chez elle ?

Attention ! On ajoute un *t* qu'on encadre de deux traits d'union entre l'auxiliaire et le sujet inversé si l'auxiliaire se termine par une voyelle et que le sujet commence aussi par une voyelle (~~a-elle~~ mangé → a-**t**-elle mangé).

L'ACCORD DU PARTICIPE PASSÉ EMPLOYÉ AVEC L'AUXILIAIRE *AVOIR*

Plusieurs règles régissent l'accord des participes passés employés avec l'auxiliaire *avoir*.

Pour l'instant, retenons que le participe passé employé avec l'auxiliaire *avoir* NE S'ACCORDE PAS avec le sujet.

L'ACCORD DU PARTICIPE PASSÉ EMPLOYÉ AVEC L'AUXILIAIRE *ÊTRE*

En général, le participe passé employé avec l'auxiliaire *être* s'accorde en genre et en nombre avec le sujet du verbe. Cette règle d'accord s'applique donc aux dix-sept verbes de mouvement ou de déplacement mentionnés à la page 153 de même qu'aux verbes pronominaux.[8]

Exemples : Je suis monté(e).   Je me suis promené(e).
Tu es resté(e).   Tu t'es habillé(e).
Il est sorti.   Il s'est peigné.
Elle est descendue.   Elle s'est parfumée.

---

8. Ce sont des règles générales. Pour plus de précision, référez-vous à *L'art de conjuguer* de Bescherelle, édition 2012 ou suivantes.

On est revenu(e)(s).   On s'est préparé(e)(s).[9]
Nous sommes venu(e)s.   Nous nous sommes embrassé(e)s.
Vous êtes arrivé(e)(s).   Vous vous êtes insulté(e)(s).
Ils sont nés.   Elles se sont appelées.

Règles d'accord du participe passé employé avec l'auxiliaire *être*		
Types de sujets	**Il faut accorder le participe passé...**	**Exemples**
Lorsque le sujet est composé de deux ou de plusieurs noms et que l'**un** de ces noms est masculin.	au masculin pluriel. Pour les accords de genre en français, le masculin l'emporte sur le féminin.	Un homme et cinquante femmes se sont présent**és** pour l'entrevue. La cuillère, la fourchette et le couteau sont tomb**és** de la table.
Lorsque le sujet est un pronom personnel (je-tu-il-elle-on-nous-vous-ils-elles).	en genre et en nombre avec le pronom sujet.	Roxanne, vous êtes parti**e** depuis trop longtemps. On (Jacques et François) est retourn**és** en France. Nous (Denise et Amanda) sommes sorti**es** au théâtre.
Lorsqu'on utilise le pronom relatif *qui*.	en genre et en nombre avec l'antécédent du pronom relatif *qui*.	C'est [Marika] *qui* est n**ée** le 25 décembre. antécédent fém. sing. Les [jeunes] *qui* sont pass**és** hier sont reven**us**. antécédent masc. plur.

L'EMPLOI DU PASSÉ COMPOSÉ

Emplois	Exemples
Pour exprimer une action passée et achevée.	*Hier*, j'**ai fait** des biscuits. Ma mère **a regardé** le dernier film d'Arnold Schwarzenegger.
Pour référer à une action qui s'est passée à un moment spécifique, pendant une durée limitée ou un nombre de fois précis.	*À sept heures et demie*, mon réveille-matin **a sonné**. Nous **avons fait** le trajet en autobus.
Pour référer à un changement d'état rapide qui a eu lieu dans le passé.	*Soudainement*, il **s'est mis** à pleuvoir. *Quand nous sommes sortis*, j'**ai eu** froid.
Pour référer à une série d'actions qui a eu lieu dans le passé. À noter: Pour assurer la progression chronologique du récit, on emploie souvent les expressions suivantes → *puis, ensuite, soudainement, par après, par la suite, X minutes plus tard,* etc.	On **s'est rencontrés** sur la rue et on **a bavardé**, on a *ensuite* **décidé** d'aller prendre un verre et on **est partis** sur le boulevard Saint-Laurent.
Pour référer à un fait passé qui traverse les époques, qui dure dans le temps.	L'Inde **est devenue** une puissance mondiale incontournable. Les croyances religieuses **ont justifié** de nombreuses guerres.
Pour faire le résumé d'une situation ou d'un évènement qui ont eu lieu dans le passé.	*Bref*, ça **a été** le plus beau jour de ma vie. *En résumé*, il ne **s'est** rien **passé** hier soir.
Pour établir la cohésion temporelle quand une action a interrompu une autre action qui était en train de se dérouler.	Elle parlait à sa mère *quand* tu **as téléphoné**. Nous dormions encore *lorsqu'*ils **sont arrivés**. Je lisais *au moment où* tu **es sorti**.

---

9. Quand on peut remplacer le pronom *on* par *nous*, le participe passé employé avec *être* se met au pluriel et s'accorde en genre avec les mots que *on* remplace.

1 Donnez le participe passé ou l'infinitif des verbes suivants.

Infinitif	Participe passé	Infinitif	Participe passé
	travaillé	prendre	
finir		vendre	
	fait		pu
	été	vivre	
boire		ouvrir	
dire			venu
	craint	avoir	

2 Complétez les verbes ci-dessous au passé composé avec le bon auxiliaire.

a) nous _____ allés

b) vous _____ pris

c) ils _____ marché

d) on _____ resté(s)

e) elle _____ couru

f) elles _____ devenues

g) nous _____ rentrés

h) vous _____ vécu

i) on _____ descendu(s)

j) il _____ été

k) elle _____ ouvert

l) nous _____ bougé

m) j' _____ permis

n) vous _____ dit

P. 153-155 G »»

3 Dans les phrases suivantes, posez la question qui vous permet de trouver le complément du verbe : *Quand ? Quoi ? Où ?*, etc. Ensuite, selon le contexte, choisissez le bon auxiliaire (*avoir* ou *être*) et le bon accord de participe passé.

a) Michel et Audrey (sortir)

_____ sortis de chez eux.   Question : _____

_____ sorti les poubelles.   Question : _____

_____ sortis avec des amis.   Question : _____

_____ sorti leur chien, Rambo.   Question : _____

b) Céline (passer)

_____ passé l'année en tournée.   Question : _____

_____ passé beaucoup de temps à travailler.   Question : _____

_____ passée par Montréal.   Question : _____

_____ passée dans sa famille à Noël.   Question : _____

c) Brian (retourner)

_____ retourné sa crêpe.   Question : _____

_____ retourné dans sa ville natale.   Question : _____

_____ retourné un livre à la bibliothèque.   Question : _____

_____ retourné chez ses parents.   Question : _____

4 Conjuguez les verbes suivants au passé composé.

Ma mère (immigrer) _a immigré_ [1] au Québec à un très jeune âge. Avec sa famille, elle (habiter) _a habité_ [2] une maison à Saint-Henri. Elle (apprendre) _a appris_ [3] à parler français à l'école primaire. Ses frères et sœurs plus âgés (ne pas fréquenter) _n'ont pas fréquenté_ [4] l'école et ils (devoir) _ont dû_ [5] trouver du travail rapidement. Un de ses frères (commencer) _a commencé_ [6] à travailler au comptoir de boucherie d'une épicerie. Avec le temps, il (apprendre) _a appris_ [7] son métier et il (devenir) _est devenu_ [8] boucher. Une de ses sœurs (rencontrer) _a rencontré_ [9] un jeune homme au restaurant où elle (servir) _a servi_ [10] pendant quelques années. Après ses études, ma mère (voyager) _a voyagé_ [11] aux États-Unis, où elle (étudier) _a étudié_ [12] dans des écoles de mode. Quand elle (rentrer) _est rentré_ [13] à Montréal, elle (travailler) _a travaillé_ [14] dans une fameuse boutique de chapeaux située rue Sainte-Catherine. C'est dans cette boutique que ma mère (faire) _a fait_ [15] la connaissance de l'homme qu'elle allait épouser quelques années plus tard : mon père. Il (arriver) _est arrivé_ [16] dans la boutique à cinq heures et ma mère lui (dire) _a dit_ [17] : « Je suis désolée, monsieur, le magasin est fermé. » Alors, mon père (répondre) _a répondu_ [18] : « Vous (terminer) _avez terminé_ [19] votre travail ? Vous pouvez donc m'accompagner prendre un verre ! » Ma mère (accepter) _a accepté_ [20]. Elle disait souvent qu'elle (être) _était_ [21] séduite par lui à l'instant où elle l'(voir) _a vu_ [22]. Ils (passer) _sont passé_ [23] presque toute leur vie ensemble et ils (former) _ont formé_ [24] un couple inspirant.

5 Posez des questions à vos collègues et notez leurs réponses en utilisant leur nom comme sujet.

+	−
Je suis **déjà** + PP accordé avec le sujet	Je **ne** suis **jamais** + PP accordé avec le sujet
ou	*ou*
J'ai **déjà** + PP	Je **n'**ai **jamais** + PP
ou	*ou*
Je / J' suis / ai + PP	Je **n'**ai **pas encore** + PP (si on a l'intention de le faire un jour)

a) As-tu déjà été témoin d'un vol ? _____

b) Es-tu déjà allé(e) à Las Vegas ? _____

c) As-tu déjà essayé le saut à l'élastique ? _____

d) As-tu déjà gagné un concours ? _____

e) As-tu déjà assisté à un concert de musique ? _____

f) As-tu déjà perdu un objet important ? _____

g) As-tu déjà rencontré une célébrité ? _____

h) As-tu déjà mangé des escargots ? _____

i) Es-tu déjà parti(e) en voyage dans un pays en développement ? _____

j) As-tu déjà eu un accident ? _____

k) Es-tu déjà passé(e) à la télévision ? _____

6 Associez la terminaison de chaque infinitif ci-dessous aux terminaisons de participes passés qui peuvent lui correspondre (ces classements excluent les verbes dans la catégorie « Autres » de votre *Dictionnaire du participe passé*, p. 155).

a) ir   ●   ●   é

b) oire   ●   ●   i

c) er   ●   ●   is

d) ire   ●   ●   u

e) indre   ●   ●   it

f) oir   ●   ●   uit

g) ettre   ●   ●   int

h) ire   ●   ●   ert

i) rir   ●

7 Accordez les participes passés ci-dessous.

a) Francine est descendu____ de sa chambre située au deuxième étage et elle est sorti____ de chez elle.

b) Pour se rendre chez Pierre, Brian et Linda sont passé____ par l'autoroute et ils sont arrivé ____ chez leur ami quinze minutes plus tard.

c) Ma grand-mère est né____ en Irlande. Elle est arrivé____ au Québec à dix ans.

d) Mes parents se sont connu____ à Montréal ; ils se sont marié____ et sont parti____ vivre à Québec, mais ils sont revenu____ souvent à Montréal pour voir leur famille.

e) Marie lui a dit : « Je suis désolée, la boutique est fermé____ . Elle sera ouvert____ demain à 10 h. »

f) Éva et Marie se sont connu____ quand elles étaient enfants. Elles ne sont pas allé____ à la même école, mais elles ont habité le même quartier. Marie et Éva sont devenu____ amies.

g) Ma sœur et mon nouveau voisin se sont vu____ , ils se sont regardé____ et ils se sont aimé____ immédiatement.

h) La température est descendu____ sous zéro. Les lacs sont gelé____ ; les enfants sont sorti____ et ont patiné sur les surfaces glacé____ .

8 Complétez les phrases suivantes.

a) +	Je	me	_____	promenée	au parc hier soir.
b) -	On	ne	_____	est pas	rencontrés	au parc.
c) +	Nous		_____	sommes	aimés	immédiatement.
d) -	Ils	_____	se	sont pas	parfumés	aujourd'hui.
e) +	_____	s'	_____	couchée	très tôt.
f) -	_____	ne	vous	êtes pas	regardés	longtemps.

g) + Tu		t'	_____	reposé	pendant une heure.	
h) - Elles	ne	se	sont	_____	levées	à six heures ce matin.
i) + Il			_____	est	perdu	dans le centre commercial.

9 Complétez le texte suivant à l'aide des auxiliaires *être*, *avoir* ou des formes pronominales. Accordez les participes passés si nécessaire.

Comme prévu, Dominique _____ [1] présenté___ au bar à 11 heures. En un instant,
elle _____ [2] pu constater qu'il y avait seulement trois personnes. Un homme suspect
_____ [3] tourné vers elle, mais il _____ [4] resté sur place. Tout à coup, il _____ [5]
levé et il _____ [6] rendu aux toilettes. Immédiatement, Louisa _____ [7] suivi
le suspect et _____ [8] descendu___ [9] au sous-sol. Ensuite, elle _____ [10] collé
son oreille à la porte des toilettes pour écouter. Pendant quelques instants, elle
n'_____ [11] pas pu entendre le suspect parce que l'eau des toilettes _____ [12]
couvert les sons produits par l'homme. Soudainement, elle _____ [13] entendu
un bruit de verre brisé en provenance de l'intérieur de la cabine. Immédiatement, elle
_____ [14] ouvert la porte et _____ [15] vu son suspect s'enfuir par le stationnement.

10 Mettez les verbes suivants au passé composé et à la forme négative.

a) Je (se réveiller) le premier. _____

b) Tu (s'étirer). _____

c) Il (se diriger) vers la salle de bain. _____

d) Elle (se doucher). _____

e) On (se retourner) dans notre lit. _____

f) Nous (s'endormir). _____

g) Vous (se lever) plus tard. _____

h) Ils (se dépêcher) de manger. _____

i) Elles (se maquiller). _____

11 Remettez en ordre les mots suivants de manière à composer des phrases interrogatives avec une inversion du sujet.

a) elle - s' - soir - préparée - pour - ce - est : _____

b) il - passé - vacances - bonnes - a - de - t : _____

c) leçon - appris - nous - la - avons : _____

d) questionnés - vous - vous - à - sujet - êtes - ce : _____

e) avant - se - ils - la - consultés - sont - rencontre : _____

f) autres - choix - eu - ont - d' - elles : _____

g) revenus - l' - sont - heure - ils - convenue - à : _____

h) 1995 - est - elle - en - née : _____

i) il - dépêché - s' - est : _____

j) parler - t - d' - on - entendu - eux - a : _____

12 Avec l'aide des numéros, indiquez pour quelle raison les verbes des phrases suivantes sont écrits au passé composé.

a) Hier, nous avons attendu quinze minutes.

Raison numéro : ☐

b) L'amour a toujours été un concept mystérieux pour les êtres humains.

Raison numéro : ☐

c) Il est tombé. Ensuite, il m'a regardé. Alors, je lui ai dit que je ne l'avais pas fait trébucher.

Raison numéro : ☐

d) Il m'a vue et je me suis soudainement sentie très mal.

Raison numéro : ☐

e) En somme, j'ai trouvé cette soirée vraiment très désagréable.

Raison numéro : ☐

f) Katie a divorcé l'an passé.

Raison numéro : ☐

g) Il a complété le marathon en trois heures trente.

Raison numéro : ☐

h) Il a fait très froid la semaine dernière.

Raison numéro : ☐

1 Pour référer à une action qui s'est passée à un **moment spécifique**, pendant une **durée limitée** ou un **nombre de fois précis**.

2 Pour référer à un **changement d'état** rapide qui a eu lieu dans le passé.

3 Pour référer à une **série d'actions** qui a eu lieu dans le passé.

4 Pour référer à un fait passé qui **traverse les époques**, qui dure dans le temps.

5 Pour faire le **résumé** d'une situation ou d'un évènement qui ont eu lieu dans le passé.

13 Conjuguez les verbes suivants au passé composé.

Hier matin, Marie (se promener) _____ [1] avec son chien et

(passer) _____ [2] devant l'appartement de Paul. Quand Paul

(remarquer) _____ [3] Marie, il (passer) _____ [4]

la tête par la fenêtre et (appeler) _____ [5] Marie. Marie

(sourire) _____ [6] et (se diriger)_____ [7] vers

l'appartement de Paul. Paul était très heureux de voir Marie, mais il (se souvenir)

_____ [8] que Marie (oublier) _____ [9]

son anniversaire la semaine dernière. Quand Marie (se approcher)

_____ [10], Paul lui (dire) _____ [11] : «Monte

par les escaliers, je vais ouvrir ma porte.» Marie (monter) _____ [12]

les escaliers, mais, une fois rendue en haut, elle (réaliser) _____ [13]

qu'elle avait oublié son chien en bas. Elle (redescendre) _____ [14]

les escaliers, (sortir) _____ [15] par la porte et (retourner)

_____ [16] à l'extérieur. Après le départ de Marie, le chien

(rester) _____ [17] au même endroit, il (ne pas bouger)

_____ [18] . Marie (rentrer) _____ [19] son chien

avec elle et (monter) _____ [20] voir Paul. Quand Marie (entrer)

_____ [21] chez Paul, ce dernier (décider) _____ [22]

de pardonner à Marie et ils (discuter) _____ [23]. Paul (savoir)

_____ [24] que Marie (passer) _____ [25] la dernière

semaine à Québec. Elle (rencontrer) _____ [26] un homme et

(tomber) _____ [27] amoureuse de lui. Quand Paul (entendre) _____ [28] ça, il (avoir) _____ [29] de la peine, parce qu'il était amoureux de Marie. Il (ne jamais dire) _____ [30] à Marie qu'il avait des sentiments pour elle.

Le futur proche

P. 112-113 G »

ANTICIPATION

Dans la conversation suivante, conjuguez les verbes au futur proche.

— Salut, Bob. Qu'est-ce que tu (faire) _____ [1] en fin de semaine ?

— Salut ! Je (voir) _____ [2] ce que les amis (décider) _____ [3] concernant le match.

— (Jouer) _____ [4] -nous toujours _____ [5] contre l'équipe de la ville voisine ?

— Oui ! Mais j'ai peur : je pense qu'ils (écraser) _____ [6] nous _____ [7] !

NOTIONS THÉORIQUES

LA FORMATION DU FUTUR PROCHE

Le verbe *aller* au présent + un verbe à l'infinitif

Exemples : aller + manger : Je **vais manger** du poulet ce soir.

aller + appeler : Nous **allons appeler** notre mère demain.

LA FORME NÉGATIVE DU FUTUR PROCHE

Emplois	Forme affirmative	Forme négative
Devant un verbe non pronominal	Il va pleuvoir.	Il **ne** va **pas** pleuvoir.
Devant un verbe pronominal	Tu vas te lever tôt.	Tu **ne** vas **pas** te lever tôt.

LA FORME INTERROGATIVE DU FUTUR PROCHE

Voici trois formes d'interrogations.

1 Avec intonation montante : (du grave vers l'aigu) — Tu vas manger chez elle ? Elle va courir ce soir ?

2 Avec *est-ce que* : — **Est-ce que** tu vas manger chez elle ? **Est-ce qu'**elle va courir ce soir ?

3 Avec inversion du sujet : — Vas-tu manger chez elle ? Va-t-elle courir ce soir ?

Attention ! On ajoute un *t* qu'on encadre de deux traits d'union entre le verbe et le sujet inversé si le verbe se termine par une voyelle et que le sujet commence aussi par une voyelle (va-elle manger → va-**t**-elle manger).

L'EMPLOI DU FUTUR PROCHE

Emplois	Exemples
Pour exprimer un fait qui va se réaliser dans peu de temps.	Tu **vas sortir** de la classe tout de suite. Votre attention ! Nous **allons décoller** dans quelques minutes.
Pour exprimer un fait futur surtout à l'oral.	Je **vais courir** la semaine prochaine. **Vas**-tu **venir** avec moi ?

[EXERCICES]

1 Mettez les verbes suivants au futur proche.

a) Ce midi, je (manger) _____ à la cafétéria.

b) Est-ce que tu (prendre) _____ deux semaines de vacances ?

c) Nous (souper) _____ au restaurant ce soir !

d) Est-ce que vous (se voir) _____ vendredi soir ?

e) Il (louer) _____ une automobile pour la fin de semaine.

f) Elle ne le connait pas encore, mais elle (aimer) _____ tout de suite son sens de l'humour.

2 Remettez les mots suivants dans l'ordre pour former des phrases.

a) magasiner / centre-ville / demain, / au / allons / nous

_____

b) collègue / vas / appeler / ton / tu / soir ? / ce

_____

c) partir / en / été / je / ne / pas / cet / vacances / vais

_____

d) soir / regarder / la / demain / vous / n' / soir / télé / allez / pas

_____

e) consulter / pas / va / semaine / elle / cette / ses / courriels / ne

_____

f) Play Station / jouer / ils / toute / journée / ? / vont / la / la / à

_____

Le futur simple

[ANTICIPATION]

Voici des résolutions pour améliorer nos habitudes de vie. Conjuguez les verbes au futur simple de l'indicatif.

a) Arrêter de fumer : cette année, j' _____ de fumer.

b) Faire plus d'exercice : cette année, tu _____ plus d'exercice.

c) Boire beaucoup d'eau : cette année, il _____ beaucoup d'eau.

d) Manger mieux : cette année, elle _____ mieux.

e) Organiser son temps plus efficacement : cette année, on _____ notre temps plus efficacement.

f) Consommer moins : cette année, nous _____ moins.

g) Appeler ses proches plus souvent : cette année, vous _____ vos proches plus souvent.

h) Prendre plaisir à travailler et à étudier : cette année, ils _____ plaisir à travailler et à étudier.

i) Respirer plus profondément : cette année, elles _____ plus profondément.

j) S'amuser le plus possible : cette année, je _____ le plus possible.

[NOTIONS THÉORIQUES]

LA FORMATION DU FUTUR SIMPLE

	Verbes réguliers		Verbes irréguliers		
	parler	**finir**	**prendre***	**recevoir**	**venir**
je	parle **rai**	fini **rai**	prend **rai**	recev **rai**	viend **rai**
tu	parle **ras**	fini **ras**	prend **ras**	recev **ras**	viend **ras**
il / elle / on	parle **ra**	fini **ra**	prend **ra**	recev **ra**	viend **ra**
nous	parle **rons**	fini **rons**	prend **rons**	recev **rons**	viend **rons**
vous	parle **rez**	fini **rez**	prend **rez**	recev **rez**	viend **rez**
ils / elles	parle **ront**	fini **ront**	prend **ront**	recev **ront**	viend **ront**

* Pour conjuguer au futur les verbes dont l'infinitif se termine par *-re*, il suffit d'enlever le *e* et d'ajouter la terminaison du futur qui convient.

Le futur simple de quelques verbes au radical particulier						
	être	**avoir**	**aller**	**savoir**	**envoyer**	**faire**
je / j'	se **rai**	au **rai**	i **rai**	sau **rai**	enver **rai**	fe **rai**
nous	se **rons**	au **rons**	i **rons**	sau **rons**	enver **rons**	fe **rons**
	pouvoir	**tenir**	**valoir**	**venir**	**voir**	**vouloir**
je	pour **rai**	tiend **rai**	vaud **rai**	viend **rai**	ver **rai**	voud **rai**
nous	pour **rons**	tiend **rons**	vaud **rons**	viend **rons**	ver **rons**	voud **rons**

Quelques particularités des verbes au futur simple selon la terminaison		
Terminaisons à l'infinitif	**Particularités**	**Exemples au futur simple**
-yer	*y → i* devant un *e* muet (qu'on ne prononce pas)	vous vous ennu**ie**rez, nous essu**ie**rons, ils emplo**ie**ront
	Attention ! Les verbes en *-ayer* peuvent conserver le *y* ou changer celui-ci en *i*.	nous ess**aye**rons/ess**aie**rons, vous p**aye**rez/p**aie**rez
-e_er	et *e → è* devant une consonne suivie d'un *e* muet (qu'on ne prononce pas)	On se l**è**vera, elles se prom**è**neront, vous am**è**nerez, j'ach**è**terai
	Attention ! Les verbes *jeter* et *appeler* (et les mots de leur famille) doublent le *t* ou le *l* devant un *e* muet.	tu je**tte**ras, on appe**ll**era, elles se rappe**ll**eront, ils reje**tte**ront
-éer *-uer* *-ouer*	conservent le *e* de la terminaison *-er*	je cré**e**rai, tu continu**e**ras, il lou**e**ra, nous tatou**e**rons, ils jou**e**ront

P. 112-113 G » **LA FORME NÉGATIVE DU FUTUR SIMPLE**

Emplois	Forme affirmative	Forme négative
Devant un verbe qui commence par une consonne	Je partirai demain.	Je **ne** partirai **pas** demain.
Devant un verbe qui commence par une voyelle	Il apprendra la vérité.	Il **n'**apprendra **pas** la vérité.
Devant un verbe pronominal	Tu te lèveras tôt. Ils s'appelleront.	Tu **ne** te lèveras **pas** tôt. Ils **ne** s'appelleront **pas**.

LA FORME INTERROGATIVE DU FUTUR SIMPLE

Voici trois formes d'interrogations.

1 Avec intonation montante: Tu iras chez elle demain ?
(du grave vers l'aigu) Elle ira chez toi demain ?

2 Avec *est-ce que*: **Est-ce que** tu iras chez elle demain ?
Est-ce qu'elle ira chez toi demain ?

3 Avec inversion du sujet: Iras-tu chez elle demain ?
Ira-t-elle chez toi demain ?

Attention ! On ajoute un *t* qu'on encadre de deux traits d'union entre le verbe et le sujet inversé si le verbe se termine par une voyelle alors que le sujet commence aussi par une voyelle (ira-elle → ira-**t**-elle).

L'EMPLOI DU FUTUR SIMPLE

Emplois	Exemples
Pour exprimer un fait qui aura lieu dans le futur.	Demain, vous **mangerez** avec vos parents. L'an prochain, j'**irai** à l'université.
Pour exprimer un fait toujours vrai.	Le ciel **sera** toujours bleu. La neige **fondra** au printemps.

EXERCICES

1 Associez les radicaux suivants aux bonnes terminaisons. Des terminaisons peuvent revenir plus d'une fois.

a) Je fer

b) Tu dormir

c) Il fumer

d) Elle se parfumer

e) On pourr

f) Vous voudr

g) Nous deviendr

h) Ils tomber

i) Elles viendr

1 a _____   **4** ez _____

2 ont _____   **5** ons _____

3 ai _____   **6** as _____

2 Mettez les verbes réguliers suivants au futur simple.

a) L'été prochain, nous (investir) _____ peut-être en Chine.

b) J'(aimer) _____ toujours cet appartement !

c) Les jours que nous (passer) _____ ensemble (sembler) _____ trop courts.

d) Accepte le fait que cette personne ne (changer) _____ jamais ses habitudes.

e) Quand les enfants (finir) _____ de jouer, ils (demander) _____ à manger.

f) Vous n'(arriver) _____ jamais à la persuader.

3 Mettez les verbes irréguliers suivants au futur simple.

a) Un jour, il te (falloir) _____ bien voir la vérité en face.

b) Un « tiens » vaut mieux que deux « tu l'(avoir) _____ ».

c) Les derniers (être) _____ les premiers.

d) On (savoir) _____ par quoi commencer la prochaine fois !

e) (venir) _____ -vous au rendez-vous comme vous l'avez promis ?

f) (prendre) _____ -elles le temps de se dire adieu ?

4 Conjuguez les verbes suivants au présent de l'indicatif et au futur simple. Attention aux changements orthographiques.

a) Appeler : Tu (présent) _____ ta mère aujourd'hui ;

demain, tu (futur) _____ ton père.

b) Se lever : Je (présent) _____ tard ce matin ;

demain, je (futur) _____ plus tôt.

c) Nettoyer : Ce que je (présent) _____ aujourd'hui,

je le (futur) _____ aussi demain.

d) Acheter : Elle (présent) _____ beaucoup aujourd'hui ;

demain, elle (futur) _____ moins.

e) Jeter : Il (présent) _____ ses souvenirs maintenant ;

plus tard, il ne les (futur) _____ plus.

5 Conjuguez les verbes ci-dessous au futur simple comme dans l'exemple.
Exemple : Je vais partir demain. → Je partirai demain.

a) Ils vont se marier. → _____

b) Je vais offrir un cadeau à mon patron. → _____

c) Elle ne va pas dormir jusqu'à midi. → _____

d) Les garçons vont boire de la bière. → _____

e) Vous allez rêver à cette histoire. → _____

f) L'automobiliste va prendre la sortie. → _____

g) Je vais m'inscrire à ce cours. → _____

h) Tu vas devoir partir. → _____

i) On va connaitre le fond de l'histoire. → _____

j) Il va beaucoup lui manquer. → _____

6 Mettez les verbes suivants au futur simple.

Vous (vivre) _____ [1] une semaine difficile. Vous (créer) _____ [2] des malaises et des malentendus chaque fois que vous (parler) _____ [3]. Vous (essayer) _____ [4] d'approcher une personne qui vous attire, mais elle (se lever) _____ [5] et (partir) _____ [6]. Vous (continuer) _____ [7] à lui parler, mais elle (être) _____ [8] partie. Au travail, vous (côtoyer) _____ [9] de nouveaux collègues et ils (rejeter) _____ [10] toutes vos idées. Côté chance, vous (jouer) _____ [11] à des jeux en ligne et vous (perdre) _____ [12] beaucoup d'argent. Votre banque vous (appeler) _____ [13] pour vous dire que vous avez été victime d'une fraude. La semaine prochaine, les problèmes (continuer) _____ [14] et (s'aggraver) _____ [15].

7 Dans le texte suivant, encerclez les verbes qui sont au futur simple et soulignez les verbes qui sont au futur proche.

Lina consulte une diseuse de bonne aventure. Celle-ci lui promet qu'elle sera très heureuse dans la vie. D'abord, Lina va rencontrer l'homme de ses rêves la semaine prochaine. Ensuite, elle se mariera avec cet homme très attentionné. Ensemble, ils auront plusieurs enfants. Puis, Lina vivra toutes sortes d'expériences intéressantes et elle deviendra ce qu'elle a toujours voulu devenir dans la vie : infirmière. Dans l'avenir, Lina sauvera des vies et soignera plusieurs personnes. Les nombreuses heures de travail ne lui feront jamais peur. Finalement, elle coulera des jours heureux avec sa famille et ses amis. Mais pour l'instant, Lina va surtout devoir se concentrer sur ses études en soins infirmiers. D'ici la fin de l'année, elle va mémoriser plusieurs notions et elle va travailler très fort avant de voir son rêve se réaliser...

8 Mettez les verbes au temps qui convient : futur simple ou futur proche.

a) Attends, je (t'aider) _____ à faire la vaisselle.

b) Maintenant, tu (aller) _____ au lit !

c) Je suis épuisée, je (se coucher) _____ .

d) Quand elle (apprendre) _____ cette nouvelle dans un mois, elle (sourire) _____ surement.

e) On est en retard ! On (devoir) _____ partir tout de suite.

f) Dépêche-toi, nous (manquer) _____ le début de la cérémonie.

L'accord entre le sujet et le verbe

[**ANTICIPATION**]

Mettez les verbes suivants au présent de l'indicatif et accordez-les avec le sujet.

a) Toi et moi (être) _____ les meilleurs amis du monde.

b) On (s'appeler) _____ tous les jours.

c) Est-ce qu'il vous (arriver) _____ d'être en retard ?

d) Toutes les filles du cours de français (avoir l'air) _____ d'être douées.

e) La famille au complet (devoir) _____ être présente à la fête!

f) La piscine où (nager) _____ les enfants (ne pas contenir) _____ assez de chlore.

NOTIONS THÉORIQUES

Le sujet: donneur d'accord

Le sujet de la phrase détermine à quelle personne et à quel nombre le verbe sera accordé.

Exemples: Je lis ce livre.   **Tu** lis ce livre.   **Pierre et Thomas** liront ce livre.
         1re pers. sing.   2e pers. sing.   3e pers. plur.

Comment trouver le sujet (S)? Voici trois façons:

1 On peut poser la question *Qui est-ce qui?* ou *Qu'est-ce qui?* avant le verbe. On trouve ainsi le groupe du nom (GN) sujet (S). Le noyau du GN est le nom principal de ce groupe de mots et c'est lui qui donne son accord au verbe.

    Exemple: Les joueurs de la Ligue nationale de hockey (LNH) **accept...** les offres.

        Qui est-ce qui accepte? [Les **joueurs** de la Ligue nationale de hockey (LNH)] → S
                                   noyau

        Le verbe reçoit donc son accord du noyau *joueurs*:
        3e pers. du plur. → accept**ent**.

    Exemple: L'exposition permanente des musées **s'adress...** à tous les publics.

        Qu'est-ce qui s'adresse? [L'**exposition** permanente des musées] → S
                             noyau

        Le verbe reçoit donc son accord du noyau *exposition*:
        3e pers. du sing. → s'adress**e**.

2 On peut remplacer le S par l'un des pronoms suivants: *il, ils, elle, elles, cela*.

    Exemples: [Les CD de Justin Bieber] **se trouvent** dans les magasins de musique.
                    Ils

          [Mon emploi à la pizzéria de mon oncle] m'**offre** beaucoup d'avantages.
               Cela

    C'est toujours le noyau du GN sujet qui donne son accord au verbe.

3 On peut encadrer le S par *C'est... qui* (*Ce sont... qui*), surtout avec les pronoms *nous* et *vous*.

    Exemples: Les enfants nous observent.   Ce sont **les enfants** qui nous observent.
                                        Sujet: *enfants*.

          ET NON   C'est nous qui observons les enfants.

          Vous nous rappelez demain.   C'est **vous** qui nous rappelez demain.
                                        Sujet: *vous*.

          ET NON   C'est nous qui vous rappelons demain.

Attention!

- Le sujet est généralement placé avant le verbe, mais il peut aussi être inversé, c'est-à-dire placé après le verbe.

    Exemple: Les sports extrêmes que **pratiqu...** mon grand frère sont parfois excitants.

        Qui est-ce qui pratique des sports extrêmes? [Mon grand **frère**] → S
                                         noyau

        Le verbe reçoit donc son accord du noyau du sujet inversé *frère*:
        3e pers. du sing. → pratiqu**e**.

- Le sujet est généralement placé près du verbe, mais il peut aussi être éloigné du verbe.

    Exemple: «Mes souvenirs d'enfance, disait mon père, **habit...** dans mon cœur.»

Qu'est-ce qui habite dans mon cœur? [Mes **souvenirs** d'enfance] → S

noyau

Le verbe reçoit donc son accord du noyau du sujet éloigné *souvenirs* :
3e pers. du plur. → habit**ent**.

Les cas particuliers

Quelques particularités d'accord du verbe selon le sujet		
Sujet	**Accord du verbe**	**Exemples**
Deux ou plusieurs pronoms	S'accorde à la 1re pers. du plur. si *moi* est parmi les sujets.	[Yan, toi et moi] étud**ions**. (nous) [Lui et moi] all**ons** au cinéma. (nous)
	À la 2e pers. du plur. si *toi* est parmi les sujets, mais sans *moi*.	[Rebecca et toi] sort**ez** ensemble. (vous)
Deux noms ou une énumération de noms	S'accorde à la 3e pers. du plur.	[Le chat et le chien] s'entend**aient** bien. [Sa famille, ses amis et ses collègues] l'encourage**aient**.
Le pronom relatif *qui*	S'accorde à la personne et au nombre du mot noyau du GN que le pronom *qui* remplace (son antécédent).	Est-ce toi qui parl**es** ? *qui* = toi → 2e pers. du sing. C'est toi et moi qui sign**ons**. *qui* = toi et moi → 1re pers. du plur. Voilà les filles qui veul**ent** voyager. *qui* = les filles → 3e pers. du plur.
Beaucoup, la plupart	S'accorde à la 3e pers. du plur., peu importe si ces mots sont suivis d'un complément.	Beaucoup voul**aient** faire le marathon. La plupart **ont** pris leur retraite à 55 ans.
On	S'accorde à la 3e pers. du sing.	On parl**e** français et anglais au Canada. On m'a di**t** d'arrêter de parler.
Quand le sujet est un nom collectif	À la 3e pers. du sing. Nom collectif : nom singulier qui désigne plusieurs êtres ou plusieurs choses.	Tout le monde **est** gentil. *la foule, la bande, le groupe, l'équipe, le troupeau*, etc.

[EXERCICES]

1 Dans les phrases suivantes, encadrez les GN sujets et soulignez les noyaux qui donnent leur accord au V.

a) Tous les membres de la famille arriveront vers 17 h ce soir.

b) Les étudiants de première année s'inscrivent de façon prioritaire.

c) Quand notre fils ainé sort tard le soir, ses frères et sœurs ne ferment pas l'œil de la nuit.

d) Les policiers vous demandent des explications.

e) Pendant que les jeunes du quartier se soulent au sous-sol, la femme de ménage met de l'ordre à l'étage.

f) Ce travail difficile et fatigant achève de me rendre complètement fou !

2 Conjuguez les verbes suivants au présent de l'indicatif et accordez-les avec leur sujet.

a) Derrière le parc, à trois minutes d'ici, (se trouver) _____ la maison de Daniel.

b) Le prix des soins de massothérapie (varier) _____ beaucoup d'un salon de beauté à l'autre.

c) Le fait de dormir huit heures toutes les nuits (permettre) _____ de rester en forme.

d) Comme tout le monde, vous (redire) _____ ensemble tout ce que vous (entendre) _____ à la télé.

e) C'est moi qui (être) _____ le responsable !

f) Ta sœur, ta mère et toi (aller) _____ partir en voyage ensemble ? Bonne chance...

3 Les phrases suivantes sont au présent de l'indicatif. Corrigez, si nécessaire, les erreurs d'accord du verbe avec le sujet.

a) Je penses que tu a toujours raison.

_____

b) Tu es vraiment un maitre pour tout ce qui es relié à la musique !

_____

c) Ces arbres ont des feuilles qui deviennes rouges à l'automne.

_____

d) Elle préfères qu'on utilisent son adresse personnelle.

_____

e) Elle et moi sont d'accord pour partir tout de suite.

_____

f) Une seule chose les intéressent : manger !

_____

4 Les phrases suivantes sont au passé (imparfait et passé composé). Corrigez les erreurs d'accord du verbe avec le sujet ainsi que les accords des participes passés.

a) C'étais délicieux ! Nous avont vraiment très bien mangé.

_____

b) Quand je l'ais rencontré pour la première fois, j'ai vu qu'il étais très beau.

_____

c) Tu faisait toujours la vaisselle quand on allaient manger chez toi.

_____

d) Il a dansé toute la nuit et après, elle est rentré chez elle.

_____

e) Ils se sont marié l'été passé et ils ons divorcé il y a deux mois.

_____

f) Qui as eu cette drôle d'idée ? Cette personne n'a pas manqué d'imagination...

_____

5 Vérifiez les accords et la conjugaison des verbes en caractères gras ci-dessous et, s'il le faut, corrigez-les.

Pourquoi le maïs éclaté **es** _____ [1] -il si cher au cinéma ? C'est la faute des gens qui en **achète** _____ [2], **réponds** _____ [3] Richard McKenzie, professeur à l'Université de Californie à Irvine. Selon cet économiste, les cinémas ont découvert que la demande pour le maïs soufflé ne **change** _____ [4] jamais : même si le prix de la friandise **augmentes** _____ [5], les cinéphiles en **veulent** _____ [6] toujours autant. Il **existent** _____ [7] aussi une influence réciproque entre le prix des billets et celui des aliments. Si les cinémas **baissent** _____ [8] le prix d'entrée et **augmentes** _____ [9] en même temps celui du maïs soufflé, ils **attirent** _____ [10] plus de spectateurs dans les salles et aux comptoirs alimentaires, et ils **hausse** _____ [11] leurs revenus nets. Faire du maïs éclaté à la maison **prends** _____ [12] du temps : il **faus** _____ [13] acheter les grains, sortir la machine du placard et la laver. Pour bien des cinéphiles, les prix au cinéma ne **paraissent** _____ [14] pas si élevés. Surtout que plusieurs **préfère** _____ [15] le gout du maïs des cinémas, riche et salé. L'économiste **juge** _____ [16], en fait, que le maïs éclaté n'est pas trop cher au cinéma ! Personne n'**emportent** _____ [17] en cachette dans les salles du maïs soufflé de la maison. C'est la preuve que les prix n'ont pas été aussi surestimés que les gens le **croient** _____ [18].

6 Vérifiez les accords et la conjugaison des verbes en caractères gras ci-dessous et, s'il le faut, corrigez-les.

Selon une étude, l'exposition précoce à une langue **influence** _____ [1] la façon dont le cerveau traitera les sons d'une autre langue. Pour cette étude, des chercheurs **se sont intéressé** _____ [2] à 43 enfants à qui ils **ont fait** _____ [3] entendre des enregistrements de pseudo mots proches du français, comme « vapagne » ou « chansette ».

Le premier groupe était constitué d'enfants nés et élevés dans des familles francophones qui **n'a ni appris ni entendus** _____ [4] le chinois. Le deuxième groupe **comprenaient** _____ [5] des enfants chinois qui **ont parlé** _____ [6] le français avant l'âge de trois ans. Le troisième groupe **se composé** _____ [7] d'enfants que des familles **ont adopté** _____ [8] en Chine avant l'âge de trois ans. Ces familles ne **communiquaient** _____ [9] qu'en français.

« Mon équipe et moi **ont étudié** _____ [10] la façon dont le cerveau traite les sons d'une langue couramment parlée en fonction des langues entendues après la naissance », **ont expliqué** _____ [11] l'auteur de l'étude.

Des IRM **ont démontré** _____ [12] qu'une région du cerveau *s'est activait* _____ [13] *chez tous les enfants qu'on **a exposés***

_____ [14] *au chinois très jeunes. L'équipe scientifique **n'ont pas***

observé _____ [15] *ce phénomène chez les sujets uniquement exposés*

au français. Chez les enfants adoptés par des familles francophones et ne parlant plus

*le chinois, ces zones **s'activaient** _____ [16] aussi. Présentes chez*

*les enfants bilingues, ces zones du cerveau **touches** _____ [17] la mémoire*

et l'attention.

*«L'apprentissage d'une langue dans la petite enfance **peut** _____ [18] changer*

*la façon d'en apprendre une autre », **ont noté** _____ [19] la psychologue.*

«Mais nous ne pouvons pas dire si apprendre une nouvelle langue sera plus facile

*ou non pour ces enfants », **avons-t-elle ajouté** _____ [20].[10]*

La cohésion temporelle

[ANTICIPATION

Mettez le texte suivant au passé : utilisez le passé composé et l'imparfait.

Monsieur Georges est un vieil homme qui vit seul à Montréal. Un jour, son immeuble prend feu. Monsieur Georges est trop vieux pour courir : il s'assoit paisiblement. Il est prêt à mourir. Heureusement, le feu s'éteint tout près de lui. Alors, Monsieur Georges change complètement de vie. Il retire tout son argent de la banque, quitte Montréal et achète un bar. À quatre-vingt-dix ans, il devient lui-même barman ; il remporte un grand succès auprès de sa clientèle.

_____

_____

_____

_____

_____

_____

_____

_____

_____

_____

_____

_____

GRAMMAIRE

10. Librement adapté de : « Le cerveau réagit différemment selon les langues entendues durant l'enfance », *La Presse*, Agence France-Presse, Paris, 1er décembre 2015, www.lapresse.ca/sciences/decouvertes/201512/01/01-4926610-le-cerveau-reagit-differemment-selon-les-langues-entendues-durant-lenfance.php.

P. 151 ET 157 G » ## L'usage du passé composé et de l'imparfait

Voici une comparaison des usages en français et en anglais pour vous aider à faire la différence entre le passé composé et l'imparfait :

Imparfait	Passé composé
Quand j'étais petit, je mangeais du poulet tous les soirs. **En anglais :** *When I was young, I used to eat chicken every evening.* *Used to + verb*	J'ai mangé du poulet, donc je n'ai plus faim. **En anglais :** *I have eaten chicken so I am not hungry anymore.* *Present perfect*
Je mangeais du poulet quand elle m'a contacté. **En anglais :** *I was eating chicken when she contacted me.* *Past continuous or imperfect*	J'ai longtemps mangé du poulet. **En anglais :** *I ate chicken for a long time.* *Simple past*

[EXERCICES]

1 Dans le texte suivant, soulignez les verbes au passé composé et encadrez les verbes à l'imparfait.

Je suis arrivée au restaurant à 20 h. Je portais une robe noire qui paraissait très élégante. J'étais très nerveuse de rencontrer cet homme. J'ai commandé un verre de vin blanc et je l'ai bu immédiatement. Je me suis assise à une table et j'ai allumé une cigarette. Rapidement, on est venu me réprimander, car je n'avais pas le droit de fumer. J'ai éteint ma cigarette et j'ai ouvert le menu qui se trouvait sur la table. Pendant 15 minutes, j'ai lu ce que la maison proposait, sans trouver un plat qui me plaise. On y présentait des viandes, des salades, des pâtes. Quand j'étais petite, je mangeais toujours des pâtes. Puis, soudainement, le serveur est venu vers moi et il m'a servi un second verre de vin blanc. Il l'a déposé sur la table alors que j'éternuais. À cet instant précis, j'ai senti un regard posé sur ma nuque. Je me suis retournée et j'ai vu l'homme que j'attendais depuis le début de la soirée. Il souriait. Je l'ai rejoint à sa table et il m'a embrassée : j'étais devenue la femme de sa vie.

P. 151 ET 157 G » **2** Donnez la raison pour laquelle chaque verbe du texte précédent est conjugué au passé composé ou à l'imparfait. Référez-vous aux tableaux des emplois et donnez le chiffre correspondant au bon emploi.

1 _____	7 _____	13 _____	19 _____	25 _____
2 _____	8 _____	14 _____	20 _____	26 _____
3 _____	9 _____	15 _____	21 _____	27 _____
4 _____	10 _____	16 _____	22 _____	28 _____
5 _____	11 _____	17 _____	23 _____	29 _____
6 _____	12 _____	18 _____	24 _____	30 _____

3 Conjuguez les verbes au passé composé ou à l'imparfait dans les phrases suivantes.

a) Hier soir, il y a eu une panne d'électricité parce qu'il (venter) _____ beaucoup.

b) Je commençais à relaxer quand il (faire) _____ jouer sa chaine stéréo très fort.

c) Quand elle a heurté le piéton, elle (conduire) _____ en état d'ébriété.

d) Vous ne connaissiez pas cette personne, mais vous (savoir) _____ tout de suite ce qu'elle voulait.

e) C'est parce qu'ils (vouloir) _____ voir le soleil se lever qu'ils sont sortis si tôt !

4 Mettez les verbes au passé (imparfait ou passé composé) dans les phrases suivantes.

a) Il (neiger) _____ un peu quand Luc (aller) _____ promener le chien.

b) Mes amis et moi (déjeuner) _____ tôt parce qu'il (faire) _____ beau et que nous voulions sortir.

c) Comme Agnès (ne pas appeler) _____ , nous (ne pas aller) _____ à sa rencontre.

d) Au début, je (ne pas savoir) _____ comment l'aborder. Puis, je lui (téléphoner) _____ .

e) Est-ce qu'il (pleurer) _____ déjà quand vous (entrer) _____ dans la pièce ?

f) Gino (ne pas venir) _____ parce qu'il (avoir) _____ mal aux dents.

g) Avant, je (boire) _____ beaucoup. Après mon opération, j'(arrêter) _____ de boire.

h) Il y a deux ans, je (vivre) _____ à Toronto. En 2010, j'(déménager) _____ à Montréal.

i) Il (arriver) _____ à la maison tard : elle (ne plus avoir) _____ envie de le voir.

5 Mettez les verbes au passé (imparfait ou passé composé) dans les phrases suivantes.

a) Il (pleuvoir) _____ quand Marie (sortir) _____ de chez elle.

b) Il y a trois ans, tu (vivre) _____ aux États-Unis. L'an passé, tu (partir) _____ habiter en Espagne.

c) Bob (ne pas aller) _____ au cinéma parce qu'il (avoir) _____ mal à la tête.

d) Quand il (téléphoner) _____ , je (manger) _____ déjà depuis 10 minutes.

e) L'an dernier, il (arrêter) _____ de travailler parce qu'il (tomber) _____ malade.

f) Au début, on (ne rien vouloir) _____ rien savoir de lui. Ensuite, on (se calmer) _____ .

g) Est-ce qu'il (dormir) _____ quand vous (ajuster) _____ son oreiller ?

h) Avant, tu (fumer) _____ beaucoup, mais, depuis ta maladie, tu (mettre) _____ un terme à cette déplorable habitude.

6 Le texte suivant est au présent. Mettez-le au passé (imparfait ou passé composé) et écrivez la forme du verbe qui convient dans l'espace.

Une étudiante de 14 ans, fille d'immigrés indiens, (triomphe) _____ [1] à un concours national d'orthographe très populaire aux États-Unis. Elle (épèle) _____ [2] correctement le mot français «guet-apens». «Je (connais) _____ [3] le mot, je le (vois) _____ [4] souvent dans les livres», (affirme) _____ [5] Snighda Nandipati, élève de 4ᵉ à San Diego, après avoir épelé correctement «G-U-E-T-A-P-E-N-S» sur la scène d'une salle de congrès près de Washington, lors de la finale du 85ᵉ concours «Scripps National Spelling Bee». Ce concours (se prépare) _____ [6] dans les salles de classe pour aboutir, après toute une série d'étapes éliminatoires, à une finale qui (est) _____ [7] très suivie par le public américain. Cette année, 278 jeunes, sélectionnés parmi 11 millions de candidats, (réussissent) _____ [8] à conquérir leur place pour les 3 jours de finale. Dans la salle, la tension (est) _____ [9] palpable chez les parents, alors que les jeunes, beaucoup plus décontractés, (se félicitent) _____ [10] et (se tapent) _____ [11] dans les mains à chaque mot difficile à épeler. Les mots les plus difficiles (sont) _____ [12] des mots très peu fréquents ou originaires de langues étrangères, comme «distelfink» (motif d'oiseau), «luteovirescent» (jaune verdâtre) ou «schwarmerei» (enthousiasme). Snighda Nandipati, qui (veut) _____ [13] la victoire, (remporte) _____ [14] une coupe et 30 000 dollars qu'elle mettra de côté pour payer ses études à l'université, (dit-elle) _____ [15]. Le père de la jeune fille, Krishnarao Nandipati, consultant en informatique, (indique) _____ [16] que sa fille (est) _____ [17] très exigeante et qu'elle (travaille) _____ [18] longuement le dictionnaire de référence du concours, le Merriam Webster. Les parents de la jeune fille (arrivent) _____ [19] aux États-Unis en 1995. La plus jeune candidate du concours, Lori Anne Madison, de Woodbridge en Virginie, (est) _____ [20] âgée de six ans et (fait) _____ [21] sensation cette année. Malheureusement, elle (trébuche) _____ [22] pendant la finale sur «ingluvies» (le jabot d'un oiseau). Parrainé par le groupe de médias Scripps, le concours (accueille) _____ [23] également des candidats des Bahamas, du Canada, du Ghana, du Japon, de la Corée du Sud et de la Nouvelle-Zélande. Les organisateurs (annoncent) _____ [24] qu'ils (envisagent) _____ [25] de tenir un concours à l'échelle mondiale d'ici décembre 2013.[11]

---

11. Librement adapté de : « Une écolière américaine remporte un concours d'orthographe grâce à un mot français », *Cyberpresse*, Agence France-Presse, Oxon Hill, 1ᵉʳ juin 2012, www.lapresse.ca/actualites/insolite/201206/01-4530947-une-ecoliere-americaine-remporte-un-concours-dorthographe-grace-a-un-mot-francais.php.

7 Mettez le texte suivant au passé. Attention à l'accord des participes passés.

La nuit passée, il (être) _____ [1] trois heures du matin quand je (se réveiller) _____ [2]. Il y (avoir) _____ [3] un bruit épouvantable pendant quelques instants. La porte de ma chambre n'(être) _____ [4] pas fermée. Après quelques secondes, j'(entendre) _____ [5] le bruit d'une vitre brisée. J'(penser) _____ [6] tout de suite à des voleurs. J'(avoir) _____ [7] peur. Je (ne pas vouloir) _____ [8] bouger de mon lit, mais il (falloir) _____ [9] avertir mes parents qui (dormir) _____ [10]. Je (se lever) _____ [11] avec prudence et j'(marcher) _____ [12] jusqu'à leur chambre. Mon cœur (battre) _____ [13] fort. Sans faire de bruit, j'(ouvrir) _____ [14] la porte de la chambre et j'(essayer) _____ [15] de réveiller maman qui (ronfler) _____ [16]. Elle (se réveiller) _____ [17] de mauvaise humeur. Quand je lui (dire) _____ [18] qu'il y (avoir) _____ [19] des voleurs au rez-de-chaussée, elle (prendre) _____ [20] le révolver dans le tiroir de sa table de chevet et elle (descendre) _____ [21] sans réfléchir. Papa et moi (commencer) _____ [22] à pleurer. Nous (s'attendre) _____ [23] à des cris. Maman (sortir) _____ [24] et elle (faire) _____ [25] le tour de la maison. Tout à coup, on (entendre) _____ [26] maman parler. Il (se passer) _____ [27] quelque chose de bizarre. Puis elle (crier) _____ [28] : « C'est la fin du monde ! »

LA CONJONCTION DE COORDINATION

[ANTICIPATION]

1 Soulignez les 11 conjonctions de coordination dans le texte suivant.

Le Honduras n'est pas très connu, mais ceux qui choisissent ce pays pour y passer leurs vacances sont enchantés : ils ont le choix entre les ruines de Copan, les iles Roatan ou le parc Pico Bonito. De plus, la capitale, Tegucigalpa, bénéficie d'un climat frais et agréable, car elle est située à 1 000 mètres d'altitude. La plupart des circuits touristiques proposent un riche mélange de découvertes culturelles et d'activités sportives. Il y en a donc pour tous les gouts. Or les touristes sont encore peu nombreux : ni le gouvernement ni la population ne comprennent pourquoi. Les autorités ont donc lancé une vaste campagne de publicité dans le monde entier, car elles veulent faire connaitre les richesses de leur pays.

2 Pourquoi les appelle-t-on des conjonctions ?

_____

La conjonction de coordination est utilisée :

1 pour relier, dans une phrase, des mots appartenant à la même classe (des noms, des verbes, des adjectifs, des adverbes, etc.);

Exemples : Cette ruelle est longue, **mais** étroite.

Je parlais lentement **et** difficilement.

Ni Mélissa **ni** Amélie n'ont lu ce livre.

2 pour relier deux phrases principales.

Exemples : Elle a décidé de collaborer avec les policiers, **car** elle connait la vérité.

Nous visiterons la Tunisie, **mais** nous n'irons pas en Égypte.

La forme et le sens de la conjonction de coordination

Formes	Sens	Exemples
mais	restriction opposition réfutation rectification	Ce t-shirt est beau, **mais** trop cher. Ce n'est pas Luc, **mais** Marie qui aura le poste. Maman est partie en vacances, **mais** je ne m'ennuie pas. Nous n'avons pas vécu cinq ans au Pérou, **mais** dix !
ou	alternative choix	Je ne sais quoi choisir : l'informatique **ou** le génie civil ? Ta chambre, tu la veux bleue **ou** verte ?
et puis	ajout d'information	Martin, Judith **et** Cynthia s'entendent très bien. Valère est courageux, tenace **et** débrouillard. Elle pose sa main sur mon épaule **et** je me sens bien. Elle pose sa main sur mon épaule, **puis** je me sens bien.
donc*	conséquence conclusion	« Je pense, **donc** je suis. » (Descartes) Il est unique, **donc** essentiel dans l'entreprise.
or	opposition objection	Elle a promis de venir, **or** elle n'est toujours pas arrivée !
ni	négation	**Ni** le théâtre **ni** la peinture ne m'intéressent. Je ne m'adresse **ni** à Georges, **ni** à Paul, **ni** à toi.
car	cause	Elle courra les 42 km, **car** elle s'est bien préparée. Il ne participera pas au tournoi, **car** il s'est foulé la cheville.

* À propos de *donc* : Aujourd'hui, on a tendance à classer *donc* parmi les adverbes, car, contrairement aux autres conjonctions de coordination qui se placent toujours entre les termes qu'elles unissent, *donc* peut se placer ailleurs dans la phrase.

Exemples : La situation se dégrade, nous avons **donc** pris les mesures qui s'imposent.

Jules a perdu son emploi l'année dernière ; j'ai **donc** décidé de l'héberger.

Complétez les paragraphes avec l'une des conjonctions de coordination suivantes : *mais, ou, et, donc, or, ni, car.*

a) Alexandra voulait savoir si je préférais le hockey _____ le football. Je lui ai répondu :

« _____ l'un _____ l'autre », _____ je n'aime pas la violence du hockey, _____ je

n'apprécie pas non plus les durs contacts physiques du football. C'est le volleyball _____ le

basketball qui correspondent le mieux aux sports que j'apprécie : _____ violents _____ durs.

b) Jordan a trouvé un emploi à 200 km de chez lui. Il aurait pu accepter _____ refuser. _____ , Jordan était sans emploi depuis deux ans : il ne pouvait _____ pas refuser ce travail. Il a loué un studio, _____ il part le lundi matin _____ revient le vendredi soir. Sa conjointe trouve difficile d'être seule pour s'occuper de tout, _____ elle y arrive. Comme cet emploi a permis d'améliorer leur niveau de vie, _____ Jordan _____ sa conjointe ne se plaignent.

LA PRÉPOSITION

⌐ ANTICIPATION ⌐

Soulignez les 15 prépositions dans les phrases suivantes.

a) C'est dans le journal *Le reflet* de Granby que nous avons lu cet article sur l'emploi.

b) Sans une main-d'œuvre qualifiée en informatique, cette industrie ne serait pas si florissante à Montréal.

c) Pour financer ce projet, nous ferons un emprunt à la banque.

d) Les animateurs ont été surpris par la violence de ses paroles.

e) Son père habite en Ontario et sa mère vit à Londres.

f) Dépose ces livres sur l'étagère et mets ces boites sous la table.

⌐ NOTIONS THÉORIQUES ⌐

La préposition introduit, entre autres, un complément de phrase, un complément de verbe ou un complément du nom. Elle est toujours suivie d'une expansion ; on ne peut pas l'utiliser seule.

Elle aide à préciser l'information.

Exemples : le vélo → **de** Guillaume   Elle pense → **à** ses vacances.
             de montagne   **à** reprendre ses études.

Les formes et les emplois de la préposition

1 Le choix de la préposition peut dépendre de ce que l'on veut exprimer.

   Exemples : Déposez-le **sur** la table.   Déposez-le **sous** la table.
                  Elle travaille **avec** sa mère.   Elle travaille **chez** sa mère.
                  Nous votons **pour** ce candidat.   Nous votons **contre** ce candidat.

Cependant, le choix de la préposition peut aussi dépendre des mots : *parler à*, *parler de*, *pardonner à*, *se souvenir de*, *heureux de partir*, *fier de toi*, *avec plaisir*, etc. Pour choisir la bonne préposition, il faut vérifier dans le dictionnaire soit à la préposition, soit au mot que l'on veut employer.

2 Les propositions *à* et *de* se contractent avec les déterminants *le* et *les* pour former les déterminants définis contractés *au* et *aux*, *du* et *des*. *À la* et *de la* ne se contractent pas.

   Exemples : Tu exposes **au** (**à le**) Musée Grévin. **MAIS** Tu exposes **à la** Galerie Rive-Sud.
                  Je parle **des** (**de les**) pyramides. **MAIS** Je parle **de la** place Saint-Marc.
                  Elle vient **du** (**de le**) Mexique. **MAIS** Elle vient **de la** Pologne.
                  Il assiste **aux** (**à les**) débats du Sénat. **ET** Il assiste **aux** (**à les**) conférences.

3 Une phrase ne se termine jamais par une préposition.

On ne peut pas dire ou écrire : Son patron était dur, toute la journée il criait <u>après</u>.

Il riait quand il jouait <u>avec</u>.

On doit dire ou écrire : … toute la journée, il criait **contre** lui.

Il riait quand il jouait **avec** sa sœur.

4 Les verbes se mettent à l'infinitif lorsqu'ils sont précédés des prépositions *à*, *de*, *pour*, *sans*.

> *À*, *DE*, *POUR*, *SANS* + un verbe → verbe à l'infinitif

Exemples : Pour command**er**, vous n'avez qu'**à** cliqu**er** sur le point rouge.

Alexis acceptera **de** sign**er** le contrat **sans** discut**er**.

Les principales prépositions simples		
Formes	**Sens**	**Exemples**
à	appartenance destination manière, moyen situation, direction temps	Ce livre est **à** ma sœur. Tu parles **à** Marie. J'envoie ce courriel **à** la mairie. Je vais **à** pied. Il va **à** Toronto qui est **à** l'ouest de Montréal. **À** la mi-mai, nous ensemençons nos champs.
de	appartenance cause manière matière origine	Elle emprunte le vélo **de** son copain. Cet imbroglio est **de** sa faute. Tu rougis **de** plaisir. Il saute **de** joie. Elle veut un collier **de** malachite. Il arrive **de** Madagascar. Tu reviens **du** (**de le**) Pérou.
pour	but, direction destination identification période	Il faut travailler **pour** réussir. **Pour** le Québec, cette loi est importante. **Pour** Lyne, cela n'a pas d'importance ; **pour** moi, si. Nous l'achèterons **pour** les vacances.
sur sous	précision situation	Il est apparu **sous** les traits d'un vampire. Mettez ce document **sous** enveloppe. Regarde **sur** le bureau et **sous** le fauteuil.
en	direction manière, moyen situation, lieu période	Déposez-les **en** arrière. Regardez **en** avant. Elle nous quitte **en** pleurant. Il va travailler **en** vélo. Ils nous ont mis **en** attente. Ils vivent **en** Islande. **En** été, les jours sont plus longs.
par	cause, explication manière, moyen origine, passage	Elles ont les traits bouleversés **par** la peur. Cette blessure a été causée **par** sa négligence. Les soldats marchent quatre **par** quatre. Il passe **par** la mer de Béring.
chez	lieu	Il habite **chez** sa grand-mère.
dans	lieu temps manière	Félix est **dans** la classe. Maïka reviendra **dans** trois semaines. Ils vivaient **dans** la misère.
devant	lieu	Vous passez **devant** moi sans vous excuser ! Ta voiture est **devant** la mienne.
derrière	lieu	Tu te placeras **derrière** lui. Nous garons la voiture **derrière** la maison.
sans	absence exclusion	Elle refusera de parler **sans** son avocat. Samuel regardait Alexia **sans** parler. Cette chambre d'hôtel coute 125 $ **sans** le petit déjeuner.

Les prépositions et les noms géographiques							
Lieu	**Règle générale**	**Destination, situation**			**Origine, provenance**		
		aller	**être**	**se trouver**	**venir**	**revenir**	**provenir**
Continents États Pays Provinces canadiennes	Noms féminins	**en**	en Asie en Afrique en Amérique		**d' / de l'**	d' / de l'Europe d' / de l'Amérique	
		en	en Tunisie en Allemagne en Hongrie en Ontario (exception : à l'Î.-P.-É.)		**de d' de la d' / de l'**	de / de la Roumanie d' / de l'Italie de / de la Corée d' / de l'Alberta	
	Noms masculins commençant par une consonne ou un *h* aspiré	**au**	au Pérou au Honduras au Danemark		**du**	du Guatemala du Sri Lanka du Vietnam	
Pays dont le nom est au pluriel		**aux**	aux États-Unis		**des**	des Pays-Bas	
Villes		**à**	à Winnipeg à Tombouctou à Londres		**de d'**	de Saint-Jean de Los Angeles d'Abidjan	
Îles		**à** **en** **aux**	à Cuba à Terre-Neuve en Guadeloupe aux États-Unis aux Seychelles		**de des** **de / de la d' / de l'**	de Martinique des Bermudes des Pays-bas de / de la Corse d' / de l'Islande	

EXERCICES

Dans les phrases suivantes, choisissez la bonne préposition ou le bon déterminant défini contracté.

a) Gabriel et Nathan jouent (dans, sur, à) _____ [1] l'équipe nationale (du, de la, de) _____ [2] basketball (de la, du, de) _____ [3] Canada. Leur prochain match aura lieu (à, en, au) _____ [4] Washington, (aux, à les, des) _____ [5] États-Unis, (sur, dans, pour) _____ [6] deux semaines. Ils sont (dans, sous, sur) _____ [7] les nerfs, car ils doivent gagner s'ils veulent participer (à la, aux, de la) _____ [8] finale internationale (au, à, en) _____ [9] Sydney, (à, en, sous) _____ [10] Australie.

b) « Monsieur, (en, sans, par) _____ [1] vouloir vous contredire, je tiens (à, de, par) _____ [2] vous dire que les statistiques que vous donnez (sous, dans, sur) _____ [3] le taux de suicide (à, en, au) _____ [4] Ontario sont fausses. Le problème est beaucoup plus important. Je vais finir (par, sans, à) _____ [5] croire que vous êtes (par, en, contre) _____ [6] le programme (du, d', de la) _____ [7] aide (de la, du, de) _____ [8] Société canadienne (sur, sans, pour) _____ [9] la vie. »

L'ADVERBE

[**ANTICIPATION**]

1 Insérez les adverbes suivants dans le texte.

| éperdument | définitivement | ne... plus | profondément | hier | longuement | lentement |

Arthur marchait _____ [1]. _____ [2], Sandrine et
lui avaient discuté _____ [3]. Il l'aimait _____ [4].
Elle _____ [5] l'aimait _____ [6]. Elle voulait le quitter
_____ [7]. Arthur était _____ [8] déçu de la tournure
des évènements.

2 À quoi servent les adverbes ?

_____

_____

_____

[**NOTIONS THÉORIQUES**]

L'adverbe est un mot invariable (sauf *tout*) qui permet de préciser ou de modifier le sens de l'information. Il peut donner des précisions sur la manière, le temps, le lieu, l'intensité, la négation, etc.

Exemple : Hier, il a parcouru **rapidement** 8 km. Il **n'**était **pas du tout** épuisé à son arrivée.

Particularité du mot *tout*

Tout peut être déterminant, pronom, nom ou adverbe.

- Déterminant : **Tout** le jour. / **Tous** les jours. / **Toute** la soirée. / **Tous** les soirs.
- Pronom : **Tout** était en ordre. **Tous** occupaient leur poste.
- Nom : Voici les articles que je veux ; livrez le **tout** à mon domicile.
- Adverbe : Il avait acheté un cheval **tout** noir et une jument **toute** brune.

Tout adverbe a le sens de *totalement*, *entièrement*. Il reste invariable, sauf devant un adjectif féminin commençant par une consonne ou un *h* aspiré.

Exemples : Après l'accident, il était **tout** blême et **tout** tremblant.

Maryse était arrivée **tout** ébahie, **toute c**ontente mais **toute h**aletante.

Adj. commençant   Adj. commençant
par une consonne   par un *h* aspiré

Les formes et les sens de l'adverbe

1 Il y a deux formes d'adverbes :
- les adverbes simples, formés d'un seul mot ;
  Exemples : hier, **certainement**, **aussi**, **toujours**
- les adverbes complexes ou locutions adverbiales, formés de plusieurs mots.
  Exemples : ne... pas, **tout à coup**, **là-bas**, **tout à fait**, **en dessous**

2 Beaucoup d'adverbes sont formés d'un adjectif auquel on a ajouté le suffixe *-ment*.
  Exemples : Il écoutait **attentivement**. Elle parlait **rapidement**.

La formation de l'adverbe			
Adjectifs au féminin		**Adjectifs au masculin**	
Se terminant par -e -e → -ement	lent**ement** présent**ement** fièr**ement** final**ement** essentiell**ement**	Se terminant par -é → -ément -i → -iment -u → -ument	assur**ément** jol**iment**, pol**iment** absol**ument**, ind**ument**
Se terminant par -e -e → -ément	précis**ément** commun**ément**	Se terminant par -ant → -amment -ent → -emment	élég**amment** différ**emment**

Exceptions : bref → brève → brièvement ; gentil → gentille → gentiment

P. 112-113 **G** »

Les adverbes et les locutions adverbiales couramment utilisés		
Formes	**Sens**	**Exemples**
depuis, hier, avant-hier, déjà, demain, après-demain, alors, aujourd'hui, autrefois, parfois	temps	Il fait **déjà** nuit. Je te vois **après-demain**. **Autrefois**, il neigeait en octobre.
ne... pas, ne... plus, ne... guère, ne... jamais, non, non plus	négation	Je **ne** le vois **plus**. Elle **ne** surfe **jamais** sur Internet.
beaucoup, assez, peu, pas du tout, un peu, très, trop, suffisamment, surtout, tout, tout à fait, entièrement, totalement	quantité degré	Ils travaillent **trop**. Nous gagnons **suffisamment**. **Surtout**, ne répondez pas. Tu es **tout à fait** capable de fabuler.
assurément, certainement, oui, d'accord, volontiers, vraiment	affirmation	Elle prendra **certainement** un congé. J'ai **vraiment** envie de partir.
autour, ailleurs, ici, là-bas, loin, au-dessous, au-dessus, au-delà, dehors, dedans	lieu	**Ici**, il y a quatre livres ; **là-bas**, il y en a deux. Ne va pas **au-delà** de la ligne bleue. **Dehors**, il fait froid.
agilement, rapidement, vite, aussi, sournoisement, sérieusement, ainsi, heureusement, silencieusement	manière	**Vite**, sortez de la classe ! Tu parles **sérieusement** ! **Heureusement**, elle a pu venir.
sans doute, sans aucun doute, probablement, possiblement, peut-être	possibilité doute	Vous viendrez **probablement**. Elle acceptera **peut-être** de chanter.
ainsi, donc, par conséquent, en conséquence	conséquence	Je lui ai **donc** refusé le poste. **Par conséquent**, il a démissionné.

LES DIFFICULTÉS COURANTES

LES HOMOPHONES

[**ANTICIPATION**

Dans le texte suivant, choisissez le mot approprié parmi les homophones suggérés.

a) (Ces, Ses) _____ livres (son, sont) _____ en solde ; Élisabeth les achètera pour les offrir

en cadeau (a, à) _____ (ces, ses) _____ amies.

b) « Tu ne (peut, peux, peu) _____ pas comprendre, tu n'(es, est) _____ pas assez vieille. »

Voilà (se, ce) _____ que me répétaient sans cesse (mes, mais) _____ parents.

c) Les joueurs (on, ont) _____ déclaré que Kathy ne (leur, leurs) _____ avait pas dit que

(là, la) _____ partie commençait (a, as, à) _____ 19 h.

d) (Sais, Sait, S'est) _____-tu si (s'est, c'est) _____ Thomas (ou, où) _____ Édouard

qui choisira l'endroit (ou, où) _____ ils planteront (leurs, leur) _____ tente ?

e) (Sa, Ça) _____ , je ne le (sait, s'est, sais) _____ pas.

[**NOTIONS THÉORIQUES**

Les mots homophones

Les mots **homophones** sont des mots qui ont la même prononciation, mais qui ne s'écrivent pas de la même façon et qui n'ont pas la même signification.

Exemple : peu et **peut**

as / a / à		
	Précisions	**Exemples**
as	Verbe *avoir*, 2e pers. du sing., indicatif présent.	Tu **as** 20 ans. Tu **as** fini ce travail
a	Verbe *avoir*, 3e pers. du sing., indicatif présent. On peut le remplacer par *avais / avait*.	Elle **a** trois enfants.
à	Préposition (indique le lieu, le but, le temps, la manière, etc.) qui introduit un GPrép.	Il est **à** l'université. Je n'ai rien **à** faire. Viens **à** 16 h 30, **à** pied.

ce / se		
	Précisions	**Exemples**
ce	Déterminant démonstratif (qui détermine un nom). Pronom démonstratif ; on l'utilise : • dans une phrase interrogative (*Est-ce... ?*) ; • devant *que*, *qui* ou *dont* quand l'antécédent est une idée ; • devant le verbe *être*.	**Ce** médecin est excellent. Est-**ce** vous qui riez ? Je cherche **ce** qui est vrai. **Ce** dont tu parles est faux. Demain, **ce** *sera* mieux.
se	Pronom personnel qui reprend les pronoms *il*, *elle* et *on* dans la conjugaison des verbes pronominaux (*se lever*, *se maquiller*, etc.).	*Il / elle / on* **se** lève à 9 h. *Ils / elles* **se** maquillaient. *On* **se** sera vus hier ?

c'est / s'est / ses / ces / sais / sait		
	Précisions	**Exemples**
c'est	*Ce* (pronom démonstratif) + *est* (verbe *être* au présent), *ce* + *est* = *c'est*. On peut le remplacer par *c'était*.	**C'est** lundi. **C'est** le meilleur.
s'est	*Se* (pronom personnel) + *est* (verbe *être* au présent), *se* + *est* = *s'est*. On peut le remplacer par *s'était*. *S'est* est utilisé pour conjuguer les verbes pronominaux (*se blesser*, *se souvenir*, etc.) au passé composé.	Elle **s'est** levée à 8 h. Il **s'est** blessé en jouant. On **s'est** beaucoup amusés. Marc **s'est** souvenu de toi.
ses	Déterminant possessif qui indique que quelque chose appartient à *il* / *elle* / *on*. On peut le remplacer par *mes* ou *tes*.	Il a vendu **ses** livres. **Ses** bottes sont neuves.
ces	Déterminant démonstratif qu'on utilise pour montrer. On peut mettre la phrase au singulier et remplacer *ces* par *ce*, *cet* ou *cette*.	À qui sont **ces** cellulaires ? **Ces** fruits sont trop murs.
sais sait	Verbe *savoir*, 1ʳᵉ ou 2ᵉ pers. du sing., indicatif présent. Verbe *savoir*, 3ᵉ pers. du sing., indicatif présent. On peut le remplacer par *savais* / *savait*.	Je **sais** tout, tu ne **sais** rien. Elle **sait** que Jean est parti.

et / es / est		
	Précisions	**Exemples**
et	Conjonction qui unit deux mots, groupes de mots ou phrases de même fonction syntaxique.	Le lièvre **et** le loup... Rire **et** pleurer... Lis le texte **et** résume-le.
es est	Verbe *être*, 2ᵉ pers. du sing., indicatif présent. Verbe *être*, 3ᵉ pers. du sing., indicatif présent. On peut le remplacer par *étais* / *était*.	Tu **es** en retard. Le maire **est** absent. Le repas **est** servi à 20 h.

la / l'a / là		
	Précisions	**Exemples**
la	Déterminant défini fém. sing. devant un nom. Pronom personnel CD qui remplace un nom fém. sing.	**La** maison, **la** cour... Ta sœur, je **la** connais.
l'a	Pronom personnel CD *le* ou *la* élidé + *avoir*, 3ᵉ pers. du sing., indicatif présent. On peut le remplacer par *avait*.	Ce film, elle **l'a** déjà vu. L'auto, il **l'a** achetée hier.
là	Adverbe qui indique le lieu.	Nous habitons **là**.

leur / leurs		
	Précisions	**Exemples**
leur	Pronom personnel complément indirect (CI), invariable, utilisé devant un verbe. On peut le remplacer par le pronom personnel CI *vous*.	Je **leur** parle ce matin. Nous **leur** avons dit oui.
leur leurs	Déterminant possessif qui indique que quelque chose appartient à *ils* / *elles*, qui détermine un nom, dont il reçoit l'accord. On peut le remplacer par *notre* / *nos* ou *votre* / *vos*.	**Leur** mère est gentille. **Leurs** souliers sont neufs.

GRAMMAIRE

ma / m'a / m'as		
	Précisions	**Exemples**
ma	Déterminant possessif qui indique que quelque chose appartient à *je*, et qui détermine un nom, dont il reçoit l'accord. On peut le remplacer par *notre*.	**Ma** décision est prise. **Ma** voiture est vieille.
m'a m'as	Pronom personnel *me* (*m'*) + verbe *avoir*, 2e et 3e pers. du sing., indicatif présent. On peut le remplacer par *avait / avais*.	Elle **m'a** dit de venir. Tu **m'as** téléphoné hier.

mes / mais / mets / met		
	Précisions	**Exemples**
mes	Déterminant possessif qui indique que quelque chose appartient à *je*, qui détermine un nom, dont il reçoit l'accord. On peut le remplacer par *nos*.	**Mes** amis sont partis. Tu as pris **mes** bottes.
mais	Conjonction qui exprime la restriction, l'opposition, la réfutation ou la rectification.	Il n'est pas bleu **mais** gris. Elle veut **mais** elle ne peut pas.
mets	Nom masculin invariable : plat cuisiné.	Ce **mets** est délicieux. Tu aimes les **mets** épicés.
mets	Verbe *mettre*, 1re et 2e pers. du sing., indicatif présent.	Je **mets** mon chandail vert. **Mets**-tu du sel ?
met	Verbe *mettre*, 3e pers. du sing., indicatif présent.	On **met** ta parole en doute.

mon / m'ont / mont		
	Précisions	**Exemples**
mon	Déterminant possessif qui indique que quelque chose appartient à *je*, utilisé devant un nom masc. sing. ou un nom fém. sing. commençant par une voyelle ou un *h* muet. On peut le remplacer par *mes*.	**Mon** amie s'appelle Éva. Excuse **mon** retard. Donne-moi **mon** foulard.
m'ont	Pronom personnel *me* (*m'*) + verbe *avoir*, 3e pers. du plur., indicatif présent. On peut le remplacer par *m'avaient*.	Ils **m'ont** remercié. Elles **m'ont** vu hier.
mont	Nom masculin : petite montagne.	Connais-tu le **mont** Chauve ?

ont / on		
	Précisions	**Exemples**
ont	Verbe *avoir*, 3e pers. du plur., indicatif présent. On peut le remplacer par *avaient*.	Elles **ont** un restaurant. Ils **ont** gagné la Coupe.
on	Pronom personnel sujet. On peut le remplacer par *quelqu'un*, *les gens*, *nous*.	**On** a publié ce roman. **On** aimerait voir ce film.

ou / où		
	Précisions	**Exemples**
ou	Conjonction qui unit deux mots, groupes de mots ou phrases de même fonction syntaxique et qui indique un choix, une alternative.	Le sel **ou** le poivre ? Partir **ou** rester ? Il veut **ou** il ne veut pas ?
où	Adverbe interrogatif qui indique le lieu, l'endroit. Pronom relatif qui indique le lieu, l'endroit ou le temps.	**Où** vas-tu cet été ? L'école **où** j'étudie…

peu / peux / peut		
	Précisions	**Exemples**
peu	Adverbe qui indique un petit nombre, une petite quantité. Pronom indéfini. Déterminant indéfini (*peu de*).	Il dort très **peu**. **Peu** sont venus le voir. **Peu d'**élèves ont réussi.
peux	Verbe *pouvoir*, 1re et 2e pers. du sing., indicatif présent.	Je **peux** le faire. Tu **peux** venir.
peut	Verbe *pouvoir*, 3e pers. du sing., indicatif présent . On peut le remplacer par *pouvais / pouvait*.	Il / elle / on **peut** y aller.

sa / ça		
	Précisions	**Exemples**
sa	Déterminant possessif qui indique que quelque chose appartient à *elle / il / on*, et qui accompagne un nom, dont il reçoit l'accord. On peut le remplacer par *ses*.	Voici **sa** sœur. Il fait **sa** maitrise.
ça	Pronom démonstratif, abréviation de *cela*.	**Ça** ne vaut rien. **Ça** m'a couté cher.

son / sont		
	Précisions	**Exemples**
son	Déterminant possessif qui indique que quelque chose appartient à *elle / il / on*, utilisé devant un nom masc. sing. ou fém. sing. commençant par une voyelle ou un *h* muet. On peut le remplacer par *ton* ou *mon*.	C'est **son** crayon. **Son** école est grande. **Son** amie est grecque.
son son	Nom masculin : bruit, intensité sonore. Nom masculin : céréale.	Le **son** de cet instrument... Un pain de **son**...
sont	Verbe *être*, 3e pers. du plur., indicatif présent. On peut le remplacer par *étaient*.	Ils **sont** trois. Elles **sont** là. Ces articles **sont** neufs.

ta / t'a		
	Précisions	**Exemples**
ta	Déterminant possessif qui indique que quelque chose appartient à *tu*, qui accompagne un nom, dont il reçoit l'accord. On peut le remplacer par *tes*.	**Ta** pièce de théâtre est formidable. Tu as reçu **ta** commande.
t'a	Pronom personnel *te* (*t'*) + verbe *avoir*, 3e pers. du sing., indicatif présent . On peut le remplacer par *t'avait*.	Luc **t'a** reçu chez lui. La nuit **t'a** porté conseil.

ton / t'ont		
	Précisions	**Exemples**
ton	Déterminant possessif qui indique que quelque chose appartient à *tu*, utilisé devant un nom masc. sing. ou un nom fém. sing. commençant par une voyelle ou un *h* muet. On peut le remplacer par *tes*.	**Ton** avis est important. **Ton** attitude est inacceptable.
ton	Nom masculin : hauteur de la voix.	Elle élève le **ton** quand son père lui parle.
t'ont	Pronom personnel *te* (*t'*) + verbe *avoir*, 3e pers. du plur., indicatif présent. On peut le remplacer par *t'avaient*.	Ils **t'ont** menti. Les jeunes **t'ont** félicité.

Des astuces pour choisir le mot approprié parmi les mots homophones

Remplacer le mot par un mot de la même classe.
Exemple : Il a perdu **son** cellulaire. Il a perdu **ton** cellulaire.

Remplacer un verbe par le même verbe à un autre temps.
Exemple : Tu **as** accepté l'offre. Tu **avais** accepté l'offre.

Chercher dans le dictionnaire le sens du mot.
Exemple : Il ne **sait** pas toute la vérité.
Sait : verbe *savoir* → avoir la connaissance

EXERCICES

1 Parmi les propositions ci-dessous, choisissez l'homophone approprié.

a) as / a / à

« Zahra, tu _____ **1** le choix : tu peux étudier _____ **2** Vancouver ou _____ **3** Calgary », lui _____ **4** dit son père. Zahra n' _____ **5** pas eu de difficulté _____ **6** choisir : elle ira _____ **7** Calgary, car elle _____ **8** la passion des chevaux et cette ville _____ **9** la réputation d'offrir les meilleurs cours d'équitation. Zahra se met _____ **10** rêver : elle souhaite participer au Stampede de Calgary. « Tu _____ **11** fait un bon choix, en étudiant _____ **12** Calgary, ton rêve _____ **13** des chances de se réaliser », lui _____ **14** texté son père.

b) sont / son / sons

Quels _____ **1** ces gémissements que nous entendons ? Ce _____ **2** les _____ **3** de _____ **4** nouveau saxophone. Ses grands-parents _____ **5** musiciens et lui ont offert cet instrument à _____ **6** dernier anniversaire. Depuis, Victor essaie d'en tirer des _____ **7** mélodieux, mais, pour l'instant, ce ne _____ **8** que des lamentations.

c) ont / on

_____ **1** nous dit que les employés municipaux _____ **2** voté en faveur de la grève hier soir. _____ **3** ne sait pas quand ils cesseront de travailler. Ils _____ **4** réclamé de meilleures conditions de travail, mais _____ **5** n'a pas satisfait leur demande. Alors, ils _____ **6** décidé de faire la grève. _____ **7** nous dit dans les journaux que les employés _____ **8** promis d'aller jusqu'au bout, mais qu'_____ **9** assurera les services essentiels pendant la grève.

d) ce / se

_____ **1** matin, Léa et William _____ **2** sont levés à 6 h 30. _____ **3** sera une belle journée. Alors ils _____ **4** sont lancés sur _____ **5** sentier que leur ami Bastien leur avait conseillé. _____ **6** sont des kilomètres et des kilomètres qu'ils devront parcourir avant d'arriver à _____ **7** petit refuge indiqué sur leur carte. Là, ils pourront _____ **8** réchauffer, _____ **9** reposer et _____ **10** restaurer avant d'attaquer la dernière étape.

2 Dans le texte suivant, choisissez le mot approprié parmi les homophones proposés.

Le robot Asimo[12]

Asimo (et, est) _____ [1] un petit robot androïde japonais. Depuis des années, il épatait le monde par (sa, ça) _____ [2] dextérité et (son, sont) _____ [3] agilité. (An, En) _____ [4] novembre 2011, la dernière version d'Asimo (a, à) _____ [5] été présentée (a, à) _____ [6] Tokyo. (Se, Ce) _____ [7] petit robot (peux, peut, peu) _____ [8] maintenant sauter sur une jambe, courir (a, à) _____ [9] une vitesse de 9 kilomètres à l'heure, marcher à reculons (ou, où) _____ [10] encore (se, ce) _____ [11] déplacer sur un terrain (peux, peut, peu) _____ [12] accidenté. (Ces, Ses, S'est) _____ [13] nombreux capteurs lui permettent d'avoir des sens proches de ceux des humains : il peut identifier des personnes en reconnaissant soit (leurs, leur) _____ [14] visage, soit le (son, sont) _____ [15] de leur voix. Il est capable d'interrompre une action (et, est) _____ [16] de modifier son comportement pour s'adapter à (son, sont) _____ [17] entourage. (Ces, Ses, S'est) _____ [18] mains (on, ont) _____ [19] cinq doigts qui lui permettent de manipuler facilement les objets : il (sais, sait, c'est, s'est) _____ [20], par exemple, ouvrir une bouteille (et, est) _____ [21] en verser le contenu dans un (vers, ver, verre) _____ [22].

3 Corrigez par un mot homophone, si nécessaire, les mots en gras dans les paragraphes suivants.

a) Voici Jonathan et **ces** _____ [1] amis. Ils **se** _____ [2] sont donné rendez-vous aux Îles de Boucherville. Ils aiment marcher dans **c'est** _____ [3] sentiers bien tracés. Jonathan **peux** _____ [4] marcher pendant des heures, **mes** _____ [5] **ses** _____ [6] camarades **ce** _____ [7] fatiguent vite.

b) Je **leurs** _____ [8] ai demandé de ne plus faire **leur** _____ [9] travaux de recherche dans **là** _____ [10] classe. Je **veut** _____ [11] qu'ils profitent des périodes de laboratoire pour faire **leurs** _____ [12] recherches sur la généalogie de **leurs** _____ [13] famille. Je dois **leurs** _____ [14] rappeler que le travail doit être remis jeudi prochain. Si **cet** _____ [15] date ne **leur** _____ [16] convient pas, ils pourront communiquer avec **mois** _____ [17].

c) — Est-ce que Camille **sais** _____ [18] si **s'est** _____ [19] Arthur **où** _____ [20] Julien qui **s'est** _____ [21] blessé en faisant du surf des neiges [13] ? — Je ne **sais** _____ [22] pas, elle ne **ma** _____ [23] rien dit. Et toi, tu **a** _____ [24] d'autres nouvelles ? — Non, elle doit me téléphoner **se** _____ [25] soir **est** _____ [26] je t'appellerai tout de suite après **sont** _____ [27] appel.

12. Ce texte est inspiré de AGENCE FRANCE-PRESSE, « Le robot Asimo sait maintenant prendre des initiatives », *Canoe.ca*, 8 novembre 2011, http://fr.canoe.ca/techno/materiel/archives/2011/11/20111108-094214.html.

13. Surf des neiges : glisse pratiquée sur la poudreuse.

4 Corrigez par un mot homophone, si nécessaire, les mots soulignés dans le texte suivant.

Jimmy Jump, le plus grand perturbateur au monde[14]

<u>S'est</u> _____ [1] le perturbateur d'évènements le plus célèbre au monde. Jimmy Jump, aussi connu sous le nom de Jimmy Sauteur, <u>as</u> _____ [2] déjà sévi dans plus de cinquante grandes manifestations. <u>Ça</u> _____ [3] spécialité : faire irruption sur le terrain lors de grands évènements sportifs. [...]

Q. Jimmy, comment devient-<u>ont</u> _____ [4] perturbateur professionnel ?

R. J'ai toujours voulu passer <u>a</u> _____ [5] la télé. Quand j'étais petit, j'ai fait une quantité incroyable de castings[15] pour des pubs, <u>mes</u> _____ [6] je n'ai pas été choisi une seule fois. Un jour, un directeur de casting <u>ma</u> _____ [7] regardé <u>et</u> _____ [8] <u>ma</u> _____ [9] dit : « Petit, tu ne réussiras jamais <u>a</u> _____ [10] passer <u>à</u> _____ [11] la télé, crois-moi. » Je lui ai juste répondu : « Fuck you, man ! » Je pense à <u>se</u> _____ [12] type chaque fois que je saute sur un terrain.

Q. Comment fais-tu pour t'introduire partout ?

R. Je commence <u>a</u> _____ [13] m'entrainer quatre semaines avant un évènement. Je vais courir <u>à</u> _____ [14] la salle de sport. Je suis rapide : en <u>se</u> _____ [15] moment, je cours le 100 mètres en onze secondes. <u>Est</u>_____ [16] puis je fais aussi des recherches dans Internet : <u>à</u> _____ [17] quoi ressemble le stade ? <u>Ou</u> _____ [18] <u>son</u> _____ [19] les entrées ? Pour finir, je consulte <u>m'ont</u> _____ [20] avocat.

Q. Pourquoi ?

R. Il m'explique quelle sanction je risque. En général, <u>se</u> _____ [21] <u>sont</u> _____ [22] de petites amendes. Pour <u>là</u> _____ [23] finale de la Coupe du monde de foot <u>à</u> _____ [24] Johannesburg, j'ai dû payer 210 euros d'amende. C'était relativement <u>peut</u> _____ [25]. Heureusement, parce que je n'ai pas de sponsor[16]. Je voulais perturber les Jeux olympiques de Pékin, en 2008, <u>mets</u> _____ [26] mon avocat me <u>la</u> _____ [27] déconseillé : « Jimmy, ne fais pas <u>sa</u> _____ [28], <u>ces</u> _____ [29] la Chine, tu risques de ne jamais sortir de taule. » Du coup, je n'y suis pas allé. De toute façon, la sécurité <u>est</u> _____ [30] trop stricte aux JO.

---

14. Ce texte est adapté de Heike KOTTMAN, « Jimmy Jump », *Courrier International*, 14 octobre 2010, www.courrierinternational.com/article/2010/10/14/jimmy-jump.

15. *Castings* : anglicisme. Ici, entrevues pour obtenir un rôle.

16. *Sponsor* : anglicisme. En français : commanditaire.

LA GRAPHIE DU SON « É »

ANTICIPATION

Associez la bonne graphie du son « é » à l'élément de la colonne de gauche qui lui correspond.

a) Lundi, tu vas commenc _____   1 és.

b) Un élève passionn _____   2 ai.

c) Une école renomm _____   3 ées.

d) Vous reviendr _____   4 é.

e) Des livres usag _____   5 er.

f) Je vous préviendr _____   6 ez.

g) Elles sont arriv _____   7 ée.

NOTIONS THÉORIQUES

Le son « é » peut s'écrire de plusieurs façons. Pour l'écrire correctement, il faut déterminer à quelle classe de mots il appartient : nom, adjectif ou verbe.

Les différentes graphies du son « é »		
Classe	**Explications**	**Exemples**
nom *-é* *-ée* *-er* *-ez* *-ai*	Il s'agit ici de l'orthographe d'usage du mot. Ces mots prennent un *s* au pluriel, sauf les noms se terminant par *z*.	le passé, un été, le musée, la qualité, l'arrivée, une idée, un métier, le boulanger, le laisser-aller, le nez, un rendez-vous, un quai, etc.
adjectif *-é* *-ée* *-és* *-ées*	C'est souvent un participe passé employé seul. • L'adjectif est placé après le nom. Il est complément de ce nom et reçoit son accord de ce nom. • L'adjectif est introduit par le verbe *être* ou un verbe attributif (*paraitre, sembler, rester*, etc.). Dans ce cas, il est attribut du sujet et il reçoit son accord du sujet.	Les meubles fabriqu**és** à Granby se vendent bien. Je l'ai vu la semaine pass**ée**. Tu as vendu des livres usag**és**. Ce sont des bouquets de fleurs séch**ées**. Élisa et Jasmine sont dépass**ées** par les évènements. Les enfants semblaient hypnotis**és** par la magie du spectacle. La directrice paraissait décid**ée**.

GRAMMAIRE

Les différentes graphies du son « é »			
Classe		**Explications**	**Exemples**
verbe	-er	On met le verbe à l'infinitif, soit la terminaison -er :	
		• après un verbe autre que avoir ou être. On peut le remplacer par un verbe en -ir, -oir ou -re ;	Elle peut **terminer** ses études. (Elle peut finir et non elle peut fini.)
			Je pensais **voyager** l'an prochain. (Je pensais recevoir et non je pensais reçu.)
		• après les prépositions (à, de, pour, sans, par, etc.). On peut le remplacer par un verbe en -ir, -oir ou -re.	Je n'ai pas beaucoup d'argent **à** dépens**er**. (à rendre)
			Robert fait tout **pour** rembours**er** sa dette. (pour grossir)
			Le contremaitre nous demande **de** travaill**er** **sans** parl**er**. (de lire sans rire)
			Le prof commence toujours **par** présent**er** la théorie. (par écrire)
verbe	-ai	On met la terminaison -ai quand le pronom je est le sujet du verbe.	Je rencontrer**ai** les étudiants demain. (futur simple) Je vous verr**ai** la semaine prochaine. (futur simple)
	-ez	On met la terminaison -ez quand le pronom vous est le sujet du verbe.	Vous ven**ez** cet après-midi à 15 h. (présent) Vous nous parli**ez** de l'Empire ottoman. (imparfait)
			Vous av**ez** aperçu votre frère dans le métro. (passé composé) Vous recevr**ez** deux billets. (futur simple)
		Attention ! Parfois, le pronom vous n'est pas sujet mais complément.	Je vous parler**ai**. (Je parlerai à vous.) Il veut vous donn**er** un conseil. (Il veut donner un conseil à vous.) Nous vous propos**ons** de fêter. (Nous proposons à vous de fêter.)
	-é -és -ée -ées	Il s'agit ici du participe passé employé dans les temps composés avec avoir ou être. Attention ! Il faut bien accorder les participes passés.	Nous n'avons pas accept**é** l'offre. Les étudiants sont arriv**és** hier. Elle est tomb**ée** de l'échelle ; elle s'est retrouv**ée** à l'hôpital.

P. 166 G »

EXERCICES

1 Écrivez correctement le son « é » dans les phrases suivantes.

a) La semaine pass____ , Thomas est all____ faire une randonn____ au mont Saint-Hilaire.

b) Je vous passer____ des lunettes que vous mettr____ sur le bout de votre n____ .

c) Michaël et Bertrand sont mont____ dans l'autobus près du qu____ Saint-Michel.

d) Ces fleurs séch____ ne servent pas à décor____ la vitrine du bijouti____ .

e) Est-ce que vous sav____ si le nouveau calendri____ scolaire dont je vous ai parl____ est prêt ?

f) Elles sont entr____ à 20 h, elles ont regard____ un film, puis elles sont all____ se couch____ .

g) En févri____ , je vous téléphoner____ pour vous demand____ si vous voul____ nous aid____ .

h) Thierry et Jean, vous êtes arriv____ trop tard ; vous ne pouv____ plus entr____ .

i) Nous avons rend____ -vous avec M. Tremblay, mais nous n'avons pas de laiss____ -pass____ .

LES DIFFICULTÉS COURANTES

j) Me donner_____ -vous les 100 $ que je devr_____ dépos_____ à la banque le mois prochain ?

k) Elle est décéd_____ et elle a laiss_____ une maison abandonn_____ , une voiture endommag_____ et un perroquet déplum_____ .

2 Écrivez correctement le son « é » dans la lettre suivante.

« *Chère Mathilde,*

Comment vas-tu ? Et ta sant____ [1] *? Es-tu all____* [2] *au Costa Rica pendant tes cong____* [3]*, comme tu me le disais dans ton dernier courri____* [4] *? As-tu recommenc____* [5] *à travaill____* [6] *? Est-ce que ton frère et toi, vous av____* [7] *pens____* [8] *aux prochaines vacances ? Si vous pass____* [9] *par la Gaspésie, je ser____* [10] *heureux de vous héberg____* [11] *ch____* [12] *moi.*

De mon côt____ [13]*, j'ai décid____* [14] *de termin____* [15] *mes études. Je me suis inscrit au Cégep de Sainte-Foy et, en janvi____* [16]*, je commencer____* [17] *mes cours en soins infirmi____* [18]*. Je suis certain que ce méti____* [19] *va m'intéress____* [20]*.*

J'____ [21] *hâte d'avoir de tes nouvelles. Je ser____* [22] *à Montréal au début du mois de m____* [23] *et je viendr____* [24] *te visit____* [25]*. Je n'ai pas de nouvelles de Laurie ; si tu en as, peux-tu me les communiqu____* [26] *?*

Je te transmets toutes mes amiti____ [27]*.*

Vincent »

3 Corrigez si nécessaire le son « é » dans le texte suivant.

À l'heure du petit déjeunez____ [1] *, dans la salle à mangé____* [2] *de l'hôtel Royal King de Nairobi, il était facile de repérer____* [3] *les nouveaux touristes arrivées____* [4] *la veille. Henry a reconnu facilement Cédric et Damien, un couple australien qui avait voyager____* [5] *avec lui sur le vol 456. Si on voulait les identifiés____* [6] *de manière encore plus précise, on pouvait déclarer____* [7] *que Cédric et Damien étaient des « écotouristes ». Ils n'étaient nullement attiré____* [8] *par les belles croisières dans les Caraïbes, ni par les visites guidés____* [9] *des grands musés____* [10] *des citées____* [11] *médiévales de l'Europe. Quand ils s'accordaient des congés____* [12]*, ces deux enseignants préféraient consacré____* [13] *leur temps et leur argent durement gagner____* [14] *à visité____* [15] *l'Antarctique pour observai____* [16] *les pingouins et les phoques, ou les iles Galapagos pour admirer____* [17] *les tortues.*

Hier soir, ils étaient arrivé____ [18] *au Kenya, non pas pour se prélassés____* [19] *sur les plages de l'océan Indien ni pour visiter____* [20] *les plantations de thé____* [21] *et de cafée____* [22]*, mais pour découvrir la faune et la flore de ce magnifique pays. En effet, le Kenya est le pays rêver____* [23] *pour apprendre à identifiée____* [24] *les oiseaux, les animaux et les plantes de l'Afrique.*

LES ANGLICISMES

ANTICIPATION

Dans le texte ci-dessous, soulignez les anglicismes et corrigez-les (11 éléments).

Je suis 18 ans depuis deux semaines et le gars que je sors avec en a quatre de plus que moi. Nous avons notre propre address, car nous habitons en apartement depuis le 1er juillet. J'étudie au cégep et il travaille sur Air Canada; il n'est pas toujours facile d'harmoniser nos cédules. Pour example, hier je l'ai attendu pour deux heures à la sortie du collège. Il devait m'amener chez le chiro; j'ai dû canceller mon appointement.

NOTIONS THÉORIQUES

Les anglicismes orthographiques

Certains mots ont une orthographe semblable en anglais et en français. Pour cette raison, des anglicismes orthographiques peuvent être commis en français.

Exemples : Anglais   Français

Anglais	Français
address	adresse
marriage	mariage
connection	connexion
traffic	trafic
dance	danse

Les anglicismes lexicaux

Des anglicismes lexicaux sont commis quand on utilise des emprunts à l'anglais. Ces mots sont empruntés avec ou sans modification.

Il y a les emprunts utiles et nécessaires, dans les cas où il n'y a pas de termes équivalents en français; ces emprunts sont passés dans l'usage du français.

Exemples : baseball, football, coroner, marketing, disc-jockey, rock.

Mais il y a les emprunts inutiles, qu'il faut corriger, car le français dispose d'un terme équivalent pour désigner ce dont on parle.

Exemples d'emprunts inutiles			
Anglais	**Français**	**Anglais**	**Français**
appointement	rendez-vous	checker	vérifier / contrôler
canceller	annuler	chum	petit ami / copain / conjoint
cédule / céduler	horaire / mettre à l'horaire planifier / programmer	computer	ordinateur
bumper	pare-choc	drum	batterie
coach / coacher	entraineur / entrainer	e-mail	courriel
deadline	échéance / date butoir	item	article
chat / chatter	clavardage / clavarder	le fun	amusant
change	monnaie	show	spectacle
cheap	mauvaise qualité / bon marché	stage	scène

Les anglicismes sémantiques

Certains mots existent dans les deux langues, mais avec un sens différent en anglais et en français. Si on emploie en français un mot avec son sens anglais, on commet un anglicisme sémantique.

Exemple : avec le mot *batterie* :

Pierre joue de la **batterie**. (correct)

La **batterie** de ma voiture est à plat. (correct)

La **batterie** de ma montre est morte. (incorrect : anglicisme au sens de *pile*)

Si on crée une expression en français par la traduction littérale de l'expression anglaise, on commet un anglicisme sémantique.

Exemple : Il a fait un appel longue-distance. (incorrect : traduction de l'expression *long-distance call*)

Forme correcte : Il a fait un appel interurbain.

Quelques exemples d'anglicismes sémantiques		
Mots	**Forme incorrecte**	**Forme correcte**
académique	Son dossier académique est excellent.	Son dossier scolaire est excellent.
admission	Le prix d'admission est trop élevé. (*price of admission*)	Le prix d'entrée est trop élevé.
bénéfice	Les bénéfices marginaux que l'entreprise lui offre sont intéressants. (*fringe benefits*)	Les avantages sociaux que l'entreprise lui offre sont intéressants.
caméra	Sam a apporté sa caméra à la fête. (*camera*)	Sam a apporté son appareil-photo à la fête.
comique	Tu lis seulement des comiques. (*comics*)	Tu lis seulement des bandes dessinées.
graduation	J'ai connu Mike à mon bal de graduation. (*graduation ball*)	J'ai connu Mike à mon bal de fin d'études.
partir	Dans un an, je veux partir une business. (*to start a business*)	Dans un an, je veux lancer une affaire / démarrer une entreprise.

Les anglicismes syntaxiques

Des anglicismes syntaxiques sont commis quand on utilise des traductions littérales de l'anglais, ou des transpositions en français de constructions syntaxiques anglaises.

Exemples : Construction anglaise

La fille *que* je sors *avec*… → La fille **avec qui** je sors…

Tu l'as attendu *pour* trois heures. → Tu l'as attendu (**durant** / **pendant**) trois heures.

Barnabé *est* 22 ans. → Barnabé **a** 22 ans.

Cette toile mesure 2 m *par* 3 m. → Cette toile mesure 2 m **sur** 3 m.

Je l'ai lu *sur* le journal. → Je l'ai lu **dans** le journal.

À date, il a réussi. → **Jusqu'à maintenant** / **À ce jour**, il a réussi.

Nous *l'*avons téléphoné. → Nous **lui** avons téléphoné.

1 Écrivez la forme correcte des anglicismes orthographiques suivants.

a) address _____   f) exercise _____

b) alcohol _____   g) future _____

c) apartment _____   h) language _____

d) comfort _____   i) professional _____

e) example _____   j) recommendation _____

2 Corrigez les anglicismes lexicaux dans les phrases suivantes. Le chiffre entre parenthèses indique le nombre d'anglicismes.

a) Jessica a envoyé un e-mail à tous ses professeurs. (1)

_____

b) J'ai voulu appeler Maria d'un téléphone public, mais je n'avais pas de change. (1)

_____

c) Ce trimestre, sa cédule est très chargée. (1)

_____

d) Pour sa fête, ses amis lui ont offert un ticket pour voir le dernier show d'Éric Lapointe. (2)

_____

e) Elle travaille dans ce magasin, donc elle a toujours un discount, mais elle ne reçoit pas de tip comme une waitress. (3)

_____

f) Il doit mettre du gaz dans son auto avant d'aller à l'école. (1)

_____

g) Comme nous prenons un brake à 10 h, nous pouvons checker si David est à son office. (3)

_____

h) S'il n'est pas là, je vais canceller mon appointement. (2)

_____

3 Associez l'anglicisme sémantique de la colonne de gauche à la forme française correcte de la colonne de droite.

Anglicisme	Forme correcte
1 Demander une question	**A** Une boisson
2 Pratique (de hockey)	**B** Interprétation
3 Des heures d'affaires	**C** Poser une question
4 Prendre un cours	**D** Entrainement
5 Un caractère (d'un film ou d'un livre)	**E** Poser sa candidature
6 S'enregistrer	**F** Des heures d'ouverture
7 Performance	**G** Suivre un cours
8 Un breuvage	**H** S'inscrire
9 Faire une application	**I** Avoir une discussion

Anglicisme	Forme correcte
10 Avoir un argument	**J** Un personnage
11 Compléter (un formulaire)	**K** Remplir

1 ⬚ 4 ⬚ 7 ⬚ 10 ⬚

2 ⬚ 5 ⬚ 8 ⬚ 11 ⬚

3 ⬚ 6 ⬚ 9 ⬚

4 Indiquez la forme française correcte pour chacun des anglicismes soulignés dans les phrases suivantes.

a) À date, elle est contente avec son nouveau travail.

_____

b) Si vous me laissez un message, je vous retourne l'appel tout de suite.

_____

c) Amanda est en amour avec Stéphane depuis deux mois.

_____

d) Ça fait une heure qu'elle est sur le téléphone.

_____

e) Je le rencontre tous les jours sur l'autobus 51.

_____

f) Dans mon opinion, les cours de physique sont très importants.

_____

g) Sébastian est en charge de tous les moniteurs du camp.

_____

h) Dans le futur, je pense aller faire du bénévolat plus souvent dans ce centre d'alphabétisation.

_____

LES CODES GRAMMATICAUX EMPLOYÉS DANS LA PARTIE GRAMMAIRE

CD	complément direct
CI	complément indirect
CN	complément du nom
CP	complément de phrase
D	déterminant
GAdj	groupe adjectival
GAdv	groupe adverbial
GN	groupe nominal
GNsujet	groupe nominal sujet
GV	groupe verbal
GVInf	groupe du verbe à l'infinitif
P	phrase
PD	phrase déclarative
PInt	phrase interrogative
PP	participe passé
Préd	prédicat
Pron	pronom
S	sujet

INDEX

SOURCES ICONOGRAPHIQUES

Couverture: (photo principale) 38593184 © iStockphoto.com/wundervisuals, 21013251 © iStockphoto.com/wundervisuals, 63070575 © iStockphoto.com/Stanislav1, 16947844 © iStock/littleclie
P. 1: 73626231 © iStockphoto.com/RyanJLane. **P. 2:** 292357736 © mborgali/Shutterstock, 116541739 © Richard Laschon/Shutterstock. **P. 3:** 21011445 © iStockphoto.com/andymo.
P. 4: 131007272 © Ihnatovich Maryia/Shutterstock. **P. 4:** 253784104 © knysh ksenya/Shutterstock.
P. 6: 291361637 © Klaus Kunstler/Shutterrstock. **P. 7:** 18464979 © iStockphoto.com/CSA-Images, 18465424 © iStockphoto.com/CSA-Images. **P. 8:** 18464485 © iStockphoto.com/CSA-Images, 18465248 © iStockphoto.com/CSA-Images, 206266147 © Rido/Shutterstock. **P. 9:** 201340889 © Eric Isselee/Shutterstock. **P. 10:** 18465146 © iStockphoto.com/CSA-Images. **P. 12:** 164732168 © STH/Shutterstock, 52640884 © iStockphoto.com/Alex Potemkin. **P. 13:** 91846334 et 61718011 © Maridav/Shutterstock. **P. 14:** 64912012 © Sergey Kohl/Shutterstock, 12004990 © iStockphoto.com/logoff.
P. 15: 63047723 © iStockphoto.com/3DMAVR. **P. 16:** 43156819 © archetype/Shutterstock, 1063196 © Maxim Petrichuk/Shutterstock. **P. 17:** 165292499 © Jack Frog/Shutterstock, 142223536 © cifotart/Shutterstock. **P. 18:** 276546206 © Kateryna Kon/Shutterstock, 5845246 © iStockphoto.com/Brosa, 114316354 © Umberto Shtanzman/Shutterstock.
P. 19: 94854235 © Adam Radosavljevic/Shutterstock. **P. 21:** 12713584 © Feng Yu/Shutterstock.
P. 22: 21292843 © iStockphoto.com/agencyby. **P. 23:** 237707728 © Africa Studio/Shutterstock, 263950370 © Antonmaria Galante/Shutterstock. **P. 24:** 16843379 © iStockphoto.com/-Oxford-.
P. 25: 74199813 © iStockphoto.com/GregorBister. **P. 26:** 113513857 © freesoulproduction/Shutterstock. **P. 27:** 8944982 © iStockphoto.com/zoom-zoom, 64102555 © AirOne/Shutterstock.
P. 28: 261081617 © Daniel M. Nagy/Shutterstock. **P. 29:** 262839059 © Anielius/Shutterstock.
P. 30: 285375857 © Photology1971/Shutterstock. **P. 31:** 311555342 © Africa Studio/Shutterstock.
P. 32: 249041668 © Ramonki/Shutterstock, 217684267 © akiyoko/Shutterstock.
P. 33: 47440078 © iStockphoto.com/ClarkandCompany. **P. 34:** 61462226 © iStockphoto.com/jrwasserman. **P. 35:** 171361553 © EkaterinaP/Shutterstock. **P. 36:** 16269358 © Dmitrijs Dmitrijevs/Shutterstock. **P. 37:** 143089582 © Carlos E. Santa Maria/Shutterstock, 41729924 © iStockphoto.com/Paolo Cipriani. **P. 38:** 153751466 © Riccardo Piccinini/Shutterstock, 191973695 © releon8211/Shutterstock. **P. 39:** 218228743 © Dragon Images/Shutterstock. **P. 41:** 135979139 © KoQ Creative/Shutterstock. **P. 42:** 305780024 © Eakachai Leesin/Shutterstock. **P. 43:** 921496 © iStockphoto.com/kevinruss, 76978213 © OlegDoroshin/Shutterstock, 52138442 © iStockphoto.com/Jon_Brown.
P. 44: 49288280 © iStockphoto.com/Riccardo Lennart Niels Mayer. **P. 45:** 22309588 © Sam DCruz/Shutterstock. **P. 46:** 103477010 © Monika Hrdinova/Shutterstock. **P. 47:** 168656982 © Jack Cahill/Toronto Star via Getty Images. **P. 48:** 14265701 © iStockphoto.com/IS_ImageSource, AK90AD © Terry Fincher. Photo Int/Alamy Stock Photo. **P. 49:** 272084228 © Crystal Eye Studio/Shutterstock.
P. 50: 264079460 © Dragon Images/Shutterstock. **P. 51:** 35905768 © iStockphoto.com/IS_ImageSource, 25101513 © iStockphoto.com/Nicolas McComber. **P. 52:** 145291789 © TijanaM/Shutterstock. **P. 53:** 15308692 © Dundanim/Shutterstock. **P. 54:** 207339352 © aleramo/Shutterstock, 301253483 © iJeab/Shutterstock. **P. 55:** 77592664 © williammpark/Shutterstock.
P. 56: 37058896 © Kletr/Shutterstock. **P. 57:** 41431996 © iStockphoto.com/Hadimor.
P. 58: 151710566 © Zacarias Pereira da Mata/Shutterstock. **P. 59:** 253549105 © frank_peters/Shutterstock. **P. 60:** 11861967 © iStockphoto.com/Savas Keskiner. **P. 61:** 131289851 © GrandeDuc/Shutterstock. **P. 62:** 86123704 © Ollyy/Shutterstock. **P. 63:** 213317992 © Blue Island/Shutterstock.
P. 64: 245646673 © SonicN/Shutterstock. **P. 69:** 145818149 © ojal/Shutterstock.
P. 70: 117228613 © RHIMAGE/Shutterstock. **P. 71:** 190129208 © Denis Beaumont/Shuttersock.
P. 72: 202647493 © meunierd/Shutterstock. **P. 73:** 262690877 © Piotr Marcinski/Shutterstock.
P. 107: 292448078 © arisara/Shutterstock.